Origine inconnue

Danielle THIÉRY

Origine inconnue

À Pierre et à Éric Meillant, un grand merci…

La vie est un enfer tranquille...

1

Un courant d'air venu de nulle part bouscule les papiers jaunis qui jonchent le sol. Des moutons de poussière grise tournoient mollement et, à l'étage, une fenêtre bat sous la poussée du vent.

Le vieil homme dénudé jusqu'à la ceinture a froid. Ses fausses dents claquent sèchement et la douleur qui étreint sa poitrine, engourdissant son bras gauche, se fait plus mordante. Il ferme les yeux et serre ses lèvres sèches. La soif met le feu à sa gorge. Il sent, dans son dos, son bourreau affairé à une sale besogne, et le crissement de deux objets métalliques frottés l'un contre l'autre, l'ahan rauque de l'effort lui font redouter le pire.

Un mouvement plus proche, un déplacement d'air, le souffle d'une bouche aux relents aigres. Il est là. Son visage à quelques centimètres de celui du vieux, il le contemple de son regard de fouine. Il avance la main droite vers les plaies d'où suinte le sang, enfonce un ongle dans le cratère creusé par un cigarillo.

Le vieillard se cabre en réprimant un cri. Plutôt crever que donner sa souffrance en spectacle. Plutôt mourir que laisser espérer une reddition. Mourir, oui, voilà ce qu'il veut à présent, le plus vite possible.

La main gauche de l'individu apparaît, serrée sur le manche d'un couteau recourbé, comme ces poignards en carton des fantasias arabes pour touristes en mal de sensations. Mais la lame, ici, est d'acier et luit à peine dans le jour qui meurt en silence derrière les carreaux sales.

— Alors ? Je te répète la question ?

La lame, aiguisée comme un rasoir, avance vers le visage aux traits altérés, creusé de rides innombrables, que ne parvient pas à atténuer la pénombre grandissante. Elle se pose sur le menton, glisse sur la joue hérissée de poils clairsemés, caresse le nez fin du vieillard, traçant sur son passage une coupure imperceptible, une ligne rose le long de laquelle perlent aussitôt des gouttes de sang minuscules. Elle s'arrête sous l'œil droit, semble hésiter un instant avant de s'enfoncer de quelques millimètres dans la paupière inférieure. La douleur fait sursauter le vieil homme, qui perçoit aussi, à retardement, la brûlure de la longue estafilade.

— Je veux une réponse ou je te fais sauter l'œil. Celui-ci d'abord, ensuite l'autre. Compris ?

Le vieux esquisse un sourire. Il n'a même pas peur. Il n'a jamais eu peur de la douleur ni de la mort. Il est au bout de sa route.

Rassemblant ses forces et un reste de salive, il loge sur sa langue une réserve suffisante en remuant les lèvres comme s'il essayait de parler.

Le tortionnaire se méprend et se penche pour entendre les aveux qu'il espère depuis des heures. Le jet s'écrase sur son nez, glissant aussitôt sur sa bouche qu'il garde entrouverte à cause de son nez toujours bouché. Il se rejette en arrière, portant vivement sa main libre devant son menton, tandis qu'il crache avec fureur les miasmes du vieux.

— Vieille charogne ! Tu vas le payer !

— Petit con..., murmure l'homme attaché.

Il voudrait crier son mépris et son dégoût, mais ses forces l'abandonnent. Sa volonté est intacte, c'est la machine qui flanche. La douleur dans son torse, à présent, bloque sa respiration. Il tente de retrouver son souffle, encore un peu, pour le plaisir de savourer le dépit de son bourreau. Mais c'est un voile rouge qui tombe devant ses yeux, une belle éclaboussure pourpre. Une gerbe d'endorphines qui masque la peur et adoucit la mort. La mort, songe-t-il, alors qu'au fond de sa poitrine quelque chose craque.

La lame du poignard reprend sa place dans le trou de la paupière et s'y enfonce. Le sang gicle, mais le vieil homme ne bouge pas. En grognant, le tortionnaire découpe la peau tout autour de la cavité orbitaire, sans rencontrer la moindre résistance.

— Tu vas la voir, ta gobille... Elle va te tomber sur les genoux !

Aucun écho, aucun signe de douleur. Rien. Seulement, au moment où il atteint le fond de l'orbite et touche le nerf optique, un sursaut réflexe qui fait basculer la tête du vieux en arrière. Dans une gerbe tiède, l'œil jaillit pour aller s'écraser avec un bruit mou sur la main qui tient le couteau. Il rebondit et tombe sur les dalles massacrées par des décennies de mauvais traitements.

Pas un geste du torturé, pas un cri.

Sa bouche, à peine, s'entrouvre, et, quand le tortionnaire voit l'œil valide fixé sur le plafond crasseux, il comprend que l'ancien l'a blousé, une dernière fois.

2

L'aube ressemble à une fin de nuit tropicale à peine rafraîchie par un souffle gorgé d'humidité qui gonfle les rideaux de la fenêtre grande ouverte. Le tonnerre roule au loin. Marion soulève légèrement les paupières. Le jour se lève sur la campagne, dans la chambre flottent des parfums qui emplissent la jeune femme de bonheur. Elle a envie d'étirer ses jambes pour trouver un peu de fraîcheur mais se refuse à tout mouvement, de peur d'anéantir le sentiment de plénitude que lui procure le corps de l'homme qui monte et descend lentement contre le sien au rythme de sa respiration.

Un oiseau de nuit jette un cri inquiet au jour qui s'annonce, le vent reprend de la force. Le voile devant la fenêtre monte jusqu'à Marion, frôle sa peau humide. Elle frissonne, et l'homme doit le sentir dans son sommeil, car sa main abandonnée sur sa hanche s'agite, imperceptiblement. Elle prend conscience de ce frémissement et n'a plus qu'une envie, qu'un désir : que cette main s'anime et vienne jusqu'à elle, jusqu'à son intimité. Son ventre se fait douloureux, palpitant. Elle se rapproche. À peine quelques centimètres qui suffisent à ramener dans le monde des vivants son compagnon, dont le sexe durcit aussitôt. Sans se réveiller vraiment, il se glisse entre les cuisses de la jeune femme qui gémit et s'ouvre à sa caresse. Le désir qui coule en elle la fait trembler. Elle le laisse s'emparer d'elle. Son corps se cabre.

Dehors, des éclairs brefs se répondent d'un bout à l'autre de l'horizon.

3

De gros paquets de cumulo-nimbus moutonnent dans un ciel qui ne se décide pas à se dégager. L'orage gronde au loin depuis des heures et le vent s'engouffre dans la vallée, remontant les pentes de la « montagne », courbant les haies de genévriers, balises effilées d'une route étroite qui sinue en virages serrés jusqu'à la maison. Par la fenêtre de la cuisine, Marion regarde les conifères résister tant bien que mal aux assauts de la tempête naissante, en protégeant de leur mieux les cultures maraîchères et les quelques vaches et brebis qui se serrent les unes contre les autres à l'abri de ce fragile rempart. Les sens en paix, elle savoure un moment de pure magie, les neurones en roue libre, loin des tensions, loin de la PJ, loin des affaires.

Le commissaire Edwige Marion, que tous n'appellent jamais que Marion tout court, se fiche éperdument, à cet instant, de tout ce qui se passe en dehors de sa bulle intime.

Pourtant, d'un geste machinal, elle appuie sur le bouton du poste de radio branché sur France Info. Elle écoute distraitement quelques nouvelles du temps qui se dégrade à cause d'une dépression venue de l'ouest, les yeux au loin. À hauteur du premier virage, à un kilomètre en contrebas, un trait blanc qui se déplace attire son attention. Il disparaît lorsque les arbres, libérés par une accalmie du vent, se redressent. Marion, se souvenant subitement qu'elle est descendue à la cuisine pour préparer le petit déjeuner, remplit d'eau la bouilloire électrique. Elle pose un plateau sur le plan de travail, y aligne trois bols, des toasts, de la confiture de mûres et du beurre salé. Elle détache d'un rouleau trois feuilles de papier essuie-tout, les plie et les coince sous les bols, met deux cuillers de cacao dans celui de Nina et du thé de Ceylan dans une théière en faïence de Sarreguemines dont elle aime le bleu intense.

D'un coup d'œil, elle aperçoit le trait blanc qui refait surface au troisième virage, puis un trou dans la haie lui dévoile le toit d'un véhicule utilitaire de capacité moyenne qui porte sur son flanc la marque d'une entreprise de déménagement.

Elle se dit que le dimanche est un jour idéal pour déménager, quand la radio annonce le flash de huit heures. Le présentateur énumère les nouvelles : une affaire de délinquance alimentaire, un accident d'autocar en Espagne, le rebondissement probable d'un scandale financier enterré par les vacances. Dans son dos, un frôlement immédiatement suivi d'un délicieux baiser dans le cou coupe la parole au propagateur de catastrophes. Les bras de Gilles se referment sur elle. Les yeux clos, elle se laisse aller en arrière.

« Fusillade dans un bar à Lyon…, récite la voix détimbrée du journaliste. Deux blessés… »

Marion se raidit.

Clac. Le doigt de Gilles sur le bouton rouge. Silence.

— Mais, proteste Marion, ça ne va pas ? Laisse-moi écouter, enfin !

— Pas question ! fait Gilles en lui saisissant les bras afin qu'elle ne puisse atteindre l'appareil. Laisse ce truc où il est avec ses mauvaises nouvelles ! Tu es en vacances.

Il rit comme un gamin facétieux. Il est grand, costaud, pas vraiment beau. Marion se débat, ruse et finit par avoir gain de cause.

Clac. Le bouton vert. Trop tard, l'animateur a déjà changé de sujet.

— Zut, maugrée-t-elle. J'aurais vraiment aimé savoir où c'était…

— Tu le sauras bien assez tôt, dit Gilles en l'embrassant. Alors, ce petit déj… ? Je meurs de faim.

Marion lui rend son baiser en songeant que cet homme-là a toujours faim, un appétit qui explique les contours généreux de sa silhouette. Toutefois, pour les infos, elle reconnaît qu'il a raison. C'est son premier jour de vacances, il faut, c'est vital pour eux, qu'elle se débranche complètement du travail et de l'actualité. Elle ne peut pourtant se défendre d'une pointe d'irritation devant les manières autoritaires de Gilles. Douces, attentives, pleines de bon sens, mais autoritaires. Elle s'évertue à cacher sa contrariété ; son amant n'est pas dupe et, l'attirant à lui, les lèvres dans ses cheveux, il s'excuse de s'être mêlé de ce qui ne le regarde pas. Pour couper court, elle l'envoie réveiller Nina. Ils ont une journée chargée avant de prendre la route le lendemain pour quelques jours de farniente au soleil.

Gilles sorti, elle s'accoude au rebord de l'évier, derrière la fenêtre close, sans oser toutefois remettre la radio en marche.

Le camion blanc est parvenu au dernier virage, en haut de la côte. Intriguée, Marion l'observe, distinguant vaguement la silhouette du conducteur penché sur le siège passager. Sans doute consulte-t-il une carte sans trop savoir où il est. Marion perçoit, malgré le raffut du vent et les coups de tonnerre qui se succèdent, de plus en plus proches, le bruit du frein à main que l'on tire. La portière s'ouvre et un jeune homme, la tête couverte d'un bonnet rasta, saute sur la route et se dirige d'un pas chaloupé vers le portail. Il se penche sur la boîte aux lettres où Nina a collé leurs trois noms et lève les yeux en direction de la fenêtre derrière laquelle il repère Marion. Celle-ci tente de se planquer, inquiète à l'idée que l'homme puisse l'apercevoir nue, puis elle se souvient d'avoir enfilé un tee-shirt de Gilles avant de descendre et ouvre un des battants.

L'homme manifeste de l'impatience, comme si elle était responsable du fait qu'il se soit égaré.

— Vous êtes perdu ? crie-t-elle pour couvrir les grondements de plus en plus forts de l'orage. Il n'y a pas d'autre maison au bout de cette route.

— Je sais, rétorque le chauffeur en roulant des yeux furieux, ça fait deux plombes que je tourne dans le coin. Mais c'est bon, je vous ai trouvée...

Lui aussi force sa voix. Une ou deux gouttes larges et plates s'écrasent sur son chapeau, et il lève la tête vers le ciel pour mesurer l'imminence de la déroute.

— Pardon ? hurle Marion. Qu'est-ce que vous dites ?

Il lève le papier à hauteur de ses yeux en s'efforçant de rester calme tandis que de nouvelles gouttes tombent du ciel noir comme de l'encre.

— Vous êtes bien madame Marion ? Edwige Marion ?

— Oui, mais...

— J'ai une livraison pour vous ! crie-t-il encore en faisant le dos rond. Je peux entrer ? Je vais me faire rincer...

— Attendez ! proteste Marion. Je ne comprends pas. Quelle livraison ? Je n'ai rien commandé !

La pensée d'une initiative de Gilles la contrarie, subitement. Elle opère un flash-back sur le moment où, la veille, il lui a demandé sa main, entre la poire et le fromage.

« Épouse-moi ! » a-t-il ordonné. Puis, comme le regard de Marion virait au noir, il s'est empressé de corriger le tir : « Je te demande très sérieusement et très solennellement ta main, ma belle... »

Un coup d'œil sur le camion où l'averse rebondit bruyamment expédie dans ses artères un jet d'adrénaline qui lui met le feu aux joues. Gilles n'a-t-il pas anticipé sa réponse ? N'est-il pas en train de lui faire livrer son mobilier, un dimanche matin, après l'amour et une nuit électrique ?

— Écoutez, madame, s'indigne le livreur, je ne vais pas passer mon dimanche devant votre porte. Déjà que je suis allé à votre ancienne adresse ! Heureusement qu'un voisin sympa m'a expliqué que vous aviez déménagé... Vous prenez ce camion ou je le vide dans le jardin ?

Ce camion ? Il a bien dit : « ce camion » ? Seigneur, elle a vu juste. Gilles emménage !

— Qu'est-ce qui se passe ? fait la voix de son amant derrière elle. Pourquoi tu cries comme ça ?

Marion fait volte-face.

— Dis donc, Gilles Andrieux ! réplique-t-elle en le toisant. Tu ne serais pas en train de t'installer, là ?

Elle désigne le camion dehors et le chauffeur qui a trouvé un refuge précaire sous un catalpa. La stupeur de Gilles ne peut être feinte.

— Tu ne me ferais pas ce coup-là ? reprend-elle, partagée entre l'inquiétude et l'envie de rire devant l'air outragé de son compagnon.

— J'espère que tu plaisantes, dit-il quand il semble enfin avoir compris de quoi il retourne. Et ne laisse pas ce pauvre type sous un arbre, c'est dangereux, l'orage !

— Mais qu'est-ce que vous fabriquez, à la fin ? On peut plus dormir dans cette baraque !

Nina, en pyjama, ébouriffée, les yeux encore gonflés de sommeil, se tient sur le seuil de la cuisine. La réprobation en personne.

— C'est à cause du camion, bafouille Marion.

— Quel camion ?

Nina ouvre des yeux comme des soucoupes. Sa mère paraît anéantie, lui tient un discours vaseux. « C'est à cause de lui », pense la petite avec rancune en fixant les pieds nus de Gilles dont les orteils se recroquevillent sur le carrelage.

— Écoutez, s'énerve Marion en se dirigeant vers la porte d'entrée, je ne sais pas ce qui arrive, mais j'ai l'impression qu'on me joue un mauvais tour.

Elle tourne le verrou et ouvre au conducteur, qui s'engouffre dans la maison, dégoulinant, son chapeau multicolore collé par l'averse qui cogne maintenant avec hargne les tôles de son camion.

— Excusez-moi ! murmure Marion. Je vais vous faire un café…

L'homme, déjà rasséréné, accepte d'un signe de tête en lui tendant le papier maculé de larges auréoles humides :

— Signez là, madame ! Je vous y mets tout ça où ?

Prise de vertige, la jeune femme s'adosse au mur peint d'un jaune lumineux en agrippant le dossier d'un fauteuil.

— Mais je ne signe rien ! Je ne sais même pas de quoi il s'agit. Je n'accepterai rien tant que je ne saurai pas ce que c'est ni d'où ça vient.

Le livreur lui colle le papier sous le nez, elle le prend machinalement. Gilles et Nina se sont avancés à leur tour. La fillette contemple le rasta comme s'il représentait un danger absolu, et Gilles, tendu, paraît prêt à lui bondir dessus.

— C'est écrit là, madame. Quinze cartons avec votre nom et l'expéditeur, c'est Mᵉ Tarquin, notaire, 12, cours Lafayette à Lyon. Ça vous va, comme ça ?

L'homme a l'air d'un authentique Jamaïcain, mais son accent purement lyonnais dénonce une naissance moins lointaine.

— Quinze cartons ! Mais je rêve, t'as dévalisé Emmaüs, se moque Nina, qui connaît le goût de sa mère pour les vieilleries et la récupération.

— Je ne comprends rien, maugrée Marion. Il y a sûrement une erreur, je vais appeler ce notaire.

— On est dimanche, je vous signale, réplique l'homme en haussant les épaules d'un air apitoyé. Moi, j'ai accepté ce boulot pour rendre service et m'avancer pour demain, mais je vais pas y passer la journée. Je dois livrer, je livre. Alors, décidez-vous ou j'y fous tout dans la cour !

Gilles ouvre la bouche pour engager le jeune homme à la politesse, mais Marion l'arrête d'un geste.

— Vous avez raison, on a tous autre chose à faire, se décide-t-elle en cherchant des yeux un parapluie, un ciré, n'importe quoi susceptible de la protéger du déluge qui a redoublé d'intensité.

Elle court jusqu'au camion, suivie de près par le rasta qui patauge dans les flaques à la manière d'un jeune chiot. Il ouvre un des battants, et Marion lui fait signe qu'elle veut monter. Il lui offre sa main pour l'aider à escalader, mais elle se dégage et saute prestement à l'intérieur. Une succession d'éclairs et le fracas quasi simultané du tonnerre indiquent que l'orage arrive à son point culminant. Nina, depuis le seuil de la porte, prétend même avoir vu tomber une boule de feu, et Gilles l'entraîne à l'abri dans la maison. Ayant regagné la fenêtre de la cuisine, ils attendent de voir comment Marion va se débrouiller pour expédier au diable ce livreur et ses cartons. Sa mère bricole dans ce fichu camion depuis cinq bonnes minutes, et Nina commence à s'impatienter.

Quand, une éternité plus tard, elle réapparaît enfin, tous deux remarquent son air lointain, la pâleur de son visage et la manière dont elle les examine, comme si elle redécouvrait leur existence.

La pluie n'a pas cessé, mais elle perd de sa violence de minute en minute et le vent faiblit. Sous son parapluie publicitaire vantant un alcool, Marion leur fait signe. Ils se penchent d'un même mouvement par la fenêtre.

— Allez ouvrir le garage et faites de la place ! crie-t-elle. On a quinze cartons à caser.

Nina regarde Gilles qui regarde Marion qui regarde le camion. Immobiles comme sur une photo. Le téléphone les fait redescendre sur terre. Nina se précipite.

Quand elle revient, la fillette semble avoir perdu son hâle de l'été. Sa démarche incertaine est celle d'un vieillard alcoolique. D'instinct, elle saisit la main de Gilles et la serre convulsivement en fixant sa mère avec des yeux pleins de détresse.

— C'était quoi, le téléphone ? s'inquiète Marion.

— Pour toi ! murmure Nina d'une voix altérée. L'hôpital.

4

Marion a vu plusieurs de ses hommes mourir. Elle ne peut supporter l'idée d'en perdre un de plus. Surtout pas celui-ci.

Talon respire encore, mais il est difficile à reconnaître avec le large bandage qui ceint son front et les coups de badigeon ocre hâtivement appliqués sur son torse nu. La première balle a éraflé son cuir chevelu, elle était inoffensive. Celle qui risque de le faire passer de vie à trépas est entrée dans son abdomen et s'y trouve encore. Du calibre 38, haute vitesse initiale. Quand l'état-major de la PJ a appelé au domicile de Marion, l'officier de permanence a prié, sans précaution, qu'on avertisse au plus vite la commissaire Marion : le lieutenant Talon était mourant et il réclamait son patron pour l'assister, comme d'autres demandent un prêtre. Nina, dont Talon est le meilleur ami, le grand frère, a pris la nouvelle en pleine figure. Elle a failli s'évanouir.

Talon n'était pas conscient quand Marion est arrivée, habillée à la va-vite et pas coiffée. Il était toujours sous assistance cardiaque et respiratoire, et bien que, depuis une demi-heure qu'elle scrute ses traits exsangues, il n'ait manifesté aucun signe de retour à la vie, elle ne se décide pas à partir, sûre que, dès qu'elle aura tourné les talons, on en profitera pour le débrancher.

Une porte bat quelque part dans son dos et le bruit discret de semelles de crêpe se rapproche. L'interne qui a reçu Marion pour lui expliquer le cas de Talon contourne le lit n° 2 de l'unité de soins intensifs et se plante en face d'elle, les mains dans les poches de sa blouse. Elle cherche dans ses yeux une raison d'espérer, mais il se dérobe.

— L'homme qu'on a amené en même temps que ce monsieur vient de décéder. À neuf heures vingt-huit, dit-il d'une voix plate.

L'homme doit avoir une trentaine d'années. Une tête de vieux, dégarnie et pâle, avec des cicatrices acnéiques, certaines encore tumescentes et si fraîches qu'on pourrait le croire en pleine puberté.

— Seigneur, murmure Marion en reportant son regard sur Talon. Faites que ce soit un cauchemar...

— Hélas, commissaire, dit l'interne d'un ton sinistre, autant que vous le sachiez, il a peu de chances de s'en tirer.

— Mais il avait repris conscience !

L'interne lève un sourcil étonné.

— Pas que je sache...

— Il m'a demandée près de lui. Je croyais... Mais c'est vous qui en avez pris l'initiative, si je comprends bien ?

— Il y avait votre nom sur sa carte de donneur d'organes, à côté de son groupe sanguin. Vous étiez la personne à avertir en cas de décès.

— En cas de décès ! frémit Marion. C'est dingue, ça... Il n'est pas encore mort et vous avez déjà casé son cœur, ses poumons, ses...

Le médecin la coupe d'un geste impatient :

— On l'a opéré cette nuit, mais la balle s'est logée dans une vertèbre, près de la moelle épinière. Trop près pour qu'on puisse l'extraire sans risque. S'il survit, il courra le danger permanent d'une mauvaise chute, d'un déplacement de ce bout de plomb...

« Vaut-il mieux être mort ou mort vivant ? » se demande Marion. Elle sait quelle serait la réponse de Talon.

— On sera fixés quand ?

Le médecin fait la moue.

— Pour moi, il est mort. Mais, étant donné que toute activité cérébrale n'a pas disparu, le patron attend encore un peu. Il a de la famille à prévenir ?

Marion fait non de la tête lentement, obnubilée par le visage livide de son lieutenant à la barbe rare et aux yeux clos. Dans un éclair, elle le voit sortir son grand mouchoir à carreaux pour astiquer ses lunettes de myope, frotter ses joues de nourrisson de ses doigts noircis par l'encre de l'imprimante, et un sursaut de révolte l'étrangle.

— Tu ne peux pas me faire ça, Jérôme Talon ! dit-elle, les dents serrées, tandis que, dans son dos, l'interne reflue vers la sortie. Tu m'entends ? C'est impossible, pas toi.

Seul le bip régulier du moniteur chargé de contrôler l'activité du cœur de Talon fait écho à l'injonction qu'elle adresse à son lieutenant d'une voix râpée par l'émotion. Et il faut qu'elle le soit, émue, pour enfreindre la règle du vouvoiement en vigueur dans les services entre « patron » et subordonnés.

— Et Nina, qu'est-ce que je vais lui dire ? Tu ne crois pas qu'elle en a assez bavé comme ça ? Son père, Léo... toi... Qu'est-ce que vous avez tous, les mecs, à vous faire la malle ? Qu'est-ce qui vous prend ?

Elle guette une réponse dans le silence de l'hôpital. Il lui semble que Talon remue un doigt, et elle fixe intensément cet index gauche, lui intimant l'ordre de recommencer à bouger. Mais ce n'est qu'une illusion, il ne s'est rien passé, Talon ne bougera pas.

— Putain, se cabre Marion, mais qu'est-ce que j'ai fait au bon Dieu ? Pourquoi j'étais pas avec toi hier soir ?

Elle se penche, les paupières brûlées par les larmes qu'elle retient, puisqu'on lui a dit que, pour aider un comateux à revenir, il faut être « positif ». Elle baisse le ton :

— Je mangeais, je dormais, je m'envoyais en l'air pendant que tu te faisais flinguer. Je m'en veux, tu ne peux pas savoir. Jérôme, il faut que tu m'entendes !

En dépit de ses efforts, une larme s'échappe, roule le long de son nez. Elle l'essuie d'un revers de manche. Sa voix se brise :

— Je t'interdis de mourir, tu as compris ? Tu n'as pas le droit de me laisser tomber. On ne s'est jamais lâchés tous les deux, hein, Talon ! Qu'est-ce que je vais faire, moi, maintenant ? Lavot se barre en Amérique du Sud. Il dit que c'est pour une année, mais je sais qu'il ne reviendra pas. Il choisit Mathilde et ses gosses, c'est normal. Quercy, lui, a des idées de grandeur... Il se tire à Paris, au ministère... Et toi, tu es en train de lâcher la rampe...

Un sanglot gronde au fond de sa gorge.

— Qu'est-ce que je deviens, moi, dans tout ça ? Tu ne te rends pas compte, mais je ne pourrai plus faire ce boulot sans toi. S'il te plaît, Talon... Jérôme... dis quelque chose ! Je t'aime, moi, espèce de sale con...

Elle se penche un peu plus, pose doucement son front contre la main inerte mais encore chaude de Talon et elle laisse couler ses larmes, sans pudeur, comme une grande sœur qui regarde mourir son petit frère et qui voudrait lui donner un peu de sa vie.

5

— Le pire, c'est l'impuissance. Tu es là, tu voudrais donner ton sang, ta vie et... tout le reste. Et rien. Rien, tu ne peux rien. La mort décide à ta place, elle te prend tout. Tes amis, tes frères.

Marion tourne au milieu du salon comme une lionne en cage. À cause de l'humidité et d'un brusque rafraîchissement à la tombée du jour, Gilles a allumé une flambée dans la cheminée et fait griller sur les braises quelques beaux blancs de poulet macérés dans une sauce au gingembre avec une poignée de girolles qu'il a dénichées Dieu sait où. Il a tout fait pour dérider Marion et Nina, mais elles ont boudé le repas et la petite n'a pas desserré les dents. Un cercle blanc autour de ses lèvres indiquait l'effort qu'elle faisait pour retenir ses sanglots et cacher son désarroi. Elle est finalement partie se coucher et Marion l'a trouvée, un quart d'heure après, terrassée par le sommeil et le chagrin, enroulée autour du vieux doudou qu'elle exhume du placard les soirs de grande détresse.

— Il n'est pas encore mort, rectifie doucement Gilles. Il faut y croire, Marion... Tant que...

— Tant qu'il y a de la vie, il y a de l'espoir, achève-t-elle, amère. Celle-là, je la connaissais déjà, merci.

Gilles se rembrunit. Visiblement, ses tentatives d'apaisement sont vaines. Pis encore, Marion les prend mal.

— Ce n'est pas ce que je voulais dire, réplique-t-il avec patience. Tant que ses fonctions vitales subsistent, on peut en effet espérer qu'il s'en tire.

Tu as fait ce qu'il fallait en passant la journée près de lui.

Marion s'arrête brusquement de marcher pour fixer Gilles. N'y a-t-il pas comme un sous-entendu, un reproche indirect, dans sa dernière remarque ? La tension entre eux monte d'un cran. Elle est dans un tel état qu'elle est capable d'interpréter une phrase anodine comme une agression. Gilles se hâte d'enchaîner :

— Tu n'y peux rien, Marion... Les choses arrivent d'elles-mêmes... Ce n'est pas ta faute.

— Si, c'est ma faute, dit-elle en reportant son regard buté sur le feu de cheminée. J'aurais dû être là, avec eux. Prendre des bastos moi aussi...

— Ben voyons ! Ne raconte pas de bêtises... Tu ne peux pas être là, tout le temps, avec eux, ou alors c'est que tu n'es pas un bon chef. Ils sont grands, majeurs, autonomes.

— La preuve que non ! Ça ne se serait pas passé de la même façon si j'avais été avec eux. Et puis, quand ça flingue, on ne sait plus où on est, qui on est. On n'est plus que des petits garçons et on a la trouille. Seulement toi, tu ne peux pas savoir ce que c'est.

Gilles songe à répliquer, mais il juge inutile d'entrer dans un conflit que sa compagne, sans doute, recherche pour calmer ses nerfs et atténuer son sentiment de culpabilité. La maîtrise de soi est une des grandes forces de cet homme tellement différent de tous ceux que Marion a connus jusque-là. Il tend sa main ouverte pour l'inviter à le rejoindre sur la banquette, mais elle fait comme si elle ne la voyait pas.

— Moi, je construis des ponts et des routes, dit-il tout de même. Je ne sais pas grand-chose de ton métier certes, tu oublies seulement comment on s'est rencontrés... C'était pas au Club Med, si ma mémoire est bonne...

Marion se détend légèrement, se laissant même aller à un sourire furtif. Pourtant, le souvenir de leur rencontre n'a rien de drôle. Le seul fait de l'évoquer arrache encore des frissons à Gilles. Marion tourne vers lui un visage défait, son regard est perdu.

— Je ne veux pas que Talon meure, explose-t-elle en s'effondrant contre lui. C'est injuste, je refuse. J'aurais dû être là, j'aurais empêché qu'on lui tire dessus...

Gilles referme ses bras sur elle et la garde ainsi longtemps, le temps de laisser s'écouler le flot de révolte qui l'étouffe depuis qu'elle est revenue de l'hôpital et qu'elle guette la sonnerie du téléphone, malade d'appréhension. Le temps de lui dire qu'il l'aime et qu'il partagera cela avec elle. Alors, elle s'apaise, progressivement. Le silence se pose entre eux, dense comme le recueillement. Elle le rompt la première :

— Je ne partirai pas avec toi demain, dit-elle en reniflant. Je vais m'occuper de Talon et de cette affaire de fusillade. Je le lui dois.

Gilles acquiesce en silence. Il s'y attendait et, d'une certaine manière, malgré sa déception, il est fier. Fier de cette bonne femme trempée comme un mec. Et qui vient de consentir à l'épouser. En octobre, parce que c'est le mois des vendanges et qu'elle est bourguignonne du côté de sa mère.

— Et, de toute façon, il faut que je voie ce notaire, ajoute-t-elle. Tu ne m'as pas demandé pourquoi j'ai accepté le contenu du camion, ce matin ?

Gilles se bloque, à des années-lumière de ce sujet qui, cependant, ne l'a pas laissé indifférent puisqu'il s'est colltiné le transfert des quinze cartons couverts de poussière et de toiles d'araignée et qui pesaient au moins une tonne.

— D'accord, soupire-t-il. Pourquoi ?

— À vrai dire, je ne le sais pas trop moi-même. Tu vas me répondre que c'est un comble... Je les ai pris parce que j'en ai ouvert un et que j'ai trouvé à l'intérieur le nom de l'expéditeur.

Elle se tait, ferme les yeux, la tête dans le creux de l'épaule de Gilles, laissant à penser qu'elle a tout dit sur la question. Mais lui est intrigué, désormais :

— Et c'est ?

— Gustave Léman.

— Allons bon ! ironise Gilles. Tu m'en diras tant ! Et qui est ce Gustave Léman ?

— C'était le meilleur ami de mon père. Il y a bien longtemps... Est-ce que je t'ai parlé de mon père ?

— Uniquement pour me dire qu'il était policier et qu'il avait été tué en service quand tu étais toute petite.

— Oui, exactement. Gus et lui étaient comme des frères. Je me souviens assez bien de Gus, mais je suis incapable de situer mes souvenirs dans le temps. Je pense que je ne l'ai pas vu depuis trente ans au moins. Je n'ai même jamais eu de ses nouvelles. Pas un signe, pas un mot.

— Pourquoi t'avoir envoyé ces cartons, dans ce cas ? S'il y a un notaire dans le coup, ça veut dire…

— Que Gus est mort.

Gilles la regarde. La tentation d'une réplique le traverse, mais il se tait. Il a assez parlé pour aujourd'hui.

6

Le premier clerc de l'étude Charles Tarquin père et fils ouvre la porte du bureau de Charles Tarquin fils en annonçant la visiteuse.

— Mme Edwige Marion, maître !

Sa pompe constitue pour Marion un mystère. On peut être déférent et respectueux avec son patron sans cette outrance.

La jeune femme foule un épais tapis de laine dans les tons rouge et vert en se dirigeant vers deux fauteuils recouverts d'un antique cuir verdâtre, délicieusement craquelé, que lui indique le clerc d'un geste théâtral.

Tout d'abord, Marion pense qu'il y a erreur et que le bureau est vide. Puis un grattouillis provenant de derrière l'immense bureau Empire la fait se relever, arrachant au siège un soupir qui ressemble à une inspiration de catarrheux. Elle s'étrangle de confusion à la vue d'un petit bonhomme accroupi en train de relacer sa chaussure, pointure 32, et qui vient de surprendre son regard curieux. Il a les yeux exophtalmiques d'un caméléon, une barbiche pointue en vogue à l'époque de l'Égypte pharaonique et un curieux accoutrement bigarré dans des tons assortis au tapis et aux tentures.

— Bonjour, maître, bafouille Marion.

— Satanées pompes à lacets, grommelle Me Charles Tarquin fils. Avec les pieds que j'ai ! Pourquoi j'ai écouté cette gourde, moi… ? Des mocassins ! Y a que ça de vrai !

Me Tarquin se remet en position verticale et entreprend d'escalader son siège. Debout, il ne dépasse pas de beaucoup le plateau d'acajou de son bureau, ce qui, évalue Marion, le situe aux environs d'un mètre quinze, un mètre vingt à tout casser.

— Mes respects, commissaire ! clame-t-il d'une voix haut perchée après s'être hissé sur le siège de son fauteuil avec agilité. Que puis-je pour vous ?

Il appuie ses courts avant-bras sur le rebord du meuble et croise ses doigts qui ont l'épaisseur de ceux d'un homme adulte et la longueur d'une allumette. Il sourit largement devant l'air ébahi de Marion et la met à l'aise :

— Certains diraient que je suis une personne de petite taille ou à verticalité contrariée. Foutaises. Je suis un nain. Ça se voit, alors n'en parlons plus. Vous êtes une bien belle femme, commissaire.

Marion hésite entre prendre ses jambes à son cou et éclater de rire, mais Me Tarquin a déjà posé ses gros yeux sur la fiche que le clerc obséquieux lui a préparée. Quand il les relève, ils ont un air sérieux et professionnel qui remet Marion dans ses bottes.

— Je ne peux pas vous dire grand-chose, lance-t-il de sa curieuse voix après que la jeune femme a terminé d'exposer son problème. Je ne suis pas l'exécuteur testamentaire de M. Gustave Léman.

Je n'ai fait que relayer mon confrère, Mᵉ Renoir, de Dijon... M. Léman est décédé à...

Il reporte son regard sur la fiche en caressant sa barbiche.

— ... Charmes. C'est en Côte-d'Or aussi. Vous connaissez ?

— Absolument pas ! Ma mère est née à Dijon, mais elle n'y a vécu qu'une vingtaine d'années, si ma mémoire est bonne. Elle s'est éteinte il y a dix-huit ans. C'est le seul écho qu'évoque pour moi cette région.

— Et ce monsieur... Léman ?

— Il avait des liens avec feu mon père. D'amitié uniquement.

— Eh bien, voilà, M. Léman est mort il y a trois jours et il vous a instituée sa légataire universelle.

La pensée de Marion s'échappe du côté de son garage où quinze cartons sont empilés. Drôle d'héritage. Le souvenir de Gilles ahanant sous le poids de ces mystérieux cadeaux posthumes lui arrache un sourire.

— Pourquoi moi ? Je trouve le procédé curieux, ajoute-t-elle, tandis que Mᵉ Tarquin fils la consi-dère avec étonnement. Je veux dire, personne ne m'a prévenue... J'ai accepté ces cartons par cha-rité à l'égard du livreur, mais... j'ai réfléchi et... Je pourrais refuser cet... héritage ?

— Évidemment. Cependant, si j'en crois mes informations, l'affaire est loin d'être simple.

— C'est-à-dire ?

— Vous connaissiez bien ce monsieur Léman ?

— Mais, maître, s'exclame Marion, je vous l'ai dit ! Il était de la génération de mon père et j'ai dû le voir trois fois dans ma vie, entre ma naissance et ma cinquième ou sixième année…

Me Tarquin penche de nouveau sa tête de côté en réunissant ses lèvres épaisses en une moue peu avenante.

— Je voulais dire, le connaissiez-vous professionnellement ?

— Pourquoi ? Je devrais ?

Marion n'y comprend rien, et ce jeu de devinettes avec un notaire à verticalité contrariée commence à lui peser.

— Maître, fait-elle avec fermeté, si ce n'est pas trop vous demander, j'aimerais qu'on m'explique.

— Je pense que vous allez devoir rendre visite à mon confrère en Bourgogne, Me Renoir.

— Vous plaisantez ? Il n'en est pas question.

Le petit homme se redresse.

— Ce sont les dernières volontés de M. Léman. Et vous avez la responsabilité d'organiser ses obsèques, c'est ce que mentionne la fiche.

« Le comble, songe Marion, abasourdie. En plus, ça va me coûter du fric ! »

Les mains courtes claquent sur le bureau, et d'un bond, le notaire saute en bas de son siège. Il vient se planter devant Marion. Comme elle est assise, leurs visages sont presque à la même hauteur.

— J'ai l'impression, dit-il en se rapprochant avec un sourire ambigu, que vous allez faire ce voyage. Le policier que vous êtes ne pourra pas résister.

Marion se recule légèrement. Cet homme lui inspire une répulsion instinctive et l'agace prodigieusement. Elle songe à Talon qui se meurt, à l'enquête sur la fusillade qui commence dans le désordre des premiers jours, à la déception de

Gilles, au chagrin de Nina... Elle se lève brusquement, lisse son pantalon de lin beige, attrape la veste assortie qu'elle a posée sur le bras du fauteuil et fait un grand pas de côté pour se mettre à distance du petit homme.

— Vous croyez ? demande-t-elle en cherchant le regard du notaire, dont la barbe à présent pourrait, à la rigueur, frôler sa taille.

— J'en suis sûr. Car voyez-vous, commissaire, M. Gustave Léman est mort, certes, mais pas de sa belle mort, comme on dit... Il a été assassiné.

7

— Qu'est-ce que j'en ai à faire, moi, de ce vieux bonhomme ? Je ne le connaissais même pas...

Marion parle toute seule en fonçant comme une folle à travers les rues de la ville, gyrophare et sirène en action. Évoquer Me Tarquin et la fin tragique de Gustave Léman est une façon de ne pas penser à ce qui l'attend au bout de l'avenue dans laquelle elle vient de s'engager, à cent kilomètres à l'heure. Un coup de fil de l'hôpital l'a délivrée in extremis des manœuvres étranges du notaire.

La circulation est clairsemée. Le mois d'août a vidé la ville et envoyé les flics retrouver leurs « clients » sur les plages.

Au loin, elle distingue la masse jaune pisseux de l'hôpital Édouard-Herriot.

Talon repose dans le même secteur que la veille, et, quand elle se présente à la porte de l'unité de soins intensifs, elle ne voit près de son lit que le dos d'une blouse blanche dont les pans lâches lui permettent de reconnaître l'interne de la veille. Le médecin boutonneux se retourne et, derrière lui, Marion découvre le visage livide de l'officier. Il n'a pas repris connaissance.

— Que se passe-t-il ? s'inquiète Marion d'une voix altérée.

— Je dois vous faire signer un document autorisant le prélèvement d'organes. Hier, vous êtes partie trop vite et...

Marion s'agrippe au montant métallique du lit, jette au médecin un regard haineux :

— Hier, vous m'avez dit qu'il avait une petite chance de survivre. Que votre patron gardait l'espoir et que...

— Mais oui, bien sûr. C'est juste pour le cas où on aurait besoin d'intervenir vite et que vous ne soyez pas là.

— Où voulez-vous que je sois ? maugrée Marion.

L'interne hausse les épaules, désabusé.

— Ce n'est qu'une formalité administrative.

Talon, ses rires, ses joies, ses peines, sa vie réduits à une formalité administrative...

Elle est sur le point de répliquer sèchement à ce médecin dépourvu d'humanité quand un mouvement attire son attention vers la porte. Une jeune femme de taille moyenne, vêtue d'un jean et d'une chemise bleue à manches courtes, semble hésiter à franchir le seuil. Elle est très jolie, brune de peau, avec d'abondants cheveux noirs et des dents très blanches. Les traits tirés de son visage portent les traces d'une mauvaise nuit.

— Bonjour, Meceri, dit Marion d'une voix neutre. Les nouvelles ne sont pas fameuses…

— Je sais, murmure la jeune fille. Je suis venue cette nuit…

Marion se tourne vers l'interne et le dévisage, suppliante :

— Ne le débranchez pas encore, s'il vous plaît. Il est costaud, jeune, en bonne santé. On va rester près de lui, lui parler. Il va revenir parmi nous, j'en suis sûre…

Le médecin rabat d'un geste bref les pans de sa blouse contre son torse maigre, faisant s'entrechoquer les branches de son stéthoscope, et prend la direction de la sortie. Il s'attarde longuement sur les traits harmonieux de Naïma Meceri, puis regarde Marion en soupirant.

— Il faudra quand même signer le papier.

Le silence s'est installé entre la commissaire Marion et son plus jeune lieutenant, qui garde ses yeux noirs fixés sur le visage de Talon avec une expression farouche et désespérée à la fois.

— Il ne va pas mourir, n'est-ce pas ? dit-elle d'une voix qui hésite entre la colère et les larmes.

Meceri a moins de trois mois de « boîte », c'est la première fois qu'elle est confrontée à une situation aussi grave et à la mort.

— Non, ment Marion, mais il vaut mieux nous y préparer. Vous avez entendu le médecin.

La jeune fille tord ses mèches bouclées de ses doigts énervés.

— Qu'est-ce qui va arriver ? demande-t-elle, désemparée. Je vais avoir des ennuis ?

— Des explications à fournir, à n'en plus finir. Des confrontations. Un procès, très certainement, où il sera question de bavure, de réparation de torts. De gros sous, en définitive.

— Je vais être révoquée ?

— Mais non… Sauf si vous avez commis une faute lourde. Et puis vous êtes encore stagiaire, on pourrait au pire ne pas vous titulariser. Racontez-moi exactement ce qui s'est passé.

8

Ils sont tous dans le couloir où ils tiennent une réunion syndicale sauvage autour de leur délégué. Les conversations fusent des petits groupes massés près de la machine à café, et Marion s'arrête juste avant de franchir la porte pour les écouter.

Elle surprend ainsi les commentaires sur le manque chronique d'effectifs, les départs non compensés, l'incompétence de la hiérarchie, son incapacité, réelle ou supposée, à cause de la sacro-sainte carrière, à « taper du poing sur la table du ministre » pour obtenir les moyens nécessaires, la présence de plus en plus nombreuse des femmes qui représentent une charge dans les interventions. Elle entend que la dernière recrue féminine du groupe est directement mise en cause dans la fusillade du samedi soir et juge qu'il est temps qu'elle s'en mêle.

La première personne dont elle croise le regard est justement Naïma Meceri. Adossée au mur, bras croisés, silencieuse et pâle, la jeune femme semble soulagée de la voir arriver. Marion a pris la décision d'entrer en scène après son entretien avec Naïma, convaincue que, plus encore que Talon, momentanément « protégé » par son état de santé, celle-ci allait avoir besoin d'aide.

Naïma Meceri a été accueillie fraîchement dans le groupe criminel de Lyon déjà fort, outre Marion, de deux éléments féminins. Circonstance aggravante : la nouvelle venue est une « mixte » – mère française, père algérien – et les réticences habituelles s'en sont trouvées démultipliées. Pourtant, Meceri s'est spontanément employée à combattre tous les clichés sur sa vocation : elle a été élevée dans une famille de taille raisonnable (deux frères aînés) et unie. Elle n'est pas issue de la cité des 4 000 à La Courneuve mais de Cognac, où son père est employé chez un récoltant-distillateur. Elle n'a pas été violée par ses frères à douze ans et son enfance a été sereine. Elle n'a aucun compte à régler avec qui que ce soit sinon elle-même, comme la plupart des jeunes filles, et le seul gros défaut que lui connaisse Marion est la précipitation. Enthousiaste, impulsive, voire irréfléchie, elle est surnommée TGV ou Attila, selon les jours. Elle s'améliorera avec le temps, et, pour sa défense, Marion trouve anormal qu'elle ne soit pas allée faire ses premières armes dans un service moins exposé que celui-ci.

Les conversations cessent brusquement. Marion est censée se dorer au soleil, et personne ne s'attendait à sa visite. Même le capitaine Yves Capdevil paraît surpris. Marion, elle, est plutôt contente de le voir là.

Son retour dans le groupe criminel de la PJ de Lyon remonte à moins d'un mois et elle l'avait salué avec plaisir. Pourtant, ce « retour au poste » constituait, pour le capitaine, un double échec. Celui de son concubinage avec une Parisienne, torride et excentrique, qui l'a malmené tout au long d'une vie de couple chaotique. Échec de son affectation à l'Office central de protection des biens culturels qui, la peinture particulièrement, représentent pour lui une passion bien plus dévorante encore que celle qu'il a vouée à sa délirante maîtresse. Se partager entre les deux a été une torture de chaque instant, et, comme il l'avait fait deux ans plus tôt dans l'autre sens, Capdevil a tranché dans le vif et de nouveau tout quitté pour rejoindre Lyon où il gardait quelques attaches. Ce n'est pas Marion qui s'en plaindrait : le capitaine est un pur esthète. Il n'aime ni les calibres ni les cadavres. Au contraire de Talon avec qui il formait un tandem dissonant mais tellement riche. « À peine reformé, déjà éclaté », songe Marion, dont le cœur se serre.

— Asseyez-vous et écoutez-moi ! ordonne-t-elle aux officiers des deux sexes qu'elle a entraînés dans la salle de réunion, exiguë et borgne.

Elle leur donne d'abord des nouvelles de Talon, que personne ne commente. Ils sont consternés et en rogne, comme le manifestent sans équivoque leurs mines constipées.

Puis elle enchaîne :

— Dans un peu moins d'une heure, les enquêteurs de l'Inspection générale de la police vont commencer leurs auditions. Ainsi que le veut la règle chaque fois que des policiers sont directement impliqués dans une affaire criminelle, le parquet a chargé la police des polices d'enquêter sur la fusillade du Chien qui fume, un cercle de jeu du centre-ville. Les circonstances dans lesquelles a eu lieu l'affrontement armé entre clients et policiers de la PJ paraissent encore troubles.

Marion a pris connaissance, par Meceri, de l'enchaînement qui a fait déraper, en une demi-seconde, une opération de police banale. Elle n'a pas entendu la version de Talon, et pour cause, mais elle en devine l'essentiel : le mois d'août, les congés annuels et l'effectif du groupe divisé par deux. Elle-même absente. À l'inverse, le Chien qui fume bourré à craquer tous les soirs en cette saison, principalement d'étrangers. Repaire et machine à blanchir l'argent d'une petite partie de l'activité mafieuse de la Côte, l'établissement était placé sous surveillance étroite depuis six mois avec informateur infiltré. La taupe, en silence radio depuis plusieurs semaines, avait choisi ce samedi-là pour se manifester auprès de Talon qui assurait la permanence et avait dû racler les fonds de cale pour monter une équipe.

— Une bleue et un biturin, résume sur un ton catastrophé un lieutenant assis à la gauche de Marion.

La bleue, c'est Naïma Meceri. Le biturin – on pourrait dire aussi bien le camé ou le toxico tant il multiplie les tares –, c'est le capitaine Prunier, qui a jugé prudent de se mettre en congé maladie et d'attendre, planqué chez lui, qu'on vienne le chercher.

Marion dessine sur un *paperboard* les positions respectives des intervenants au moment des faits. Talon et Naïma, aux avant-postes. Entrés en couple anonyme dans l'établissement, ils devaient s'approcher au plus près de la cible, tandis que se positionnaient, à l'extérieur et près des issues, six officiers prêts à obéir au signal de Talon. Parmi eux, Prunier, désigné pour surveiller la porte des toilettes. Tous avaient remarqué l'état de l'officier à cette heure critique de la soirée. Marion sait que Talon aurait dû renvoyer Prunier chez lui et que, s'il s'en tire, il risque de payer cher cette erreur de jugement.

— C'est là que la catastrophe se noue, commente Marion, qui se hâte d'ajouter qu'il est facile de critiquer après coup, surtout quand on n'était pas présent.

La première partie de l'opération paraît s'être déroulée normalement. Puis, au moment où Talon et Naïma Meceri interpellaient l'homme recherché, Prunier a cru voir un des joueurs porter la main à la poche intérieure de sa veste et en sortir un objet qu'il a pris pour une arme. Positionné dans le dos de l'homme, il avait alors Talon en ligne de mire. Son hurlement a semé la panique dans la boîte. Au premier coup de feu, Meceri a vu gicler le sang du front de son équipier sans comprendre. Talon a défouraillé sans distinguer précisément qui le menaçait. Quand la deuxième balle lui a fait exploser les tripes, il a balancé la purée en direction du tireur, invisible à travers la fumée. Le gros homme, qui, face à lui, tenait d'une main son portefeuille et de l'autre ce qui semblait être une bouteille de Coca, s'est, dans un plongeon affolé, précipité sur la trajectoire de ses balles.

— Intéressant…, commente une voix derrière Marion qui a fait son exposé dans un silence de plomb. Intéressant mais fantaisiste.

Elle se retourne vivement. Paul Quercy la dévisage, les bras croisés sur son costume bleu marine. Coupe de cheveux impeccable, lunettes d'écaille, ruban rouge à la boutonnière, le directeur de la PJ ressemble plus à un fonctionnaire ministériel qu'à un patron de police. Ils se mesurent longuement du regard, et Marion lit dans celui de Quercy à quel point cette affaire le contrarie. Les officiers ne bougent pas, s'attendant à un de ces échanges homériques entre le directeur et la responsable du groupe criminel.

Quercy leur fait face :

— Cette version est celle de votre chef de groupe qui n'a entendu qu'un son de cloche, dit-il sèchement en jetant un coup d'œil en biais à Marion. Moi, je suis convaincu que l'avocat était *vraiment* armé et que quelqu'un a subtilisé son arme dans la panique. Pour nous emmerder. Car j'en connais plus d'un, du côté de la presse ou d'ailleurs, qui aimerait se payer des flics, genre : « La police tire sur un honnête avocat… Erreur, mauvaise coordination ? » Faire de ce regrettable fiasco une vraie bavure. Ils en profiteraient pour nous aligner dans les grandes largeurs en ressortant nos petits ratés et nos pires misères. Je veux éviter de leur donner cette joie. L'IGPN vient d'arriver et a commencé les auditions des témoins. Je donne une conférence de presse dans une heure et j'interdis à quiconque ici de s'exprimer sur l'affaire en dehors des interrogatoires officiels. Je veux que l'on s'en tienne à la version initiale : l'avocat a sorti une arme, le capitaine Prunier a voulu protéger ses collègues en danger et a dégainé à son tour. Il y a alors eu des coups de feu d'origine indéterminée et, dans la confusion générale, des balles ont atteint Talon. Lequel a riposté et touché mortellement l'avocat. N'est-ce pas, mademoiselle Meceri ?

Naïma Meceri ouvre de grands yeux, et toutes les têtes se tournent vers elle. Elle cherche du secours auprès de Marion, mais celle-ci fait signe qu'elle ne peut rien pour elle.

— Je n'ai pas vu tout ce qui s'est passé, dit-elle d'une voix rauque, je regardais les papiers du mec, je ne sais…

— Très bien, la coupe Quercy. Tenez-vous-en à ce que vous avez réellement vu et fait et ne cherchez pas à extrapoler ou à interpréter ce qu'ont pu faire les autres.

Il se tourne vers Marion, qui le défie, les mains sur les hanches. Quercy ne se laisse pas impressionner :

— Les consignes sont valables pour tout le monde, commissaire… Allez, vous autres ! Rengainez vos banderoles et retournez au boulot, c'est encore comme ça que vous vous vengerez le mieux !

Dans un murmure de protestation, les officiers se lèvent, évitant de saluer Quercy en passant devant lui, sauf le délégué syndical qui le gratifie d'un mystérieux « Merci, monsieur ». Marion lit sur leurs visages fermés qu'ils sont très remontés, même s'ils ne manifestent, vis-à-vis d'elle, qu'une neutralité plutôt amicale. Le problème n'est pas lié à leurs rapports, il est plus général, plus profond. Il exprime un ras-le-bol qui, un jour, aura raison des meilleurs d'entre eux.

— Pourquoi êtes-vous là ? demande Quercy quand ils sont tous sortis.

Marion sursaute. Voilà qu'il reprend son ton de directeur, alors que le public a disparu ! Elle se retourne pour regarder derrière elle.

— C'est à moi que vous parlez, patron ?

— Non, au pape ! Je vous croyais en vacances ?

— Je ne pars plus.

— C'est ridicule. Vous en avez besoin, comme tout le monde. Et qu'est-ce que vous croyez ? Qu'on ne pourra pas survivre sans vous ?

Il enfonce les mains au fond de ses poches de pantalon, y fait tinter quelques pièces de monnaie.

— C'est une affaire gravissime, dit-elle. Talon est un de mes plus proches...

— Justement. Vous n'avez pas le recul qu'il faut ni l'objectivité souhaitable. Partez quelques jours, on vous tiendra informée.

Marion l'examine attentivement. Elle le connaît à fond, lui et son caractère rude mais franc, et là, il essaie de biaiser.

— Qu'est-ce que vous voulez démontrer, monsieur, avec votre version stéréotypée que tout le monde est supposé servir à l'IGPN ? Ça ne tiendra pas une heure. Vous savez très bien que c'est Prunier qui a flingué Talon parce qu'il tournait à deux ou trois grammes d'alcool dans le sang ou qu'il était gavé de coke. Je ne marche pas. Prunier est un toxico, un danger public, il doit être viré.

— Je le virerai quand j'aurai les preuves de ce que vous avancez. Quand la balistique se sera prononcée, par exemple.

— Non mais, je rêve ! Vous protégez une planche pourrie et vous laissez Talon dans la mouise !

— Talon a un excellent parcours et un dossier qui va lui sauver la mise. Et pour l'instant, dans l'état où il est, il ne risque rien. Enfin, c'est une façon de parler...

— Je vous en prie, monsieur, ne soyez pas cynique ! Et Prunier, qu'est-ce qui lui vaut tant de sollicitude de votre part ?

— Quatre enfants, une blessure en service.

— Et quoi d'autre ? Il est de votre parti ? Il est franc-maçon ? Syndiqué, je suppose, c'est la moindre des choses quand on traîne une série de casseroles comme la sienne...

Marion est hors d'elle. Quercy la douche d'un ton cassant :

— Je vous demande, commissaire Marion, de rester en dehors de cette affaire. De me laisser la gérer, moi, votre directeur, avec les éléments dont je dispose. Point final.

Elle ouvre la bouche pour relancer la polémique. Le regard glacé de Quercy la colle au mur. Prudente, elle change de tactique :

— Vous voulez m'éloigner ou je me trompe ? demande-t-elle d'une voix qu'elle s'efforce de rendre sereine.

Il lève les yeux au ciel.

— Elle fantasme... Mais vous avez raison, ajoute-t-il comme s'il n'avait pas le temps de jouer au plus fin, je ne vous veux pas dans mes pattes.

À cause de cette affaire, je me suis fait engueuler par le ministre...

— Je croyais que vous étiez copains.

— En politique, il n'y a pas de copains, il n'y a que des collaborateurs utiles et, surtout, discrets. Un futur conseiller du ministre qui doit s'exprimer devant les médias parce que ses gars ont flingué un avocat, même véreux et marseillais, n'est pas tout à fait le genre de publicité qui le sert. Vous me suivez ?

— Très bien. C'est décidé alors, vous nous quittez ?

Malgré leurs joutes quotidiennes à propos de tout et de rien, Marion n'aime pas l'idée que Quercy les lâche, elle et ses hommes, pour aller faire le lapin de corridor à l'Intérieur. Il acquiesce d'un bref signe de tête.

— Je ne vous savais pas ce goût pour la politique et les antichambres ministérielles. Vous espérez un grade d'inspecteur général avant la retraite ou quoi ?

— Pauvre petite ! Je cherche à ne pas partir en retraite, justement. C'est le seul moyen que j'ai trouvé. Avec un peu de chance, on me nommera préfet et je pourrai continuer jusqu'à soixante-cinq ans et même plus...

Six ans de gagnés avant le tête-à-tête perpétuel avec Mme Quercy. À condition que son copain ministre reste assez longtemps tenant du titre...

— Et finalement, fait le directeur avec un demi-sourire, ça me plaît de tirer les ficelles dans l'ombre au lieu de tirer sur les voyous.

— Entre nous, patron, il y a combien de temps que vous n'avez pas tiré sur un voyou ?

Il lui expédie un regard de travers mais, pris de court, préfère ne pas relever l'insolence.

— Vous me promettez de rester neutre dans cette affaire ?

— Ça va, j'ai compris... Mais vous ne pouvez pas m'empêcher de me sentir responsable.

— Et coupable, aussi ? C'est bien ce que je dis, si je vous laisse faire, demain, vous allez annoncer que vous étiez dans cette putain de boîte et que c'est vous qui avez flingué l'avocat, rien que pour couvrir Talon, Meceri et les autres. Sauf Prunier, que vous ne pouvez pas encadrer. Alors, par pitié, circulez, y a rien à voir !

Marion se sent vexée, outragée. Même si Quercy n'est pas loin de la vérité : elle donnerait tout pour s'être trouvée là avec ses hommes. Elle prévoit que ce qu'elle va dire ne peut pas lui plaire :

— J'ai demandé à être entendue par l'IGPN. C'est mon groupe, j'en ai le droit.

Les sourcils broussailleux de Quercy ne forment plus qu'une ligne poivre et sel au-dessus de ses yeux noirs :

— Jamais je n'ai connu quelqu'un d'aussi entêté ! Et vous allez leur dire quoi ?

— C'est mon affaire. Mais, rassurez-vous, je ne parlerai pas des faits, je m'en tiendrai aux aspects techniques et je leur dirai que vous êtes un bon directeur. Ensuite, je partirai.

— Où irez-vous ?

— Il faut que je vous dise ça aussi ? ironise-t-elle.

— Je peux avoir besoin de vous joindre.

Son regard fuit de nouveau.

« Faux cul, pense Marion, tu veux seulement être sûr que je pars vraiment... »

— Je vais en Côte-d'Or. À Charmes. C'est à vingt kilomètres de Dijon.

Elle vient de décider ce voyage à la seconde. Elle ne veut pas de l'héritage d'un presque inconnu, mais elle a besoin de savoir ce qui est arrivé à Gus Léman. Pur réflexe de flic.

— Dans la famille de votre nouveau jules ? demande Quercy par politesse.

— D'abord, ce n'est pas un nouveau jules, mais un futur mari. Et il est savoyard, pas bourguignon. Je vais à l'enterrement d'un vieux copain de mon père.

Quercy se fige. Ils n'évoquent jamais feu Félix Marion bien que, dans une relation quasi filiale avec la jeune femme, Quercy se substitue inconsciemment à lui.

— Qui est-ce ?

— Gustave Léman.

Cette fois, Paul Quercy marque le coup. Une exclamation sourde lui échappe, qu'il tente de dissimuler en toussotant. Mais Marion l'a remarquée.

— Vous le connaissez ?

Il biaise :

— Non... De quoi est mort ce monsieur ?

— D'après ce que je sais, il aurait été tué. Je n'ai pas d'autre information. Il m'a... choisie pour m'occuper de ses funérailles.

Elle insiste :

— Vous le connaissiez ?

Quercy la fixe brièvement, puis lui tourne le dos et se plante devant le *paperboard* qu'il feint d'examiner avec soin. De nouveau, il agite bruyamment sa ferraille.

— Je serais curieux de savoir comment vous pouvez être aussi affirmative à propos d'événements dont vous n'avez pas été témoin…, élude-t-il en faisant un effort visible de concentration.

— Patron ! proteste Marion. Pourquoi changez-vous de sujet sans me répondre ? Vous avez connu cet homme ?

Quercy interrompt ses gestes compulsifs, pivote à demi vers elle.

— Qui ?

— Gustave Léman. Ça ne vous dit rien, Léman ?

— C'est le nom d'un lac, non ?

Quercy possède comme personne l'art de la pirouette. Marion hausse les épaules et le plante là avec le sentiment qu'il se paie sa tête.

9

Le village de Charmes ressemble à de nombreux autres villages de Bourgogne avec ses maisons de pierre, sauf que celui-ci, situé au nord-est de Dijon, est loin de respirer la richesse, contrairement aux bourgs de la côte vinicole. Il se perche sur un modeste coteau et on y accède par une route rectiligne bordée de deux rangées de platanes plusieurs fois centenaires, qui donnent de la majesté à l'entrée du village. S'étirant sur les cent derniers mètres et juste avant un virage serré, un haut mur de pierre en mauvais état protège un parc dont la taille des arbres et la qualité des essences indiquent qu'une propriété importante se cache là. Marion ralentit et, à la sortie de la courbe, découvre la place du village : le carrefour de deux rues perpendiculaires avec un arrêt de bus à moitié effondré, une ancienne bascule à bestiaux, quatre maisons sans cachet. Sur la droite, un portail, abandonné depuis longtemps à l'invasion d'une végétation fournie, masque une construction volumineuse dont on n'aperçoit que les faîtières d'ardoise.

La place est vide. Marion lit à la montre de bord qu'il est neuf heures. Sur une maison en bordure de la départementale qui coupe le bourg en deux, un panneau rouillé signale le café Rodelot, et deux anciennes plaques publicitaires émaillées vantant les mérites de Byrrh et de Cinzano, l'apéritif qu'il vous faut, sont encore vissées sur les persiennes que personne n'a fermées ni repeintes depuis des temps immémoriaux. La porte est ouverte et un rideau fait de lamelles de plastique multicolores s'agite mollement dans l'air frais. Marion a très envie d'un expresso bien serré, mais elle doute de pouvoir en trouver un ici. Le jingle indiquant le flash de neuf heures sur Europe 1 lui donne un répit, le temps de réfléchir à sa première démarche : un mauvais café ou une visite aux gendarmes avant son rendez-vous chez le notaire dijonnais où elle compte bien en finir au plus vite avec cette histoire de cartons ?

Elle attend la fin des infos pour constater que, déjà, on ne parle plus de l'affaire du Chien qui fume. Pourtant, elle sait, par ses collègues de l'IGPN qui l'ont entendue pendant une heure la veille, que la femme de l'avocat et son associé ont porté plainte. Elle coupe la radio et retire la clé de contact, décidée à tenter l'aventure du café, ne serait-ce que pour prendre la température du village où Gus Léman est mort.

Alors qu'elle sort de la Peugeot, une 4L jaune de la poste débouche sur sa droite et s'arrête devant une maison fleurie, qui était celle d'un maréchal-ferrant comme en atteste l'inscription encore visible sur la façade. Sans descendre du véhicule, le préposé balance sur le seuil un journal sous bande et deux ou trois lettres qui s'éparpillent devant la porte. Marion se dit, en traversant la place pour rejoindre le café, que les facteurs sont devenus paresseux et, en se retournant, elle constate que la voiture jaune ne bouge pas, probablement pour permettre à son conducteur de l'observer à son aise. Elle prend conscience tout à coup de ce que doivent soulever comme questions pour ces villageois sa voiture immatriculée dans le Rhône, son tailleur pantalon bleu lavande et sa dégaine de citadine inconnue.

L'intérieur du café, avec ses tables en bois alignées contre le mur, ses affiches jaunies assurant la promotion d'alcools depuis longtemps disparus, ressemble au décor d'un film d'après-guerre. Les odeurs de vin et d'eau de Javel se mêlent à celles qui émanent de la cave dont la trappe est grande ouverte. Des bruits de bouteilles remuées en montent, ainsi que des exclamations proférées par une voix de femme dont les chevrotements indiquent qu'elle a largement dépassé l'âge du décor. Un unique client est assis à la première table, dos à la porte d'entrée, une main enserrant une chopine de vin blanc, l'autre un verre ballon à moitié plein, comme s'il craignait que quelqu'un ne tente de les lui voler.

Il ne se retourne pas quand Marion entre et répond par un grognement à son bonjour, mais elle sent son regard sur elle alors qu'elle gagne le comptoir sur lequel trône un distributeur de cacahuètes. Une tête émerge de la trappe, puis un bras, portant un panier de bouteilles de vin. La femme doit avoir quatre-vingts ans bien sonnés, elle est ridée comme un pruneau dans sa robe grise à fleurettes mauves et c'est en geignant qu'elle s'extirpe de son trou et referme la cave avant de se redresser, les mains sur les reins. L'homme à la chopine n'a pas un mouvement pour l'aider, se contentant de hocher la tête comme pour désapprouver l'exercice auquel elle vient de se livrer.

— Qu'est-ce que je vous sers... mademoiselle ? demande la femme en pinçant les lèvres et sans dire bonjour mais avec un accent du cru qui lui fait rouler les « r » et traîner sur la fin des mots.

Il n'y a pas de percolateur dans l'établissement, et Marion se retient de pouffer de rire quand, de la cuisine attenante, l'aubergiste réapparaît avec un grand bol fumant, plein d'un liquide qui sent la chicorée. Le café est pire que ce qu'elle avait craint. Elle le hume de loin, debout au comptoir, la tenancière plantée entre elle et le client solitaire. Les questions se bousculent dans les yeux voilés de la vieille dame, mais elle mourrait sur place plutôt que d'engager la conversation. Marion se lance, sans cesser de remuer la cuiller à soupe dans le jus de chaussette à peine coloré :

— Vous savez où se trouve la maison de M. Léman ?

Un silence consterné fait écho à sa question. Le consommateur daigne lever une paupière et remue sous la table ses bottes auxquelles s'accrochent quelques brins de fumier.

— Pourquoi vous voulez savoir ça ? demande la vieille femme sans dissimuler sa méfiance.

Marion hésite à décliner sa qualité. Elle renonce à s'engager dans une explication compliquée et élude :

— J'ai besoin de le rencontrer.

Le paysan siffle son verre d'un trait, claque la langue.

— Ça, ça va être dur…, ricane-t-il après avoir aspiré quelques gouttes accrochées à sa moustache.

La femme revient à la charge, soupçonneuse :

— Vous seriez pas journaliste, des fois ?

— Pourquoi ? La presse a des raisons de s'intéresser à ce monsieur ?

La femme a l'air dérouté. Elle hausse les épaules.

— J'en sais rien, pour la presse… Mais le Gus, c'est pas ici que vous allez le trouver.

— Ah ! Et où, s'il vous plaît ?

Le client vide le reste de la chopine dans son verre qu'il élève jusqu'à sa bouche en échangeant avec la vieille un regard entendu. Ces deux-là se comprennent sans se parler. Quelques mouches collées aux carreaux s'ébattent bruyamment. Marion est sur le point de renoncer, quand il lui vient une idée.

— À défaut de M. Léman, je pourrais peut-être voir sa femme…

— *La* Claire ?

Le prénom est sorti spontanément des lèvres minces. Le client sursaute comme si sa comparse avait proféré une obscénité. La vieille se décompose sous le regard féroce qu'il lui jette.

— Vous feriez mieux d'aller voir les gendarmes, dit-elle très vite. Ceux de Mirabel. Ils vous diront quoi. On vous connaît pas, après tout...

Marion soupire :

— Dites-moi au moins où est sa maison...

10

Elle a fini par avoir le renseignement au forceps après avoir payé le double de son prix un café auquel elle n'a presque pas touché. Elle sent encore entre ses omoplates toutes les paires d'yeux embusquées derrière les rideaux et qui la suivaient tandis qu'elle remontait dans sa voiture pour prendre la direction du cimetière. Elle traverse le village, une longue rue en pente, bordée de fermes et de maisons basses sans jardin. Elle repère l'école sur la droite, l'église un peu plus loin, un ravissant calvaire avec un christ en bronze, puis la rue se met à remonter jusqu'au cimetière situé à la sortie du village, en direction de Mirabel. La maison de Gus Léman est campée juste en face et, même sans la chercher, on ne peut pas la rater. Elle est située sur un petit promontoire, tout au bout du plateau, dominant la plaine qui s'étale en un interminable patchwork de bruns et de verts ponctué de quelques bouquets d'arbres. Au loin se dessine la masse plus sombre de la forêt de Velours qui barre l'horizon à quatre ou cinq kilomètres de là et s'étire jusqu'à la frontière allemande.

La maison est en mauvais état, de même que le jardin ceint de piquets d'acacia reliés par du fil de fer barbelé ; mais, bien que modeste, elle possède un charme indéniable. En franchissant l'ouverture flanquée de rosiers sauvages et d'althéas en pleine floraison, Marion éprouve une sensation étrange, comme si elle reconnaissait le toit très pentu, les odeurs de mousse et de buis. Elle marque une pause pour contempler la tonnelle envahie de glycine. Quelques images surgissent : des chaises longues sous la charmille, une balançoire dont les anneaux grincent sur un rythme lancinant. Des rires de femmes, une odeur de lait chaud... La voix joyeuse de Nina vient brouiller ces impressions fantômes. Puis les coups de marteau de Gilles, qui, en bricoleur averti, ne résistera pas à l'appel des vieilles pierres, y mettent un terme définitif.

Marion sursaute en prenant conscience que, d'instinct, elle vient de s'approprier cette maison dont l'accès lui est barré par une bande jaune portant en lettres noires « POLICE SCIENTIFIQUE, ACCÈS INTERDIT ». Les scellés sont apposés sur la porte et, d'où elle se tient, Marion distingue nettement les traces laissées sur le bois par la poudre à révéler les empreintes.

Elle contourne la maison aux volets clos et, traversant le jardin, découvre, à l'extrémité du promontoire, un banc de fer orienté vers la plaine. La vue est magnifique. Gagnée par la magie du lieu, Marion s'abandonne un instant.

— Y a des jours, on voit le mont Blanc d'ici !

Elle tressaille et se relève d'un bond. Un vieux bonhomme appuyé sur un bâton la contemple de l'autre côté de la clôture, un mégot éteint collé aux lèvres. Il porte un bleu de travail, une casquette en drap écossais et des bottes.

— C'est comme je vous le dis, insiste-t-il en désignant l'horizon. Mais, quand on le voit, c'est signe de pluie. Vous travaillez pour quel journal ? *Le Bien public* ?

Décidément, on est obsédé par la presse, par ici.

— Non, fait Marion, prudente. Pourquoi ?

— Vous arrivez un peu tard, les autres sont déjà passés. Même *Détective*… alors !

— Ben, dites donc ! Vous savez quelque chose, monsieur… ?

— Léon, on m'appelle le père Léon. Moi, vous savez, je vois rien, j'entends rien… Mais une chose est sûre, les gendarmes trouveront jamais celui qu'a fait ça.

— Pourquoi ?

Le vieux secoue la tête et la cendre de son mégot se répand sur sa veste.

— Parce que, je vais vous dire, ces façons de faire, c'est signé Gestapo, barbouzes et compagnie. Y a pas d'autre solution.

Le bruit d'un moteur s'impose au loin, se rapproche. Des graviers crissent près du cimetière et Marion se retourne juste à temps pour apercevoir la 4L jaune de la poste qui finit son demi-tour afin de reprendre la direction du village. Elle disparaît derrière le massif d'althéas et, peu après, le moteur est coupé.

— C'est le facteur, commente le père Léon, il va boire son canon chez le Jeanjean.

— Vous disiez, monsieur, à propos de Gustave Léman ?

58

— Je disais que ce qu'on lui a fait, c'est pas chré-tien. Il était revenu dans sa maison natale pour finir ses jours. Il avait le droit de mourir tran-quille, même si ce qu'on a dit est vrai...

— Et qu'est-ce qu'on a dit ?

Le vieux secoue de nouveau la tête. Il paraît peser le pour et le contre en scrutant Marion qui s'efforce de ne pas laisser transparaître son impa-tience. Sa mère disait souvent que les paysans bourguignons sont comme les mules : lents à démarrer, et impossibles à arrêter quand ils sont lancés. Pour l'instant, elle n'a vérifié que le pre-mier terme de l'adage.

— Il a fait des choses pendant la guerre..., se lance le vieil homme, pour se taire aussitôt.

Marion réfléchit rapidement. C'est impossible : Gus devait avoir cinq ans au début de la guerre de 39-45, dix à tout casser... Elle fait part de sa réflexion à son interlocuteur. Il hoche la tête lentement :

— Je parlais pas de celle-là. Mais de la guerre d'Algérie. J'en connais un bout là-dessus, made-moiselle. Mon fils y a laissé sa peau... un bon petit gars, vous pouvez me croire.

— Désolée, murmure Marion. Et c'est quoi, les « choses » auxquelles vous faites allusion ?

— Oh... moi, j'ai rien vu, mais, ici, les gens disent qu'il a fini comme certains felouses qu'il a asticotés dans le djebel. Sous la torture.

Dans les petits yeux du père Léon passe un éclair furtif. Comme le regret d'en avoir déjà trop dit.

11

— Tenez, commissaire ! Attention, c'est pas à mettre entre toutes les mains !

L'adjudant de gendarmerie, entouré de sa brigade – huit hommes, deux en permission –, pose devant Marion un jeu de photos en couleurs prises par les hommes de l'antenne médico-légale de Dijon sur les lieux de la mort de Gustave Léman. Elles sont en effet plutôt insoutenables, et Marion, qui n'a de lui que de vagues souvenirs, serait bien incapable de reconnaître Gus dans ce vieil homme maigre, couché sur le flanc à même le sol de sa cuisine, la tête entourée d'une mare de sang, couvert de plaies et de brûlures de cigarettes. Torturé, énucléé.

Elle examine les clichés l'un après l'autre, tentant de décrypter ce que les gendarmes auraient pu rater, leur posant des questions auxquelles ils répondent avec amabilité, voire avec une complaisance qui finit par la déranger tant elle paraît peu naturelle. Ils lui ont ouvert le dossier, elle a lu les constatations, les auditions des témoins et notamment celle du facteur de Charmes, un certain Pierre Blanc, qui a découvert le corps, inquiet de ne pas voir Gus depuis trois jours. Il manque encore le rapport médico-légal qui se fait attendre mais dont l'adjudant connaît l'essentiel, puisqu'il a assisté à l'autopsie. Gus a été longuement torturé, deux ou trois heures au moins, avant de succomber à une crise cardiaque. L'énucléation, que l'on aurait pu croire déterminante, est postérieure au décès. Cette précision soulage Marion. Il est des monstruosités devant lesquelles l'esprit renâcle.

— On va les trouver, ceux qui ont fait ça, affirme l'adjudant, contredisant ainsi le vieux voisin de Gus.

— Vous avez des billes ? demande Marion.

Il avance les lèvres en une moue incertaine :

— Oui… enfin, non… Pour l'instant, rien de déterminant. On a pas mal d'empreintes, les prélèvements habituels que l'IRCGN[1] analyse… On n'a pas encore de résultats. Pas de témoins directs, comme vous l'avez remarqué.

— M. Léman avait des antécédents judiciaires ? Un dossier chez vous ?

Le militaire marque une infime hésitation. Par réflexe ou par habitude, Marion a demandé au capitaine Capdevil de « faire les antécédents » de Gus Léman. Elle attend la réponse sans a priori ferme mais avec l'intuition qu'on n'inflige pas de telles tortures à un citoyen sans histoires.

— Négatif, dit pourtant le gendarme. Inconnu au bataillon. Si vous voulez mon avis, il s'agit d'un crime crapuleux. On a eu plusieurs attaques de vieilles personnes seules au cours des dernières années. On cherche parmi ceux qui ont été arrêtés pour des faits de même nature. Ils surveillent les vieux, les suivent pour les détrousser. Parfois, ils les torturent pour leur faire dire où ils ont caché leur magot.

— Cela vous semble cadrer avec ce que vous saviez de M. Léman ? Il ne m'a pas paru rouler sur l'or…

---

1. Institut de recherches criminelles de la Gendarmerie nationale.

— Il y a des camés qui sont prêts à tuer pour deux ou trois billets.

— En effet, admet Marion. Mais sa maison est une demi-ruine… S'il avait des sous, celui qui l'a tué est forcément quelqu'un qui le savait.

L'adjudant détourne les yeux et les fixe sur les photos, pas disposé à s'engager dans la théorie de Marion.

— Je pense plutôt à une rencontre de hasard… Léman n'habitait là que depuis un mois et demi. Il n'était pas venu dans cette maison depuis près de quarante ans.

— Comment ça ? s'exclame Marion qui, à son corps défendant, commence à se prendre au jeu et à sentir vibrer en elle l'instinct du chasseur.

L'adjudant échange un regard avec ses hommes, inquiet à l'idée d'aller trop loin dans les confidences. Il se retourne brièvement vers la pièce voisine dont la porte est fermée.

— Écoutez, commissaire, je veux bien vous dire tout ce que vous voulez, mais, à mon tour, j'aimerais savoir ce qui vous amène ici. J'espère que ce n'est pas pour nous faire dessaisir, parce que, pour ne rien vous cacher, des affaires comme ça, on n'en a pas tous les jours et… enfin… si vous avez des éléments… Je veux dire, s'il y a des choses que nous ignorons et que vous…

Il s'enferre. Marion l'examine en silence, convaincue que, depuis son arrivée, il en fait trop. Le téléphone met un terme à l'émoi du gendarme.

— Pour vous, mon adjudant, dit un militaire après avoir décroché.

L'adjudant se présente d'un « adjudant Chrétiennot » impeccable. Il semble à Marion qu'il se redresse légèrement, comme s'il se mettait au garde-à-vous, en écoutant son interlocuteur. Il ne prononce pas un mot et raccroche sur un « à vos ordres ! » sonore. Un bref instant, il contemple le téléphone, puis fait face à Marion :

— Où en étions-nous, madame la commissaire ?

— Aux quarante années que M. Léman a passées sans mettre les pieds à Charmes. C'est bien ça ?

— Tout à fait exact, souffle l'adjudant, qui, d'un geste, enjoint à ses hommes de retourner au travail. Du moins, s'il y est venu, c'est dans le plus grand secret. Personne ne s'en est aperçu.

— Quelqu'un s'occupait de sa maison en son absence ?

— Le plus proche voisin, le père Léon, arrangeait le plus gros du jardin. Pour la maison, c'est une ancienne employée de la famille Léman qui venait ouvrir de temps en temps, depuis le décès du père, en 88. Elle a cessé de s'en occuper quand Gus est revenu habiter là. Il était très... solitaire.

— Il n'avait plus de famille à Charmes ?

— Non. Personne. Sa famille n'était pas du coin, et il était fils unique. Il ne s'est même pas déplacé pour l'enterrement de ses parents.

— Et sa femme ?

La question paraît surprendre Chrétiennot, qui secoue la tête avec lenteur.

— Sa femme ? Quelle femme ? À ma connaissance, Gus Léman n'avait pas de femme. Du moins, légitime, et si j'en crois le registre d'état civil. Pourquoi ?

Marion se demande ce qu'il faut penser du prénom lâché par la tenancière du café mais décide de garder pour elle cette information :

— Oh ! ce n'était qu'une supposition. Le père Léon et l'ancienne servante travaillaient dans la maison pour rien ?

L'adjudant considère Marion avec stupeur. Visiblement, c'est une question qu'il ne s'est pas posée. Il se trouble.

— Ma foi, je n'ai pas vérifié...

— Vous savez où M. Léman a passé ces quarante années ? demande Marion pour le tirer d'embarras.

— Non. Et personne ne le sait.

12

Marion feuillette le jeu de photos prises dans la maison de Gus.

Il détaille ses traits fins et sa peau hâlée, de ses joues à son front, ses cheveux châtains balayés de mèches plus claires, coupés très court et coiffés en arrière, qui donnent à son visage un air décidé. Il suit le sillon, entre les revers de sa veste, jusqu'à la naissance de deux seins pleins ; mesure, malgré le pantalon, l'étroitesse de sa taille, la consistance de ses cuisses musclées et la finesse de ses chevilles dévoilées par des sandales en daim beige. Il sollicite sa mémoire et les moindres replis de son cerveau pour faire correspondre deux images. Celle de la femme au front plissé par la concentration qui croise et décroise les jambes avec grâce et une autre, volatile. Un rêve.

Un mauvais pressentiment le fait haleter, chauffe la peau de son crâne. Il donnerait quelques années de sa vie pour savoir ce que cette femme est venue maquiller ici. Ses efforts font jaillir des gerbes rouges devant ses yeux.

Elle est flic, c'est tout ce qu'il sait d'elle. Il l'a entendue se présenter et il n'est pas dupe que la jeune femme dissimule, sous ses vêtements ajustés, l'attirail nécessaire à l'exercice de son métier.

Un flash brutal, un éclair. L'image d'un petit tricorne décoré de feuilles d'acanthe, celle d'un uniforme et d'une épée, d'un regard fier et conquérant, s'impose en surimpression.

Ses yeux s'écarquillent. Il transpire plus fort, son souffle devient bref.

Il sait qui elle est.

— Tu viens ? fait une voix derrière son dos.

13

Le soleil est déjà haut quand Marion se dispose à prendre congé de la brigade de gendarmerie de Mirabel. L'adjudant Chrétiennot la raccompagne jusque dans le hall où un jeune appelé du contingent trie le courrier que le facteur vient de déposer sur la banque d'accueil recouverte de photos d'enfants et d'adultes recherchés. Par la porte d'entrée entrouverte, Marion aperçoit, sur le perron, le préposé de la poste en grande discussion avec un gendarme petit et rond, portant moustaches. Elle capte quelques mots de leur conversation : ils parlent de « l'affaire » comme d'un événement sans précédent dans la région. L'assassinat de Gus Léman et tous les mystères associés à sa personne vont alimenter les chroniques villageoises pendant une bonne dizaine d'années.

Au moment où elle tend la main à l'adjudant, il lui vient une idée. Elle n'a pas l'intention de raconter sa vie à ce militaire dont elle ne trouve pas l'accueil ni l'amabilité assez spontanés pour être honnêtes, mais quelque chose lui souffle qu'elle devrait peut-être entrer dans son jeu, un tant soit peu. Pour voir.

Alors qu'elle s'apprête à parler, un homme en civil surgit des bureaux par une porte latérale dissimulée derrière une affiche. Un grand type athlétique, très beau, avec des cheveux bruns coupés ras et des yeux d'un bleu métallique, vêtu d'une chemise blanche et d'un costume de toile grise. Il dégage une impression curieuse, froide et malsaine, juge Marion. Elle surprend son regard acéré sur elle et aussitôt se trouve confortée dans la sensation qu'elle éprouve depuis son arrivée dans cette gendarmerie : on savait qu'elle allait se montrer, on l'attendait, on l'a épiée derrière cette vitre de tapissage qui ne l'a pas abusée une seconde. On a écouté ses questions, auxquelles l'adjudant a répondu trop complaisamment, et on vient au contact, parce que les choses n'ont pas tourné comme on voulait.

L'homme s'avance et l'adjudant Chrétiennot s'empresse :

— Commandant, je vous présente la commissaire Marion, de la PJ de Lyon. Commissaire, le commandant Martinez, du groupement départemental de Dijon, qui nous fait la grâce d'une petite visite impromptue...

— Ça va, ronchonne le nommé Martinez, rompez !

Il se tourne vers Marion :

— Que nous vaut l'honneur, commissaire ?

— Une affaire bien triste, dit-elle avec un petit sourire de circonstance. Figurez-vous que ma mère est née ici.

— À Mirabel ? s'exclame l'adjudant en ouvrant de grands yeux.

L'aspirant cesse de trier ses lettres. Dehors, le postier et le gendarme interrompent leur discussion. Le commandant tend le cou en avant. Incapable de résister à ce public suspendu à ses lèvres, Marion se met à rire franchement :

— Non, pas à Mirabel, à Charmes !

— À Charmes ? s'écrient de concert les spectateurs.

— Oui. Elle était une amie d'enfance de M. Léman. Elle est morte il y a quelques années et elle m'avait fait promettre d'assister aux funérailles de son ami quand il viendrait à décéder. Voilà. Vous imaginez ma stupeur et ma tristesse quand j'ai su ce qui lui était arrivé. Le reste, c'est de la curiosité de flic. Vous n'auriez pas fait la même chose à ma place ?

Ils approuvent en chœur.

Elle n'a jamais aussi mal menti. Elle est consciente qu'ils vont vérifier ses dires, mais, le temps qu'ils se retournent, elle aura pris un peu d'avance. Car, cette fois, l'histoire commence vraiment à l'intéresser. Pourquoi lui envoie-t-on ce bellâtre ? Est-ce parce qu'on craint que la PJ ne dispose d'éléments inconnus des gendarmes ? Dans ce cas, c'est Quercy qui aurait été le premier sur la sellette. Très officiellement, on lui aurait demandé de rester à sa place ou de collaborer.

Ces circonvolutions ne sont pas dans les manières des gendarmes ou des magistrats. Il y a autre chose. Elle sent brusquement reculer sa détermination de liquider cette affaire de testament au plus vite et se demande si elle n'aurait pas dû examiner le contenu des cartons avant de venir jusqu'ici.

— Qui vous a prévenue de sa mort ? demande le commandant sur un ton incroyablement froid.

Un instant, elle est prise de court. Elle pensait la discussion close, mais elle n'a, à l'évidence, pas satisfait la curiosité du militaire. Elle utilise son plus éblouissant sourire, sa meilleure arme :

— Oh ! Un message de la PJ de Dijon à la Direction centrale. Il nous a été répercuté à Lyon. Comme disait l'adjudant, il se produit pas mal d'agressions similaires dans notre région à l'encontre de personnes âgées... Quand j'ai vu le nom de M. Léman, ça a fait tilt. Bien ! Je vais devoir partir, je vous remercie infiniment.

— Vous rentrez à Lyon ? fait l'adjudant, que cette éventualité semble soulager.

— Ce soir. J'ai encore deux ou trois petites choses à faire.

Le regard du commandant la déshabille, une fraction de seconde. Il s'incline imperceptiblement.

68

— Vous avez besoin d'un coup de main ? propose-t-il, affable. Ma voiture et mes hommes sont à votre disposition.

L'adjudant Chrétiennot lui jette un regard outré, mais Martinez n'en a rien à faire. Il reste rivé au visage de Marion comme s'il cherchait désespérément un moyen de la retenir encore.

Il envoie un coup de coude dans les côtes de l'adjudant qu'il semble tenir pour quantité négligeable et qui s'apprête à saisir la main tendue de la commissaire avec une expression admirative, parfaitement crétine. Chrétiennot tressaille et bredouille quelques mots de politesse.

— Au revoir, messieurs, dit Marion.

Avant de la voir disparaître, Martinez se jette à l'eau :

— Est-ce que vous aimeriez visiter la maison de M. Léman ?

La tête de Chrétiennot indique que cette proposition n'est pas du tout de son goût. Marion se demande ce que mijotent les militaires et, à tout hasard, décide de décliner l'offre.

14

Marion ne cesse de surveiller ses arrières durant le trajet jusqu'à Dijon. Elle n'a eu aucun mal à repérer la voiture du commandant Martinez sur le parking de la gendarmerie de Mirabel – c'était, avec le sien, le seul véhicule garé là : une Golf GTI décapotable noire qui cadrait parfaitement avec l'air m'as-tu-vu de l'officier. Elle ne doute pas que cet homme s'est déplacé jusqu'à Mirabel pour elle, et sa proposition de lui faire visiter les lieux du crime est la preuve qu'il veut qu'elle reste encore un peu en Bourgogne. Elle paierait cher pour savoir pourquoi.

Son refus conforte la position qu'elle a affichée : elle est venue enterrer Gus Léman et, en poussant jusqu'à la gendarmerie, elle a cédé à une curiosité légitime, étant donné les circonstances de sa mort, mais elle ne veut pas en savoir plus et elle rentre chez elle.

Le commandant a fait la gueule et, à présent, elle est curieuse de connaître la suite des événements.

Il fait beau, le temps est clair malgré une fraîcheur persistante et elle est presque déçue de ne pas voir Martinez et sa Golf à ses trousses. La route est déserte à part sa voiture et une moto qui s'est installée derrière elle quelques kilomètres après Charmes en maintenant une distance qui lui interdit une observation précise.

Elle profite du trajet et de l'absence de circulation pour passer quelques coups de téléphone.

À l'hôpital Édouard-Herriot, on lui donne des nouvelles de Talon : état stationnaire. L'officier n'a encore manifesté aucun signe de retour dans le monde des vivants, mais il est toujours relié à lui par ces maudits tuyaux.

Dans la foulée, elle appelle Gilles pour lui demander d'accompagner Nina au chevet de l'officier. Plus Talon aura de gens qui l'aiment autour de lui, plus il aura de chances de sortir du coma.

— Elle est déjà là-bas depuis huit heures ce matin, annonce Gilles avec une sorte de tristesse.

À peine avais-tu tourné le dos qu'elle me faisait les yeux doux pour que je l'emmène. À présent, je dois aussi aller chercher Lisette, Nina me l'a demandé… Dis-moi, chérie… ce Talon ?

— Quoi, ce Talon ? Ne te mets pas d'idées stupides en tête, Gilles. C'est le meilleur ami de Nina et il est homosexuel.

Cette suspicion l'agace. Elle abrège en promettant à son fiancé de rentrer à la maison le soir même.

À la permanence de la PJ, c'est Naïma Meceri qui lui répond, et sa voix est tendue.

— Vous savez la nouvelle, patron ?

— Non, évidemment…

— Prunier a tenté de se suicider. Un kilo de Tranxène arrosé au whisky.

— Il est…

— Il s'est raté.

— Ben voyons ! ricane Marion. Il est malin… il se place encore plus loin du champ des représailles administratives et judiciaires. Qu'est-ce qu'on en dit dans le service ?

— Rien. Mais le bruit court dans les couloirs que Talon, s'il reprenait conscience, serait aussitôt mis en examen par le juge d'instruction.

— Qui est-ce, le juge ? halète Marion.

— Lévy. Il ne porte pas les flics dans son cœur, il paraît.

— Essayez de me brancher sur le directeur, ordonne-t-elle avant de se laisser aller à une colère bruyante.

Malgré son insistance, il lui est impossible de parler à Quercy qui s'est mis aux abonnés absents et, vu la tournure que prennent les événements, elle estime urgent de regagner Lyon au plus tôt.

La moto a disparu de son rétroviseur bien avant qu'elle entre dans la ville, mais, par précaution, elle s'offre un petit tour de sécurité dans les rues à sens unique du centre de Dijon afin de s'assurer qu'elle n'a pas un poisson pilote collé au pare-chocs. Rassurée, elle s'engouffre dans un parking public et en ressort à pied, juste en face de la grande poste.

Rue de la Liberté, elle s'arrête devant l'immeuble qui abrite l'étude de Me Renoir, le notaire, avec lequel elle a rendez-vous à onze heures trente. Elle prend le temps de noter la qualité architecturale de la bâtisse, une des plus belles du quartier avec ses cariatides et ses balcons ouvragés. Alors qu'elle commence à monter les escaliers qui conduisent au premier étage, son téléphone vibre dans la poche de sa veste.

— Madame Marion ?

La femme se présente comme la secrétaire de Me Renoir. Elle s'excuse d'une voix mouillée pleine d'embarras.

— Je suis désolée de vous avertir aussi tard, assure-t-elle, mais je dois remettre à demain votre rendez-vous avec Me Renoir.

Marion proteste : elle est déjà dans la place.

— Désolée, répète la femme. L'étude est fermée, il n'y a personne. Demain, même heure, ça ira ?

Décontenancée et furieuse, Marion s'assied sur une marche pour digérer ce changement de programme. À l'autre bout, la femme attend sa réponse dans un silence qui se prolonge. Elle finit par toussoter et Marion devine qu'elle renifle aussi et se mouche. Agacée, elle livre sa décision :

— Je regrette, mais je ne peux pas rester. Je rentre à Lyon, j'ai à faire là-bas. De toute façon, je me fiche de cette affaire et j'ai l'intention de refuser l'héritage de M. Léman.

À l'autre bout du fil, la femme se reprend. C'est d'une voix un peu plus ferme qu'elle engage la jeune femme à réfléchir et à ne rien décider dans l'urgence. Ses propos ont pour Marion un écho familier ; Me Tarquin fils, à Lyon, lui a dit à peu près la même chose.

— Je peux savoir pourquoi ? demande-t-elle avec une irritation qu'elle peine à dissimuler.

— Je ne peux rien vous dire. Il vaut mieux que vous rencontriez Me Renoir.

— Écoutez, madame, j'ai du travail, une famille. Et je commence à en avoir assez de ces mystères. Si vous ne me dites rien, je ne…

— S'il vous plaît, madame Marion.

La secrétaire de l'étude est presque suppliante, et Marion ne sait plus quoi dire.

Elle se calme tout à fait quand son interlocutrice lui donne le motif du contretemps : le père de Me Renoir vient de décéder.

Marion raccroche sur une vague excuse et la promesse qu'elle viendra au rendez-vous le lendemain. Assise sur une des marches de l'escalier de l'étude, elle contemple un drôle de petit insecte pourvu de grandes antennes qui monte lentement à l'assaut des étages. Elle l'observe, sans se décider à bouger. La bestiole produit un son strident et ténu à la fois, incongru dans ce décor, comme la petite voix dans sa tête qui lui serine qu'elle vient de prendre la plus mauvaise décision de sa vie.

Puis, sans préavis, la pensée de Gus Léman qui gèle dans un tiroir de la morgue s'impose à elle.

15

Celle-ci ressemble à toutes celles que Marion a visitées depuis qu'elle est flic à la criminelle. Elle est seulement plus moderne et plus fonctionnelle que les autres, planquées en général dans les tréfonds sales et oubliés d'une annexe d'hôpital. Cependant, les éclairages neufs, les murs laqués et les inox rutilants ont leur revers : la sensation de froid et de mortel ennui y est pire qu'ailleurs.

De ses entrevues fréquentes avec Marsal, le médecin légiste de Lyon avec lequel elle traite la plupart du temps, Marion a forgé un stéréotype des spécialistes de cette discipline peu prisée : vieux médecins rabougris, célibataires ou veufs, mal fringués, chauves, blancs comme des endives. Quand le légiste dijonnais qui a autopsié Gus Léman apparaît, Marion n'en croit pas ses yeux : Sonia Bonte arbore une petite quarantaine épanouie, un rien nonchalante ; perchée sur des talons de dix centimètres, blonde, coiffée d'un chignon banane, maquillée et apprêtée, elle aurait sa place sur la couverture d'un magazine de mode. On devine sous sa blouse des vêtements élégants et coûteux. Ayant été prévenue de la visite de Marion par un commissaire de la PJ de Dijon, elle lui offre un accueil chaleureux.

Gus Léman est allongé dans le compartiment 12. Sa peau a jauni et des traces de ses blessures ne subsistent que quelques auréoles rosâtres et de nombreux cratères bruns aux contours réguliers. Les sutures opérées sur les incisions autopsiques du cou, du thorax, de l'abdomen et du crâne ont été réalisées avec art. L'œil arraché a été remplacé par un tampon d'ouate et les paupières recousues. Ce que Marion a sous les yeux ne ressemble plus au corps torturé photographié par les gendarmes de Mirabel. Gus paraît plus grand, plus fort, malgré sa maigreur. Les rafistolages d'un obscur couturier des morts lui ont rendu sa dignité.

— Le diamètre des brûlures est légèrement supérieur à celui que provoquerait une cigarette standard, précise le Dr Bonte qui a suivi le regard de Marion.

— Cigare ?

— Non, entre les deux. Petit cigare ou grosse cigarette comme ces horribles tas de foin ou de maïs qu'on fumait autrefois. Ou des cigarillos, vous voyez ?

— Je ne sais pas, fait Marion sans lever le nez, je ne fume pas. À votre avis, docteur, il y avait combien de tortionnaires ?

— Difficile à dire. La victime était assise, les mains liées dans le dos, les chevilles entravées. Les brûlures sont réparties sur le haut du corps, les aréoles des seins sont très touchées, comme vous pouvez le constater. En dehors de cela, il a été fait usage d'un couteau très aiguisé.

— Ou d'un rasoir ?

Le Dr Bonte exprime son doute par un gracieux mouvement du cou qui fait voleter une mèche sur son front :

— Non, le rasoir provoque des incisions aux bords asymétriques. Il s'agirait plutôt d'un couteau à lame étroite et recourbée. C'est ce que je déduis de l'apparence de l'exérèse orbitaire.

La légiste se tait pour réfléchir, un sillon vertical se creuse entre ses sourcils impeccablement épilés.

— Pour répondre à votre question sur le nombre d'agresseurs, reprend-elle alors que Marion lève sur elle des yeux interrogateurs, je pense qu'il n'y en avait qu'un. Un vieux monsieur aussi faible que celui-ci n'aurait pas été attaché avec autant de rigueur si ses agresseurs avaient été en nombre. De plus, les tortures évoquent un côté monomaniaque : d'abord les brûlures au cigarillo, puis, stade suivant, incisions au couteau... Je suis presque sûre qu'une seule personne a opéré. Vous voulez savoir autre chose ?

Marion désigne d'autres marques sur le cadavre, des abrasions visibles sur les genoux, aux coudes, aux plis des aines et de la taille, comme si la peau avait été caressée à l'aide d'une râpe à fromage.

— J'avais déjà remarqué ces blessures sur les photos de l'Identité judiciaire, dit-elle. Je suppose qu'on l'a fait mettre à genoux et ramper sur les coudes ?

— C'est vraisemblable, approuve la légiste. Il a dû se débattre, essayer de s'échapper et tomber. C'est pour cette raison, sans doute, que l'agresseur a été obligé de le ligoter.

— Dans ce cas, objecte Marion, je ne m'explique pas les lésions identiques à l'aine, à la ceinture, au cou, sur le dos des mains et sur les cous-de-pied. Pas plus que ces multiples traces qui ressemblent à des cicatrices anciennes.

Tout en parlant, elle pointe les marques du doigt. Sonia Bonte lui jette un regard intéressé.

— Vous êtes perspicace…, souffle-t-elle. Et vous n'avez pas peur des morts ! En effet, j'ai indiqué dans le compte rendu, que je n'ai pas encore transmis aux gendarmes, que le cadavre présente tous les symptômes d'une affection cutanée ancienne. Vraisemblablement génétique et incurable.

— Laquelle ?

— Oh ! il faudrait établir les caryotypes pour le savoir avec précision. Je n'ai pas jugé utile de demander cet examen coûteux, puisque la maladie présumée est indifférente dans l'affaire. M. Léman est décédé d'une crise cardiaque et, même sans cela, il n'avait aucune chance de survivre à une énucléation. Pour en revenir à sa peau, je parierais sur une épidermolyse bulleuse. Maladie hautement transmissible qui empoisonne la vie de ceux qui en sont atteints, une saleté avec laquelle on peut vivre cent ans. L'épiderme est fragilisé au point que tout contact, frottement, grattage, provoque des plaies qu'il faut soigner et panser en permanence. La cicatrisation est lente et laisse des traces en forme de bulle – d'où son nom – qui ressemblent à des séquelles de brûlure. Le visage reste indemne, ajoute-t-elle, comme si elle lisait dans les pensées de Marion.

Sonia Bonte fait deux pas en arrière et jette un regard rapide sur la pendule qui surplombe l'entrée de la salle.

— Excusez-moi, j'ai une autopsie dans cinq minutes, dit-elle en repoussant le tiroir réfrigéré.

Gus Léman disparaît, avalé par le mur de casiers d'acier tous identiques. Marion suit le médecin jusque dans la salle où un homme en costume médical vert, de dos, s'affaire près d'une des tables. Sonia Bonte s'esquive dans une pièce attenante et revient une minute plus tard, bottée, enroulée dans un tablier de plastique blanc, de larges lunettes translucides sur le nez. Elle finit d'enfiler des gants chirurgicaux et s'approche de la table. L'homme en vert s'écarte, dévoilant le corps nu d'une fillette de six ou sept ans. Le cœur de Marion saute dans sa poitrine. La légiste lui jette un coup d'œil rapide et s'aperçoit de sa pâleur soudaine.

— C'est très dur, les enfants, murmure-t-elle sur un ton compatissant.

— Vous en avez ? demande Marion, décidée à fuir avant le premier coup de scalpel.

— Deux. Oui, je sais. Vous vous demandez pourquoi j'ai choisi la médecine légale… Je vais vous le dire : je ne peux pas soigner les vivants parce que je ne supporte pas de les perdre. Avec les morts, au moins… Mais je reconnais que les enfants, c'est très dur. Tu peux commencer les crevés, Michel ? C'est ce que je crains le plus…

L'homme en vert acquiesce d'un signe de tête, ajoutant qu'il n'attendait que l'OPJ et sa suite pour s'y mettre. Sonia Bonte le remercie d'un battement de cils.

— Vous savez, commissaire, dit-elle en s'appuyant des deux mains sur le rebord de la table, M. Léman n'aurait pas vécu longtemps de toute façon…

— Comment ça ?

— Cancer. Il avait une tumeur au foie. De la taille d'une orange, inopérable. Il aurait survécu un mois tout au plus.

— À votre avis, il le savait ?

— Bien entendu.

Sonia Bonte s'éloigne de sa démarche élégante et racée. Marion la voit se pencher sur le petit corps sans déceler rien d'autre qu'un intérêt professionnel dans ses yeux maquillés.

16

La petite place en arc de cercle est presque vide. Un véhicule funéraire est arrivé et reparti aussitôt. Les rares voitures stationnées sur le terre-plein s'en vont les unes après les autres. C'est l'heure sacro-sainte du déjeuner.

Il guette la porte de l'Institut médico-légal à s'en décoller la rétine.

À midi et demi, le soleil qui luttait depuis le matin contre les nuages disparaît derrière une montagne grise aux reliefs tourmentés. Moins d'une minute plus tard, une voiture s'arrête à l'angle du bâtiment et deux hommes en descendent. Ils grimpent les marches en hâte. L'un d'eux porte une sacoche et un appareil photo. Le plus jeune se retrouve en haut en deux enjambées. Ils disparaissent à l'intérieur, et l'armature métallique de la porte vibre longuement après leur passage.

L'attente recommence avec, en bruit de fond, le ronflement sourd du ventre de la ville et le bruissement des pales d'un hélicoptère qui vient de se poser sur le toit de l'hôpital.

C'est alors que le double vantail s'entrouvre de nouveau et qu'elle apparaît. Il lui laisse le temps de s'engager sur les marches en pierre, puis, de son doigt ganté, il appuie sur la touche verte de son téléphone.

17

Marion sort du bâtiment moderne et referme la grande porte qui claque dans le silence de la place désertée. Son sac à bout de bras, elle entreprend de descendre les marches en lorgnant le ciel qui s'est assombri. Alors qu'elle pose le pied sur le trottoir, la sonnerie de son téléphone retentit. Elle l'extirpe vivement de sa poche pour répondre. D'abord, elle n'entend rien et ses « allô » restent sans écho. Elle est sur le point de couper la ligne quand un bruit l'alerte : le vrombissement d'un moteur que l'on lance à coups de pédale nerveux et impatients. Plus étrange encore, ce vacarme lui donne l'impression de prendre sa source près d'elle et d'être amplifié par le téléphone, comme si elle le captait en stéréo. Devant elle, la rue qui file vers le centre-ville est vide. Elle fait tourner son regard d'un quart de tour à droite alors que le moteur rugit de plus belle dans son oreille et simultanément – cette fois, elle en est sûre – derrière elle. Elle se retourne brusquement, mais il est trop tard : la moto lui fonce dessus. Elle a à peine le temps de distinguer le conducteur habillé de noir et casqué. Dans un réflexe de survie, elle se jette en arrière. Ce bond lui évite de prendre la machine dans les reins, mais le choc aux jambes l'envoie valdinguer sur les marches, projetant son sac à trois mètres sur la chaussée.

Le motard parcourt quelques mètres sur sa lancée, s'arrête pile et opère un demi-tour en faisant hurler ses pneus qui fument sur le bitume. Marion, sonnée, terrassée par une violente douleur au bassin et au côté gauche, le voit revenir sur elle comme dans un cauchemar. Elle veut se redresser, mais ses membres endoloris ne lui obéissent pas.

Horrifiée, elle voit l'engin se dresser sur sa roue arrière avant de fondre sur elle, pleins gaz.

18

Quand elle rouvre les yeux, c'est pour constater qu'elle est toujours à la même place, effondrée sur les escaliers de l'IML. Une goutte de pluie s'écrase sur sa main, une autre sur son nez, et elle en éprouve de la reconnaissance. Une voix de femme demande si tout va bien et elle voit avec soulagement le visage de Sonia Bonte penché sur elle.

Un crissement de pneus malmenés, une portière qui claque. Une Golf noire décapotable vient de s'immobiliser en bas des marches. Elle frissonne de peur.

— Je l'ai vu, cet enfoiré !... s'écrie la voix du commandant Martinez. Il est parti par là...

Il désigne la rue qui, à l'opposé du centre-ville, se perd dans une zone pavillonnaire annonçant la banlieue.

— Je préviens le central, annonce une autre voix d'homme dans le dos de Marion qui essaie de se relever. Vous pouvez le décrire, monsieur ?

— Ne bougez pas ! ordonne le Dr Bonte en posant la main sur l'épaule de Marion. On va vous transporter à l'intérieur. Capitaine, demandez un brancard à l'accueil, s'il vous plaît, vite...

— Non, pas de brancard ! proteste Marion. Ça va aller.

— Tss-tss... Vous avez mal ?

— Oui, grimace-t-elle, affreusement mal aux reins.

Elle remue les bras, s'aperçoit qu'elle tient toujours son portable serré dans sa main droite. Le sang reprend lentement un flux normal dans ses jambes, lui provoquant des fourmillements et une chaleur qui monte jusqu'à ses reins. Elle bouge les jambes, relève ses genoux pour se remettre debout malgré les protestations de Sonia Bonte qui la maintient d'une main ferme sur les marches.

— Je vous en prie, dit-elle, si vous avez une fracture de la colonne vertébrale, vous pouvez y laisser

l'usage de vos jambes. Calmez-vous, ça va aller !
On va s'occuper de vous.

— Merci, murmure Marion, qui sent les larmes
monter. Qui vous a prévenue, docteur ?

Sonia Bonte désigne du menton deux hommes,
un d'une cinquantaine d'années, un appareil
photo en bandoulière, et un plus jeune qui s'égo-
sille dans un portable en employant le jargon des
flics. Ce dernier se tourne vers le commandant
Martinez qui contemple Marion, les mains dans
les poches, songeur.

— Le type en moto : taille moyenne, combinaison de cuir noir et casque intégral noir ? C'est bien
ça ? demande-t-il.

— Avec ça on est riches, commente son acolyte.

Marion devine qu'il s'agit des deux policiers qui
devaient assister à l'autopsie de la fillette.

— La moto ?

— Je n'ai pas fait gaffe. Rouge, je crois. Ou verte.

Le policier fronce les sourcils, s'impatiente, toujours en ligne :

— Faudrait savoir…

— Je ne sais pas.

— OK… Pas de couleur précise. Claire ou
foncée ?

— Je vous dis que…

— Bon, ça va ! Vous avez relevé un numéro de
plaque ?

— Négatif, intervient Martinez, la moto n'en
avait pas.

— Merde. Pas de plaque du tout ?

— Je vous ai dit non, rétorque le commandant
de gendarmerie, un ton plus haut.

— Qu'est-ce que vous faites là ? lui demande Marion, tandis que deux hommes en blanc se dirigent vers elle, un brancard déplié entre eux.

Le gendarme désigne de son doigt tendu la cime des arbres qui entourent la place et au-dessus desquels émergent les derniers étages d'un immeuble qui doit en compter cinq. Sur le toit, une imposante antenne de transmissions, haubanée par une infinité de fils tendus et fixés aux extrémités de la bâtisse, indique la fonction militaire du bâtiment.

— La caserne du groupement, dit-il sobrement. J'ai vu ce connard débouler sur sa bécane... Qu'est-ce qui s'est passé ?

Les deux infirmiers réclamés par le Dr Bonte se mettent en devoir de soulever Marion, aidés par la légiste, leurs six mains réparties en quinconce le long de sa colonne vertébrale. Au moment où ils vont la déposer avec d'infinies précautions sur le brancard, Marion se dresse, comme frappée par la question de Martinez.

— Mon sac ! Il m'a piqué mon sac !

19

Marion reprend la route de Charmes et elle a l'impression de se repasser le film à l'envers. Elle a posé à côté d'elle un sac publicitaire à la gloire d'une crème solaire prêté par Sonia Bonte, plus quelques accessoires de première nécessité pour la nuit. La légiste lui a été d'un soutien précieux, elle ne l'a pas lâchée d'un pouce tout au long de l'après-midi.

La journée tirait à sa fin quand Marion a enfin pu quitter l'hôpital, la série d'examens achevée. Conclusion : elle s'en est tirée à bon compte. La moto l'a heurtée à la jambe et son bassin a violemment cogné contre les arêtes des marches de l'institut. La pierre de Comblanchien a beau être un matériau à la veine tendre, elle lui a néanmoins arraché de la peau sur vingt centimètres carrés. Par chance, elle ne souffre que de blessures superficielles et elle en sera quitte pour des bleus spectaculaires et un bel accroc à son pantalon.

Le patron de l'unité de police de proximité de Dijon s'est déplacé en personne pour recueillir sa déposition :

— Tu déposes plainte, bien sûr ?

— Pour quoi faire ? Arrête-le d'abord, après je verrai...

— Il me faut une plainte pour l'interpeller... si je le trouve.

Le dialogue de sourds a duré quelques minutes. Marion n'avait pas vu l'agresseur ni la moto, à quoi sa plainte pourrait-elle bien servir ? Sinon à grossir le tas des « faits non élucidés » qui finissent tous au même endroit : classés verticalement dans une corbeille à papier du palais de justice.

— C'est un voyou qui m'a tiré mon sac, rien d'autre. Je suppose que ces petites frappes pullulent ici comme partout. On ne va pas en faire un plat. Et je n'ai aucun arrêt de travail, pas d'ITT.

Son collègue a insisté, dérouté par son refus.

— Les petits tireurs de sacs à main ne sont pas rares en effet, mais, généralement, ils choisissent des victimes plus âgées, ils font le coup à deux et ne prennent pas la peine d'enlever les plaques des motos puisque, les motos, ils les piquent.

Marion a balayé ses arguments d'un geste définitif : on ne lui a rien pris d'essentiel. Habituée depuis longtemps à se passer d'un sac qui l'encombre pendant les opérations, elle porte tout son attirail sensible sur elle. Son arme dans un étui de hanche ou d'épaule ; le reste dans ses poches, ou accroché à des mousquetons à sa ceinture.

— Y compris les clés de chez moi. Quant à mon adresse personnelle, il en sera pour ses frais, car aucun document ne porte la plus récente. Tu vois !

— Je ne pense pas qu'il y ait un risque qu'on s'en prenne à ton domicile. Seul l'argent, sans odeur et anonyme, est un enjeu dans ce type d'agression de voie publique. Mais réfléchis quand même.

— C'est tout réfléchi.

Elle s'est bien gardée de lui dévoiler le fond de sa pensée et sa conviction que ce n'était pas plus son argent que ses clés qui intéressaient l'homme à la moto.

Marion a parcouru la moitié du chemin en se demandant pourquoi la présence du commandant Martinez aussitôt après l'attaque du motard lui procure ce sentiment de malaise. Tout en roulant, les yeux collés au rétroviseur, elle passe en revue chaque élément enregistré dans sa mémoire depuis son départ de Mirabel. Le commandant déconfit sur le seuil de la gendarmerie. La moto apparue derrière elle peu après Charmes. Si cette moto est celle qui lui a foncé dessus après l'avoir suivie dans la ville sans qu'elle s'en rende compte alors qu'elle était vigilante, cela signifie qu'elle n'a pas affaire à un petit « tireur » de province.

Le visage de Martinez, ses traits durs, ses yeux couleur de glacier...

— Il n'a pas pu conduire une voiture et une moto, tout de même..., maugrée-t-elle en quittant le dernier village avant Charmes.

Bien qu'elle n'imagine pas une seconde que Martinez puisse être étranger à son agression, elle reconnaît qu'il a été parfait, le commandant. Il est resté à l'hôpital tout le temps qu'ont duré les examens. Discret, muet même, mais présent au point que Marion, agacée, a dû lui demander de la laisser tranquille. À sa sortie, il était encore là, proposant de l'emmener prendre un café, un cognac, une collation... Elle a dû se fâcher pour de bon avant qu'il ne consente à la lâcher.

Alors qu'elle aborde la ligne droite flanquée de ses deux rangées de platanes et distingue au loin la pointe du clocher de Charmes, elle se décide subitement et compose le numéro du capitaine Capdevil. Il est dix-neuf heures passées et, le sachant plutôt casanier, elle est sûre de le trouver chez lui. Il est là en effet, occupé à regarder la télévision comme en témoigne le fond sonore que Marion perçoit derrière sa voix.

Lorsqu'elle achève le récit de son « accident », l'officier a un haut-le-corps.

— Mais c'est très grave, patron ! Vous l'avez fait serrer, j'espère !

— La fréquentation des musées vous a rendu optimiste, Capdevil... Je n'ai même pas porté plainte.

— Ah ! je vois... Vous voulez le choper vous-même... Ça vous ressemble bien. Ne faites rien toute seule, en tout cas, c'est trop dangereux ! Vous voulez que je vienne ? propose-t-il avec une réticence qui trahit son espoir qu'elle réponde par la négative.

— Surtout pas ! se récrie-t-elle avant de lui donner quelques précisions que l'officier écoute religieusement, soulagé.

— Vous pensez que cette tentative de meurtre est en rapport avec ce qui vous a amenée à Dijon ?

— Vous y allez fort ! Pour le moment, ce n'est qu'un vol à la tire... Mais il peut y avoir un lien, en effet...

— Comme je ne sais pas de quoi il s'agit...

— Je vous l'expliquerai à mon retour. De toute façon, j'ai gambergé et je pense que si c'est le cas, mon agresseur a commis une petite erreur.

Après l'exposé de Marion et un temps de réflexion, Capdevil approuve :

— Compris. Votre tireur prend des précautions de pro. Il vous suit, il vous guette. Au moment où il vous voit sortir, il vous appelle sur votre portable. C'est ça ? Je pige pas pourquoi.

— Il a dû vouloir me distraire, me faire baisser ma garde.

— C'est un âne ! S'il est vraiment pro, il doit savoir comment on se fait piéger avec un GSM.

— Exact. Et ça, ça me chiffonne.

Marion s'est arrêtée sur le bord de la route que les grands platanes obscurcissent déjà, bien qu'il soit encore tôt. Il règne un calme absolu, à peine troublé par les cris aigus d'hirondelles en retard de transhumance qui se poursuivent avec passion.

— Vous voulez que je m'occupe de « tracer » l'appel ?

— Oui. Je voudrais aussi que vous cherchiez des renseignements sur un commandant de gendarmerie…

À l'autre bout, Capdevil siffle doucement :

— Rien que ça !

— Faites-vous aider par Naïma Meceri.

— Vous êtes sûre, patron ?

— J'ai confiance en elle. C'est un gros potentiel, vous savez.

— Bon, si vous le dites. Et en moi, vous n'avez plus confiance ?

— Arrêtez de m'agacer ! Je vous connais un peu, c'est tout…

— C'est tout ? Ça veut dire quoi ?

— J'ai encore quelques trucs à faire ici, coupe Marion qui ne veut pas se disputer avec Capdevil à propos de son absence de passion pour la police criminelle. Je ne rentrerai que demain et je n'ose pas appeler chez moi…

— Vous avez peur que votre fiancé ne vous croie pas ? suppose Capdevil en homme rodé aux trahisons en tout genre.

— J'ai peur de ne pas pouvoir lui cacher la vérité. Et, je le connais, il rappliquerait aussitôt.

— Il aurait raison. Je les appelle, promis.

— Merci, murmure-t-elle. Pas un mot au service, bien sûr… ni à Quercy.

Pas la peine d'ébruiter la nouvelle qu'elle s'est fait tirer son sac comme n'importe laquelle des grand-mères auxquelles elle explique, justement, comment ne pas se le faire piquer.

Elle s'apprête à couper la communication quand elle se souvient soudain d'une chose importante.

— Dites, Capdevil... À propos... Les recherches d'antécédents que je vous ai demandées... Vous avez trouvé quelque chose ?

Silence. Marion sourit.

— Hello, capitaine, vous me recevez ? Gustave Léman, ça vous parle ?

— Ah ! Oh ! Grands dieux ! j'y pensais plus, à celui-là ! Rien. Négatif.

— Rien du tout ? C'est impossible...

— Si, je vous assure. Il y a un dossier, mais rien dedans... Du moins, rien que des choses sans intérêt. Perte de papiers, une RIF en 69... Ça n'a pas l'air de vous plaire ?

— Disons que je m'attendais à mieux. Capdevil ?

— Oui ?

— Je suis certaine qu'il y a autre chose. Cherchez ailleurs et... ne perdez pas de temps !

Le capitaine marmonne quelques mots peu aimables sur les droits des fonctionnaires et l'abolition de l'esclavage. Mais c'est pour dire quelque chose – et taire à sa chef sa crainte qu'elle ne se soit embarquée dans une sale affaire.

20

Le ciel est chargé de gros nuages et le jour décline à toute vitesse quand Marion atteint la place de Charmes. La porte ouverte du café Rodelot projette sur la chaussée une flaque de lumière jaune et la rue est, comme le matin, déserte. Marion traverse le village sans croiser ne serait-ce qu'un chien errant. Elle passe devant la maison de Gus et le cimetière, ralentit dans la descente et s'engage dans un petit chemin herbeux. Après avoir franchi quelques mètres en cahotant dans les ornières elle coupe le moteur. Puis elle débranche son téléphone portable de l'alimentation embarquée, le met dans sa poche et sort de la boîte à gants une petite lampe Maglite. Sa voiture verrouillée, elle part à pied vers la maison.

Ses reins sont douloureux et elle tire la jambe comme une vieille femme. Au pied de la butte qui conduit au jardin de Gus, elle s'arrête pour reprendre son souffle et écouter. La campagne s'endort lentement. De loin lui proviennent quelques coups de gueule de chiens énervés par le crépuscule.

Elle aperçoit sur sa gauche, au fond d'un jardin contigu à celui de Gus, une fenêtre éclairée et entend nettement quelques jurons proférés par une voix qui lui semble pâteuse. Sans doute celle du père Léon qui a forcé sur la bouteille. Des piaillements de femme âgée rebondissent en écho et une porte claque avec violence.

Marion escalade le talus, passe sous les barbelés en les retenant d'une main pour éviter d'y accrocher sa veste et pénètre dans le jardin. Elle suit son instinct, évite la porte toujours scellée, les fenêtres aux contrevents clos. Elle contourne la maison et découvre ce qu'elle espérait : une demi-douzaine de marches qui plongent dans un trou déjà envahi par la pénombre. Elle jette un coup d'œil sur le jardin du père Léon et constate que, de cet endroit de la propriété de Gus, on ne voit pas la maison du vieux voisin. Rassurée, elle ferme les yeux pour laisser remonter des sensations enfouies. Ce ne sont pas à proprement parler des souvenirs, plutôt des impressions qui ressemblent à des rêves. Nina lui a appris qu'on peut apprivoiser les réminiscences de la toute petite enfance, distinguer les vrais souvenirs des histoires racontées par les grands. Des images s'impriment et, soudain, elle en est tout à fait persuadée : elle est déjà venue ici.

Après une courte hésitation, elle s'engage dans l'escalier.

La porte de la cave est juste poussée et personne n'a estimé nécessaire d'y apposer les scellés. Elle l'ouvre, tous les sens en éveil. L'endroit est humide et froid, il pue la vieille suie, le crapaud mort et les patates pourries. D'antiques bouteilles couvertes de poussière noire collée par l'humidité, des bocaux vides, des caisses vermoulues surgissent dans le faisceau de la Maglite. À coup sûr personne n'a mis les pieds ici depuis une bonne dizaine d'années.

Elle dirige la lumière de sa lampe vers le plafond qu'elle explore méthodiquement, s'attardant sur un angle camouflé, à l'instar des autres, sous des toiles d'araignée géantes. Le faisceau étroit lui révèle pourtant ce qu'elle cherche. Le plafond est bas et, à défaut d'échelle, elle empile quelques caisses en priant le ciel pour qu'elles résistent à son poids. La trappe n'est pas verrouillée ni scellée, et l'ouvrir ne lui demande que quelques secondes. Après un rétablissement acrobatique, elle atteint le plancher de l'étage supérieur, le cœur cognant dans les oreilles.

Il fait très sombre dans la cuisine, et Marion prend le temps de souffler, attendant que se calme l'orage dans sa poitrine et que ses yeux s'habituent à l'environnement. Puis, quand elle est certaine que personne ne va la surprendre en flagrant délit, elle commence son exploration.

La maison comprend une salle avec une cheminée, une table flanquée de deux bancs, une horloge comtoise arrêtée, une armoire et un lit en angle, comme il est de tradition dans cette zone froide de la Bourgogne où les maîtres de maisons modestes, il y a peu d'années encore, ne chauffaient en hiver que la pièce principale. Devant la cheminée, une chaise renversée et, juste à ses pieds, une silhouette tracée à la craie. À un mètre de là, une tache noirâtre, elle aussi entourée d'un cercle blanc.

Marion contemple la scène du crime sans émotion : c'est un spectacle qu'elle a elle-même mis en situation des dizaines de fois. Pourtant, quelque chose la gêne dans ce décor. Elle examine chaque meuble et fait sortir de l'ombre les traces laissées par les enquêteurs, les empreintes de leurs chaussures sur les tommettes. Elle s'avance de deux pas et c'est en approchant de la cheminée qu'elle trouve. L'odeur ! Le nez en l'air, elle hume longuement les effluves mêlés. Elle reconnaît celui de la vieille suie, de l'humidité. Ceux du sang et des chairs mortes qui se maintiennent, tenaces, des mois durant. Les relents d'une cuisine sommaire, de la graisse maculant le cul des casseroles. Mais il y a une autre odeur, qui domine celles-là et provient de l'âtre. Marion contourne la chaise que Gus a entraînée dans sa chute et, posant le bout du pied sur la plaque de fonte, se penche en avant. Impossible de se tromper sur ce parfum de camphre, d'arnica, d'alcool iodé et de plantes aromatiques. Elle le connaît, elle le *reconnaît*. Rapidement, elle en découvre la source. Tombé près d'une bûche en partie consumée, un mouchoir en papier a été négligé par les TSC[1], à moins qu'il n'ait été jeté par l'un d'entre eux. Sans réfléchir, Marion le saisit délicatement par un coin et le porte à hauteur de son visage. Les yeux clos, elle se livre à un laborieux exercice de mémoire. Mais elle a beau faire, son cerveau refuse de lui donner la clé. Elle explore le sac prêté par Sonia Bonte, découvre une poche vide fermée par une pression. Elle y fourre le mouchoir et poursuit son inspection.

À l'étage, deux chambres. L'une est dépourvue de mobilier, à l'exception d'une grande table sur laquelle on a disposé des pommes et quelques poires curé du verger en prévision de l'hiver. L'autre est meublée d'un étroit lit en fer, et Marion comprend que Gus dormait là, dans un inconfort de monastère, sans WC ni salle de bains.

Une table de nuit et une armoire à glace, un seau d'aisances en tôle bleue émaillée complètent le mobilier. Se servant d'une taie d'oreiller roulée en boule à même le sol pour éviter de laisser ses « paluches » partout, Marion fait glisser le tiroir de la table de nuit, qui lui délivre son contenu : un flacon de mercurochrome, un tube de pommade à moitié vide portant en rouge la marque Sparfix, une boîte de compresses, deux seringues à usage unique dans leur emballage, un bloc de papier à

---

1. Techniciens de scène de crime.

lettres encore sous plastique, quelques enveloppes et un stylo à plume or de marque Dunhill, singulièrement détonnant dans l'ambiance.

L'armoire renferme quelques chemises pliées avec soin et des vêtements suspendus. Marion tâte le tissu un peu rêche d'un costume noir, et un objet rigide prend forme sous ses doigts. Elle extirpe de la poche de poitrine un portefeuille en cuir, râpé et arrondi par de longues années d'usage. En l'ouvrant, elle ne peut s'empêcher de penser que les gendarmes ont été décidément bien négligents. Mais, tout aussitôt, lui revient en mémoire une affaire dans laquelle un de ses hommes était passé à côté de l'arme du crime parce qu'il n'avait pas osé fouiller dans des objets destinés au culte des morts et disposés sur un autel bouddhiste, détail qui avait achevé de le perturber. Les gendarmes de Charmes ont-ils été eux aussi gagnés par une crainte superstitieuse ?

Le portefeuille contient une carte d'identité et un permis de conduire au nom de Gustave Léman. Sur les photos, Gus n'a pas plus de vingt ans, et les dates de délivrance confirment à Marion que les papiers ont été établis en 1958. À part ces reliques, il n'y a que quelques billets pliés en quatre. Mais, en y regardant de plus près, il lui semble que des parties intercalaires plastifiées ont été arrachées. Marion contemple longuement l'objet avant de le ranger lui aussi dans son sac, mortifiée par ce geste interdit.

Bien qu'il s'agisse d'un acte illégal et inexploitable dans le cadre d'une procédure judiciaire, la découverte de ce portefeuille et de l'argent détruit la théorie de l'adjudant Chrétiennot : le vol n'était pas le mobile de l'assassinat de Gus Léman.

21

La place du village a changé de physionomie, et ce que voit Marion, au milieu de quelques véhicules stationnés en vrac devant le café Rodelot, fait remonter son estomac dans sa gorge. La Golf noire de Martinez !

Elle s'arrête devant la maison du maréchal-ferrant et, aussitôt, une silhouette apparaît derrière la fenêtre. Puis la lumière s'éteint, et Marion se sent épiée.

Des gens s'agitent à l'intérieur du café et le bruit de conversations parvient jusqu'à elle. Elle se demande ce qui peut bien se passer là-bas et pourquoi le commandant s'y trouve aussi. La pensée l'effleure qu'il l'a suivie depuis l'hôpital, et, une fois encore, elle se promet de retourner à l'école pour des cours de remise à niveau. Si elle ne détecte plus les filatures, autant changer de métier !

S'il a observé ses faits et gestes après sa sortie du service des urgences, il l'a vue boire une bière au bar d'un hôtel, près du parc des sports. Elle y a réservé une chambre pour la nuit, mais, de cela, Martinez n'a pas pu se rendre compte. C'est en finissant son demi qu'elle a eu l'impulsion imbécile de venir en douce jusqu'à la maison de Gus, intriguée par la proposition du commandant de gendarmerie de la lui ouvrir et désireuse de le devancer.

Un jet d'adrénaline dans ses artères la fait trembler. Et si le gendarme l'avait suivie jusqu'à la maison de Gus, avait attendu qu'elle finisse sa « perquise » clandestine et regagné le café avant qu'elle ne rejoigne sa propre voiture ?

— Ça ne colle pas..., dit-elle à mi-voix sans détacher le regard du rectangle éclairé. Je ne peux pas n'avoir rien vu, rien entendu. Je ne comprends rien à ce qui se passe.

Il n'y a qu'une façon de savoir.

Son entrée dans le café provoque un mouvement de stupeur dont l'effet est immédiat : un silence de plomb s'abat sur le groupe. Marion compte sept ou huit paires d'yeux braqués sur elle dont ceux couleur cobalt du commandant Martinez qui la détaille de la tête aux pieds, s'attardant, froid et un rien goguenard, sur les traces sombres dont son tailleur lavande est souillé et qu'elle n'a pu, en dépit de ses efforts, éliminer en totalité.

— Bonsoir, lance-t-elle à la cantonade.

Marion, plutôt réservée dans la vie, montre un culot étonnant quand il faut aller au charbon. Cependant, là, dans ce café, elle se fait l'effet d'une pauvre créature jetée dans une arène au milieu de fauves affamés. La mère Rodelot jaillit tel un zombie de son arrière-boutique, s'essuyant les mains à un tablier de jardinier d'un bleu passé, une expression de totale incrédulité sur le visage.

— Oh ! commissaire ! s'exclame le commandant Martinez. Quelle surprise !

La tonalité métallique de sa voix dément l'affabilité de son propos. L'inquiétude de Marion grandit quand, faisant un tour rapide de l'assistance, elle identifie deux des gendarmes de la brigade de Mirabel. Elle s'est fait piéger comme une gamine et ils vont l'embarquer et la coller au trou ! Pourtant, ils ont l'air aussi ébahis de la voir là que les autres hommes présents, parmi lesquels elle reconnaît le client aux bottes crottées du matin et le facteur qu'elle a entrevu à trois reprises au cours de la journée et qui garde les yeux obstinément baissés sur ses chaussures. Alors qu'elle poursuit son tour d'horizon, sa mémoire olfactive lui restitue l'odeur qui l'a perturbée dans la maison de Gus. Forte mais volatile, une image la traverse : celle d'un homme poussant une balançoire sur laquelle elle est assise et d'un petit garçon qui la regarde de loin en se curant le nez. Le souvenir s'enfuit avec l'odeur.

Elle se rend compte que le commandant Martinez lui parle.

— Vous avez l'intention de vous installer à Charmes ?

— Et vous ? rétorque-t-elle en le fixant sans ciller.

Le silence se fait plus pesant encore. Les hommes retiennent leur souffle et la mère Rodelot semble figée pour l'éternité, ses yeux voilés de gris lui sortant de la tête. Seul le paysan aux bottes sales remue une jambe en cadence, cramponné à son verre comme à une bouée, au bord du coma éthylique.

Marion se tourne vers la femme :

— Un cognac, madame, s'il vous plaît...

Martinez siffle lentement, ironique.

— Et ces messieurs, ajoute Marion avec aplomb, ils reprendront bien un verre ? C'est ma tournée !

Sa proposition agit comme un coup de baguette magique. Les hommes se remettent en mouvement, les conversations reprennent, y compris du côté des gendarmes de Mirabel. Marion respire, soulagée : ils ne sont pas là pour elle. La patronne du café s'empresse : ce n'est pas tous les jours qu'elle vit une telle embellie. Seul le facteur reste en marge, refusant d'un geste la chopine qu'on pose devant lui en grommelant qu'il « en a assez comme ça ».

Martinez observe Marion, une lueur indécise dans le regard, entre admiration et réprobation.

— Alors, commandant, attaque-t-elle en avalant une grande lampée de cognac, vous vouliez savoir ce que je venais faire ici ?

Elle n'a pas haussé la voix, mais les hommes, d'instinct, baissent le ton.

— Pourquoi croyez-vous que cela m'intéresse ?

— Je ne le crois pas : j'en suis sûre.

L'alcool glisse délicieusement dans ses organes, réchauffant sur son passage les parties endolories, gommant les craintes. Le feu monte de son estomac à ses joues. Pour un peu, elle en oublierait les mauvaises ondes qui rôdent autour d'elle.

Elle se tourne vers les gendarmes de Mirabel vêtus de leurs tenues réglementaires, leurs képis posés sur une des tables. Le petit râblé, avec ses moustaches qui lui barrent le visage, la contemple à présent avec une indifférence polie. Elle s'adresse à lui, ignorant Martinez :

— Pourrez-vous dire à votre adjudant que j'accepte la proposition du commandant de visiter la maison de M. Léman ? Demain. Disons... neuf heures ?

L'idée de provoquer le commandant et de le prendre à contre-pied lui est venue brusquement. Et, si elle a laissé des traces là-bas, une nouvelle visite lui permettra de les brouiller pour le cas où – dans ces villages on n'est jamais complètement anonyme – quelqu'un l'aurait vue. Elle jubile devant la tête que fait Martinez.

— Mais, c'est-à-dire..., bafouille le gendarme à moustaches, je ne sais pas... Pourquoi ?

Marion avale une autre gorgée, s'étrangle, tousse.

— Peut-être que mon œil de lynx décèlera d'autres indices, répond-elle en essuyant une larme. Non, je plaisante... C'est, disons, une curiosité... personnelle.

— Il paraît que vous connaissiez le vieux ? lance le deuxième gendarme, confortant Marion dans la certitude que c'était bien le sujet qui les occupait avant son entrée dans le café.

— Et que le notaire de Dijon a passé l'arme à gauche aussi ? bredouille l'homme botté.

— C'est d'accord, tranche le commandant Martinez. Ce qui est dit est dit et le reste ne vous regarde pas, vous autres. Si vous voulez, je vous y accompagnerai moi-même, commissaire.

Il s'incline d'un mouvement raide. Marion acquiesce d'un geste distrait, mortifiée de découvrir une fois encore à quel point le secret des enquêtes est une utopie. Plus encore dans les campagnes, où la rumeur galope, souvent colportée par les enquêteurs eux-mêmes. Ici, les gendarmes se sont laissés aller, confirmant ou évitant de démentir les bruits qui courent à la vitesse du vent. Ils connaissent tout le monde et le criminel qu'ils recherchent, c'est l'étranger, celui qui vient d'ailleurs. L'ennemi est toujours celui avec lequel on n'a jamais bu un coup.

Les villageois se taisent et le paysan botté vacille en grognant.

— Dis donc, Dédé, gronde Mme Rodelot, il va falloir la brouette pour te ramener... Allez, rentre donc !

Dédé secoue la tête de gauche à droite et montre du doigt la dernière chopine déjà vide.

— Par exemple ! fait la femme. Tu rigoles ? T'as assez tété pour aujourd'hui... Alors, qui veut manger l'omelette, finalement ?

Sur une table du fond, le couvert est mis pour quatre. Personne ne répond et la vieille repart, courroucée, vers l'arrière-salle. L'évocation de l'omelette fait tourner l'estomac de Marion, qui se sent vaciller. Elle n'a rien avalé depuis le matin.

— Vous devriez manger un morceau, avance Martinez comme s'il lisait dans ses pensées. Je vous invite ?

« Plutôt crever... » est la réponse qui fuse de ses yeux noirs.

— Vous avez tort, Reine fait les meilleures omelettes que j'aie jamais mangées...

— D'accord, s'entend-elle répondre. À une condition.

Elle se rapproche de lui et murmure à sa seule intention :

— Vous me dites pourquoi vous me suivez depuis ce matin. Et pourquoi vous m'en voulez.

Martinez dévisage Marion de son regard bleu dur, esquisse un sourire. Puis il avale le reste de son verre de pastis cul sec et, saisissant son bras, il l'entraîne vers la table du fond.

22

La sonnerie de son téléphone la fait sursauter. L'omelette aux champignons et lardons trône sur la table, baveuse et fumante à souhait. Un pot de cornichons et une fiole de vinaigre l'accompagnent, car c'est avec ces deux ingrédients qu'on la déguste en Bourgogne, comme l'a souligné la patronne du café. Martinez, assis en face de Marion, verse dans leurs verres un vin de pays gras et sombre. L'établissement est redevenu silencieux après le départ des consommateurs. Le facteur est parti le premier, suivi de près par les gendarmes qui ont embarqué Dédé pour le ramener à sa bourgeoise.

La femme Rodelot s'active dans la cuisine, pas trop loin de la porte afin de ne rien perdre de la conversation.

— Oh ! c'est toi ! s'exclame Marion, qui sent l'ivresse monter en elle comme une vague.

— Tu vas bien ? demande Gilles d'une voix légèrement oppressée. Ton sbire vient de m'appeler. Il s'est passé quelque chose ?

— Non, rien de spécial… J'ai dû rester un peu plus longtemps, c'est tout. Je t'expliquerai.

— Tu es bien sûre que ça va ? Tu as une voix bizarre. Et cette histoire de sac que tu as perdu...

« Quel con, ce Capdevil ! » fulmine Marion, tandis que Martinez pose dans son assiette une grosse part d'omelette dont le fumet la fait saliver aussitôt.

— C'est sans importance, vraiment, répond-elle un peu sèchement. Il faut que je te quitte, je suis occupée.

— Tu ne me demandes pas comment va Nina ?

— Si..., murmure Marion, qui ne tient pas à prononcer le nom de la petite devant Martinez. Ça va ?

— Bon, fait Gilles, mécontent et inquiet de sa froideur. Je vois que ça ne t'intéresse guère, mais je te rassure : elle va bien. Elle a passé la journée à l'hôpital et elle veut y retourner demain... J'ai dû me battre pour lui faire lâcher la main de Talon. Tu sais, je pense que ça ne sert à rien...

La voix de Marion se fait cassante :

— Tu ne lui as pas dit ça, quand même ?

— Non, bien entendu ! Mais avoue que ce sont de drôles de vacances, non ?

— Elle est avec toi ?

Gilles hésite avant de donner une réponse choisie :

— On s'est un peu chipotés et elle a voulu dormir chez sa mamy. Je suis seul.

— À quel sujet, la dispute ?

— Je l'ai surprise au garage en train de fouiller dans les...

— OK, c'est bon ! abrège Marion, qu'une inquiétude inexplicable vient de saisir. Je dois raccrocher, on parlera de ça demain. Je t'embrasse.

Elle remet le téléphone à sa place et plonge sa fourchette dans la matière souple, dorée et juteuse, en saisissant de l'autre main une tranche de pain épaisse comme le doigt.

— Je n'aimerais pas être votre mari, commente le commandant en la regardant manger.

Elle déglutit :

— Personne ne vous le demande, Dieu merci. Alors ?

— Eh bien, se lance Martinez après avoir feint la réflexion, je dois vous faire un aveu…

— Ça commence bien, dites donc !

Elle mange à toute vitesse, lampe d'un trait son verre de vin. Martinez la ressert aussitôt. Il n'a pas encore touché à son assiette ni à son verre.

Elle lève les yeux pour l'observer. Il se penche en avant, une expression ambiguë sur le visage. Elle l'encourage d'un geste de la main.

— Ce matin, je suis venu à la brigade de Mirabel pour une… inspection. Je ne suis pas sûr que cela vous intéresse ni même vous regarde, mais cette unité connaît quelques difficultés d'ordre interne.

Marion l'écoute en se disant qu'il en fait des tonnes. Elle essaie de deviner la suite.

— J'étais en train de consulter leurs registres quand je vous ai vue arriver…

— Vous êtes tombé amoureux de moi et vous m'avez suivie toute la journée sans oser m'avouer vos sentiments…, conclut-elle en repoussant son assiette vide.

Elle tend son verre, qu'il remplit machinalement. Elle l'avale d'un trait, en redemande.

— Vous devriez dormir ici, annonce Martinez d'une voix calme.

Marion affronte son regard tranchant et devine la suite : le commandant Martinez avec sa belle gueule et sa Golf cabriolet est un dragueur à la petite semaine.

Un bruit ténu dans son dos : la tenancière est tout près, aux aguets.

— Avec vous ? le provoque-t-elle.

— Je ne pense pas, non, répond-il froidement en s'adossant à sa chaise.

Marion recule la sienne qui fait un bruit de tonnerre en raclant le parquet délavé par l'eau de Javel.

— Je ne vous plais pas ? demande-t-elle.

— Vous êtes irrésistible.

Il la fixe. Son expression est difficile à décrypter. Il ressemble à un animal à sang froid qui guette sa proie. De toute évidence, il n'éprouve rien pour elle, ni compassion, ni haine, ni désir. Il est là pour une raison qu'elle ignore et elle a subitement honte de l'avoir provoqué bêtement. Son regard impénétrable lui fait peur, tout à coup.

Leur silence et la façon dont ils se dévisagent plongent dans la stupeur la femme Rodelot, qui arrive avec un plateau de fromages.

Marion se demande comment elle va s'en sortir quand le téléphone portable du commandant sonne à son tour sur une mélodie très militaire. Il s'en saisit à gestes lents et répond, mettant un terme provisoire à la confrontation. Il écoute en grommelant quelques onomatopées et raccroche. Marion a l'impression qu'il est contrarié, mais c'est peut-être parce qu'elle l'observe avec colère.

Martinez se lève et, sans un mot, fouille ses poches. Il tend un billet à la femme du café, qui le triture un instant, indécise.

— Je paie ma part, lance Marion.

Martinez hausse les épaules, dit à la mère Rodelot de garder la monnaie et de se débrouiller avec le reste. Il se penche vers Marion, un sourire effleure sa bouche bien dessinée autour de laquelle une barbe sombre repousse déjà.

— Je voulais seulement vous faire remarquer que vous buvez trop pour conduire une voiture. À part ça, vous êtes très belle, mais vous n'êtes pas le centre du monde, fait-il en appuyant sur chaque syllabe.

— Vous n'avez pas répondu à ma question.

Il se dirige vers la porte, se retourne. Il a repris son air glacé, impersonnel.

— Je ne comprends pas de quoi vous voulez parler.

— Allez vous faire voir ! crie Marion bien après qu'il a quitté le café.

Seul le mouvement lent des lamelles de plastique indique que quelqu'un est passé par là. Marion, la tête lourde, se demande si elle n'a pas rêvé.

Quand elle sort du café Rodelot, un quart d'heure plus tard, la place est déserte. Un seul lampadaire accroché à la façade d'un ancien relais de poste dispense une lumière pisseuse sur le bitume que l'humidité fait briller. Une brume diaphane s'est installée, gommant les contours des maisons où ne brille plus aucune lumière.

Il n'y a plus de voiture sur la place, sauf la Peugeot grise de Marion. Le véhicule a une drôle d'allure, étrangement tassée dans la nuit et le brouillard. Marion entend le fracas des chaises que la vieille mère Rodelot remue sans douceur et tout près, derrière une porte grillagée, un chien qui soupire dans son sommeil.

Un instant plus tard, elle revient précipitamment sur ses pas, pousse la porte du café que la patronne est en train de fermer. La femme recule, effrayée.

— C'est encore moi, la rassure Marion. J'ai un problème.

Elle désigne l'emplacement où est stationnée sa voiture. La femme se penche et c'est dans les phares d'un véhicule qui traverse le village à petite allure qu'elle distingue ce que Marion lui montre : les quatre roues sont à plat.

— Il y a un garage que je peux appeler ?

— Oui, mais vous pensez bien qu'il est fermé à cette heure-ci. Vous ne trouverez rien d'ouvert avant Dijon. Et ça m'étonnerait qu'ils viennent jusqu'ici en pleine nuit.

Marion se sent lasse tout à coup. Elle a sommeil, elle a trop bu. Elle en a assez. Elle a très envie d'être chez elle, dans les bras de Gilles, avec Nina tout contre elle, à contempler le feu et à lire des présages de bonheur dans les mouvements des flammes. Au lieu de cela, elle est perdue au fond d'une campagne hostile.

La vieille femme la dévisage avec commisération. Elle s'efface.

— Ne restez pas dehors. Je peux vous louer une chambre.

23

Marion a du mal à s'endormir malgré son abrutissement. Les douleurs qui irradient de sa jambe gauche jusqu'à ses reins l'empêchent d'oublier que, depuis que Gus Léman a resurgi dans sa vie, quelque chose ne tourne pas rond. Ce n'est pas de l'intérêt qu'elle suscite ni même de la curiosité, mais un acharnement haineux.

Chaque fois qu'elle est sur le point de sombrer, un bruit émanant de cette vieille baraque inconnue la remet sur le qui-vive. La chambre est vieillotte comme sa propriétaire et elle sent la naphtaline. Dans un coin, le robinet d'un lavabo mal dissimulé par un paravent tendu d'un tissu aux couleurs éteintes laisse échapper un goutte à goutte lancinant.

Avant de se glisser dans les draps de coton à l'ancienne, usés et doux comme une peau d'ange, Marion n'a pu résister au besoin d'appeler sa fille. Il était à peine vingt-deux heures, et Nina n'est pas une couche-tôt. C'est elle qui a décroché. Dans un flot de paroles, elle a raconté par le menu sa journée avec Talon, ses efforts pour le faire réagir. Elle était certaine qu'il avait remué une paupière, elle se persuadait qu'il l'entendait. Elle a interrogé le chirurgien qui l'a opéré et les médecins des urgences : elle savait tout sur sa blessure, sur l'emplacement de la balle qu'on lui a montrée à travers la lumière d'un négatoscope, sur ses chances de survie, la rééducation qu'il aura à subir, les dangers à craindre pour l'avenir et les séquelles inévitables. Elle employait le vocabulaire médical et sa mère a dû se rendre à l'évidence : elle a trouvé sa voie, elle sera médecin.

Demain, elle retournera auprès de Talon pour toute la journée. Marion l'a approuvée, se gardant bien de tenir compte de l'avis de Gilles et de ses réflexions qui la mettent en colère chaque fois qu'elle y pense.

Nina est restée un moment silencieuse, puis :

— Pourquoi tu pars si longtemps, maman ?

— Tu n'exagères pas un peu ? a murmuré Marion. Je ne suis partie que depuis ce matin.

— Tu n'es jamais partie aussi longtemps, s'est obstinée Nina. Tu rentres demain ?

— Oui, chérie, demain.

— Juré ?

— Juré.

Soupe au lait, Nina s'est renfrognée quand il a été question de Gilles.

— Je ne veux pas que tu te maries, a-t-elle avoué, alors que Marion insistait pour en savoir plus.

— Mais... Pourquoi ? Tu l'aimes bien, Gilles, pourtant ?

— Oui, je l'aime bien, mais, quand il est là, je peux plus faire ce que je veux. Il se prend pour mon père et j'ai pas envie de l'avoir dans les pattes tout le temps...

Derrière Nina, mamy Lisette a protesté : quelles étranges manières sont celles des enfants d'aujourd'hui ! Marion a fait remarquer à la fillette qu'elle est injuste, que Gilles est tout le contraire de ce qu'elle prétend.

— Moi, je me marierai jamais, a déclaré Nina.

— Qu'est-ce que tu en sais ?

— Ou alors si... Avec Jérôme Talon.

— Il est bien trop vieux pour toi.

Nina a médité une fraction de seconde avant de laisser percer de nouveau la légère oppression qui dénonce l'angoisse profonde qu'elle essayait de dissimuler derrière son babillage.

— Maman ?

— Oui, mon cœur ?

— Si Jérôme reste infirme, il faudra que quelqu'un s'occupe de lui. Tu sais, il a pas de famille. Maman ?

— Chérie, l'apaise Marion, il va guérir.

— Mais s'il guérit pas ?

— On sera là. Ne t'inquiète pas. Fais-moi un gros bisou à présent…

Mais Nina n'avait pas envie de quitter sa mère. Elle voulait la garder le plus longtemps possible.

— Tu sais, maman, j'ai déniché un tableau super !

— Comment ça, un tableau ? Quel tableau ?

— Dans le garage…

Le pouls de Marion s'est emballé.

— On en parlera demain, d'accord ? a-t-elle dit, précipitant la fin de la communication.

Inexplicablement, l'évocation des cartons de Gus Léman la met dans tous ses états, et plus encore depuis que Nina y a touché.

Elle se retourne dans le lit, déplace l'oreiller dont la dentelle lui chatouille le nez. Au moment où se manifestent enfin les signes d'un relâchement, où même le toc-toc du robinet gouttant sur l'émail ne franchit plus la barrière de sa conscience, un vacarme extérieur la fait se dresser dans son lit, haletante. Il lui faut quelques longues secondes pour calmer l'affolement de son cœur et identifier la nature du bruit : les cloches du village sonnent le tocsin.

Des portes s'ouvrent, des voitures démarrent, des voix s'interpellent. Le village enfoui dans la brume se réveille brutalement.

Dans la maison aussi, il se passe des choses. Des pas font craquer l'escalier et des coups sont frappés au-dehors contre la porte du café, sous la fenêtre de Marion. Elle se lève et s'habille en hâte.

Quand elle descend, la grande salle est éclairée. Mme Rodelot est vêtue de sa robe à fleurs – à croire qu'elle dort avec – et chaussée de grosses pantoufles à carreaux noirs et mauves. La porte ouverte laisse entrevoir une animation de kermesse ; en pleine nuit, des gens semblent se courir après dans le plus parfait désordre.

La cloche cesse brusquement de sonner, la dernière note résonnant longuement dans la nuit. La vieille dame regarde Marion comme si elle était responsable de ce tumulte.

— Que se passe-t-il ? demande la jeune femme, alors que son hôtesse ouvre la trappe de la cave.

— Faut que j'aille chercher du ravitaillement. Ils vont avoir soif.

— Pardon ? fait Marion, éberluée.

La vieille, le corps engagé dans l'escalier, hoche la tête en désignant la rue :

— Vous entendez pas les cloches ? Y a le feu.

24

Les flammes montent si haut qu'on peut se demander ce qui alimente un incendie d'une telle violence. Le feu gronde et projette des gerbes d'étincelles dans le ciel qui paraît plus pâle. Il est impossible de s'approcher du brasier et la foule habituelle de curieux reste à distance, contre le mur du cimetière, à l'abri du vent. Il y a des hommes en bleu de travail et des femmes qui serrent un gilet de laine autour de leur poitrine. Il y en a même une en chemise de nuit et en chaussons. Quelques enfants aussi, muets et sages.

Deux véhicules de lutte contre l'incendie et une motopompe ont pris position et déroulé leurs tuyaux pour se brancher à une borne située à l'angle d'une ruelle au bout de laquelle deux maisons se font face. Quelqu'un annonce que des renforts vont venir de Mirabel, mais le responsable des pompiers volontaires de Charmes est pessimiste : personne ne pourra sauver la maison de Gus Léman qui s'est embrasée comme un tas de foin.

Marion reconnaît le père Léon, qui donne le bras à une vieille dame courbée en deux par une lordose impressionnante et qui râle sans fin parce qu'on leur a enjoint d'évacuer leur maison.

— À mon âge, me jeter dehors en pleine nuit...

— Montez au café, vous serez au chaud..., suggère un homme qu'on renvoie aussitôt à ses affaires.

L'incendie éclaire les visages en faisant chatoyer des ombres. Marion croise le regard du père Léon et elle y lit la même expression que sur le visage de Mme Rodelot. Une accusation.

La musique syncopée de plusieurs deux tons discordants s'amplifie. Les spectateurs grimacent en se bouchant les oreilles, quand deux autres véhicules rouges stoppent sur la route, balayant la nuit de leurs gyrophares. Un mouvement de foule salue l'arrivée, juste derrière les pompiers, d'un cortège de voitures de la gendarmerie. Marion identifie la silhouette replète de l'adjudant Chrétiennot, tandis que, de manière tout à fait insolite et dominant les relents de bois en crémation et de métal en surchauffe, ses muqueuses lui renvoient encore une fois le souvenir de l'odeur retrouvée dans la maison de Gus. Elle est forte et, de nouveau, Marion en éprouve de la gêne. Elle balaie la foule du regard, aperçoit les gendarmes qui s'y mêlent, serrant des mains, échangeant quelques mots. Les regards fusent souvent dans sa direction, vite détournés. Les deux militaires qu'elle a vus au café s'entretiennent avec un homme qui se tient de dos et dont elle ne repère que le blouson orné des couleurs bleu et jaune de la poste. L'un des deux gendarmes se détache et poursuit sa route en jetant un coup d'œil furtif vers elle. Il rejoint son chef, en grande discussion avec le père Léon, et les deux hommes se parlent à voix basse. Chrétiennot, se hissant sur la pointe des pieds, semble tout à coup chercher quelqu'un. Ses petits yeux noirs s'arrêtent sur Marion et il dit quelques mots à son acolyte avant de fendre la foule pour s'avancer à sa rencontre. Son attitude est moins courtoise que le matin. « Chassez le naturel… » pense Marion, qui sent aussitôt que les choses risquent de se gâter.

Chrétiennot tient son képi à la main et il le remet sur sa tête alors qu'il est à deux pas d'elle, comme pour donner de la solennité à ce qu'il prépare. Il y porte deux doigts :

— Madame Marion, dit-il, l'air sérieux. J'aimerais vous poser quelques questions. Vous voulez bien m'accompagner jusqu'à la brigade ?

25

Il est quatre heures du matin quand elle sort de la gendarmerie de Mirabel. L'adjudant Chrétiennot a fait preuve de prudence en conduisant ce qu'elle a nommé son « interrogatoire ».

— Vous êtes venue de votre plein gré et pouvez repartir de même, a-t-il affirmé quand Marion a demandé si elle devait s'attendre à ce qu'il lui lise ses droits et s'il était nécessaire qu'elle appelle un avocat pour l'assister.

Pourtant, elle a bien compris que l'incendie de la maison de Gus Léman était un fait dont il la tenait pour responsable. Elle est numéro un sur la liste des suspects. Sans en nommer les auteurs, l'adjudant a avancé des « témoignages dignes de foi » pour preuve de ce qu'il insinuait. Deux personnes au moins ont vu la jeune femme rôder près de la maison en fin de journée, et leur identité n'est pas très difficile à deviner : le père Léon et sûrement le facteur, toujours bien placé pour tout voir, tout entendre, tout colporter.

Marion ne lui a pas laissé le temps de développer son point de vue de crainte de devoir reconnaître une vérité qui n'était pas à son avantage. Elle a pris Chrétiennot à contre-pied et annoncé qu'elle voulait porter plainte pour le sabotage de sa voiture. Comme l'agression dont elle avait été victime en début d'après-midi n'était pas arrivée aux oreilles de l'adjudant, il en a été d'autant plus contrarié qu'elle a laissé percer ses soupçons à l'égard du commandant Martinez. L'adjudant, qui considère qu'à travers un officier c'est la Gendarmerie nationale qui est visée, s'est offusqué :

— Ce que vous insinuez est très grave...

— Vous voyez comme il est désagréable d'être mis en cause, mon adjudant, a alors rétorqué Marion d'une voix calme. Je ne dis pas que c'est le commandant lui-même, je dis que sa présence sur les lieux me le donne à croire. Vous comprenez ce que je veux dire, n'est-ce pas ?...

Chrétiennot a longuement réfléchi à ce parallèle téméraire.

Marion a profité de son avantage :

— On veut sans doute m'intimider. Me voler mon sac avec violence... crever mes pneus pour m'obliger à rester à Charmes et me faire porter le chapeau pour l'incendie de la maison de Gus Léman.

— Je ne vois pas trop le but de ces manœuvres..., a lâché l'adjudant d'un air ennuyé.

Marion s'est gardée d'ajouter qu'en principe on ne met pas le feu à un bien dont on vient d'hériter, car elle aurait alors dû révéler toute son histoire. Une chose était sûre : ses propos ont créé un flottement dans la brigade, et nier sa visite à la maison de Gus lui a été plus facile. Elle en a rajouté un peu sur la fragilité des témoignages humains en se souvenant de l'enseignement d'un de ses premiers chefs : « En flagrant délit, tu tergiverses ; le reste du temps, tu nies. »

Chrétiennot, troublé mais pas convaincu, a fini par la faire raccompagner non sans annoncer qu'il aviserait sa hiérarchie et le juge chargé de l'instruction et qu'elle pouvait s'attendre à ce que cette affaire ait une suite.

Au moins, pense-t-elle en passant devant la maison de Gus, personne n'y trouvera plus la moindre trace de son passage.

Les flammes ont été maîtrisées vers deux heures, et les pompiers ont pu commencer à fouiller les décombres. Il ne reste sur place que deux véhicules et les gendarmes qui procèdent aux constatations en compagnie de quelques-uns de leurs spécialistes en police scientifique. Les premiers éléments ne laissent guère planer de doute : une main criminelle a mis le feu en utilisant une grande quantité de produit inflammable. L'incendie a pris en plusieurs points, à l'extérieur et à l'intérieur de la maison et jusque dans la cave.

Le café Rodelot est ouvert et éclairé, mais il n'y a personne en vue, et Marion rejoint directement sa chambre. Elle comprend aussitôt que quelqu'un y est entré. Peut-être, et même certainement, la tenancière du café. Mais cela peut aussi bien être un des gendarmes de Mirabel, voire Martinez lui-même, qui ne s'est pas montré de la soirée mais qu'elle sent rôder autour d'elle comme une maladie contagieuse. Par précaution, elle n'avait laissé dans la chambre que le sac prêté par Sonia Bonte et les quelques effets de toilette et de maquillage que la légiste a subtilisés pour elle dans les réserves de l'hôpital. Le reste, les pièces à conviction découvertes dans la maison de Gus, elle l'avait déposé dans le coffre de sa voiture, la planque la plus sûre qu'elle ait imaginée. Elle frissonne à l'idée de ce qui aurait pu se passer si on avait déniché le portefeuille de Gus Léman dans ses affaires...

Subitement, cette chambre étrangère lui paraît hostile et elle a hâte de voir le jour se lever. Elle prend le temps d'une toilette minutieuse au lavabo, tout en regrettant l'absence de douche, et celui de nettoyer au mieux son tailleur dont la couleur lavande n'est plus qu'un lointain souvenir.

Hors de la chambre, derrière la porte et dans les escaliers, les frôlements succèdent aux craquements, les soupirs aux murmures. À croire qu'une demi-douzaine d'espions ou de voyeurs sont embusqués dans la vieille bâtisse. Agacée, sur le qui-vive, évitant autant que possible de faire gémir le parquet aux lames disjointes, Marion s'approche du battant recouvert d'une peinture marron et pose la main sur la poignée. Elle la tourne doucement et ouvre brusquement. Le couloir et l'escalier sont vides, et le seul bruit audible est un ronflement vibrant qui traverse une porte identique à la sienne.

Mme Rodelot dort, personne ne l'espionne, et Marion s'en veut de cet accès de paranoïa.

Elle referme, donne un tour de clé et s'allonge sur le lit tout habillée.

26

Il fait grand jour. Le soleil laisse filtrer à travers les persiennes des rayons dorés qui font étinceler les poussières en suspension. Une voiture passe sous la fenêtre, faisant vibrer un ensemble de toilette en faïence posé sur une commode. Marion lit à sa montre qu'il est presque huit heures. Elle coiffe ses cheveux du plat de la main, puis rassemble son maigre bagage et descend d'un étage.

Mme Rodelot est seule, assise à la table du fond, occupée à éplucher des pommes de terre. Elle répond à peine au salut de Marion mais désigne du menton un papier sur lequel elle a noté un numéro de téléphone.

— Le garage, dit-elle d'une voix brève comme si elle voulait économiser l'air qu'elle respire.

— Merci, fait Marion en se dirigeant vers la porte grande ouverte.

Sa voiture, avec ses roues à plat, ressemble à un de ces gros crapauds dont le ventre touche terre quand ils ont avalé trop de mouches. La carrosserie est recouverte d'un voile d'humidité et plusieurs doigts facétieux y ont tracé des signes. Marion compose le numéro du garage en se disant que cette plaisanterie va lui coûter la peau des fesses et qu'elle aurait dû faire appel à ses collègues dijonnais. Ils l'auraient sûrement tirée de ce mauvais pas. Toutefois, outre qu'elle connaît les lenteurs d'une intervention administrative en pareil cas, elle n'a nulle envie de voir colporter ses déboires dans toute la PJ.

Le garage Chatelain affirme qu'il arrivera dans la demi-heure, et Marion revient sur ses pas. Mme Rodelot semble ne pas avoir bougé, et pourtant un bol de café fumant accompagné de tartines beurrées est posé sur une table, avec un sucrier et un pot de confiture. Le liquide paraît plus foncé que la veille et, quand Marion y plonge le nez, elle hume un parfum fort et suave, reconnaissant avec plaisir un arabica grand cru. Elle tourne un visage reconnaissant vers Mme Rodelot, qui ne s'est pas départie de son air revêche et s'empresse de replonger le nez dans ses patates. Marion grignote une tartine, le pain est frais, craquant, et le beurre, d'un jaune foncé, a le goût des matins de vacances. Elle plonge sa cuiller dans le pot de confiture et la déguste ainsi, brute. C'est de la prune maison, onctueuse et brune, épaissie de morceaux un peu fermes. Les yeux mi-clos, Marion se ressert, mange la deuxième tartine, oubliant ce qui l'entoure. Elle finit son café sans se presser.

Elle n'a pas de passé campagnard, elle n'est jamais allée en vacances chez une grand-mère ou une tante vivant des produits de la ferme, mais elle décide, en avalant la dernière gorgée de café, que cela doit ressembler à ce qu'elle vient de vivre.

Elle se lève alors et va prendre place en face de Mme Rodelot. Les coudes sur la table, elle l'observe un moment en train de peler ses patates à toute vitesse, à l'aide d'un couteau pointu aiguisé comme un rasoir, en ne faisant qu'une pelure, aussi mince qu'une feuille de papier Job. Les volutes tombent sur un journal, venant grossir un tas déjà gros.

— Merci, murmure Marion. Je me suis régalée.

La vieille dame hausse les épaules sans changer d'attitude. Cependant, une vague lueur de contentement pétille dans ses yeux fatigués. Elle attrape une nouvelle pomme de terre dans un seau posé à côté de sa chaise. Le récipient est encore plein à moitié, et Marion se demande à qui sont destinées toutes ces patates que la vieille expédie, une fois épluchées, dans une grande bassine emplie d'eau trouble.

— Le garage va venir chercher ma voiture, dit-elle, je peux vous aider en attendant ?

— Pensez-vous ! J'ai tout le temps, d'ici midi. J'ai pas besoin d'aide.

— Bon, fait Marion, déroutée par le ton sec de la femme. Je vous dois combien pour la chambre et le petit déjeuner ?

— Avec ce que vous m'avez donné hier soir, ça ira largement.

— Vous plaisantez ?

— On n'est pas à Paris ici, vous savez... D'habitude, je les loue pas, les chambres. C'était juste comme ça, pour vous dépanner.

Marion remercie encore malgré sa gêne. Elle continue à regarder, fascinée, les mouvements experts des doigts déformés par les rhumatismes, et le silence se réinstalle dans la salle au plafond bas. Les lamelles de plastique de la portière s'agitent et le bruit fait se retourner Marion. Il n'y a personne, ce n'est que le vent.

— Madame, se décide-t-elle soudain, hier, vous avez prononcé le prénom de Claire, quand j'ai parlé de la femme de M. Léman. Vous faisiez allusion à qui ?

La femme Rodelot ne bronche pas. Pourtant, elle trahit son émoi d'un coup de couteau malencontreux qui tranche net sa volute.

— Je me suis trompée, maugrée-t-elle. J'ai confondu.

— Je suis sûre que non, insiste Marion avec douceur. *Vous* ne pouvez pas confondre. Vous tenez ce café depuis combien ? Trente, quarante ans ?

— Cinquante.

— Vous voyez ! Cinquante ans ! Vous êtes la mieux placée pour savoir tout ce qui se passe, tout ce qui se dit dans le village.

— Parfois je confonds, répète la femme, butée. J'ai soixante-dix-neuf ans.

— Non, non, s'obstine Marion en secouant la tête, vous ne confondez rien. Vous avez la tête sur les épaules et les pieds sur terre. Je vous en prie, c'est important.

— Pour qui ? Pour vous ? On vous a rien demandé, nous. Vous êtes arrivée, vous avez essayé de nous faire parler. C'est pas honnête.

— Je suis désolée…

Marion bredouille, surprise par l'attaque.

— Vous êtes de la police, reprend la vieille, vous n'avez qu'à chercher.

— Très bien. J'ai compris. Mais, je vous avertis : si je cherche, il y en a ici qui vont se sentir mal. À commencer par celui qui a bousillé ma voiture et l'autre, à moins que ce ne soit le même, qui est allé fouiller mes affaires dans ma chambre.

Subitement, la vieille perd son aspect dédaigneux. Elle garde son couteau en l'air, le temps de le dire, avant de se remettre à la tâche. Marion observe que ses gestes sont plus décousus, moins précis. Les pelures plus épaisses. Elle pousse son avantage :

— J'ai pris des empreintes là-haut et il y en a aussi sur mon sac. Je vais les faire analyser et je vous prie de croire que ça ne va pas se passer comme ça. Vous ne me connaissez pas.

Elle se met debout. Mme Rodelot se tasse sur sa chaise en levant les yeux vers Marion. Celle-ci y lit une inquiétude diffuse.

— La Claire, dit-elle très vite, c'était pas sa femme, au Gus, bien sûr, puisqu'il a jamais été marié.

— C'était qui, alors ?

— Ils étaient fiancés, ils allaient se marier. Et il est parti faire son armée... en Algérie. Il est revenu une fois en permission et on l'a plus revu.

— Et... Claire ?

— Ben, elle non plus elle l'a plus revu, pardi... Elle a pleuré, ça, je peux vous le dire.

— Qu'est-ce qu'elle est devenue ?

— Elle est morte.

De nouveau, le bruissement des lames de plastique et, cette fois, un homme en combinaison bleue maculée de cambouis passe la tête. Le garage a tenu parole, moins d'une demi-heure s'est écoulée depuis le coup de téléphone de Marion.

— Je suppose que c'est celle-là, demande le mécanicien en faisant un geste du pouce en direction de la place. Je la mets sur le plateau, vous la récupérerez au garage.

— Non, je n'ai aucun autre moyen de transport, je viens avec vous, s'empresse de dire Marion, navrée de devoir interrompre sa conversation avec Mme Rodelot.

Elle s'adresse à elle tandis que le mécano ressort.

— Merci pour tout. Je reviendrai sûrement.

— Écoutez, prévient la femme, je ne vous le conseille pas. Tout ça, c'est de l'histoire ancienne. Il vaut mieux ne pas réveiller les morts, croyez-moi.

— Je sais. Merci quand même.

Au moment où elle est sur le point de franchir la porte, elle aperçoit Dédé le paysan qui pointe ses inusables bottes crottées, un vieux mégot collé à la lèvre inférieure. C'est son heure, celle de la première chopine de blanc. La vieille femme toussote dans son dos, et Marion se retourne. Elle a repris ses peluches et, sans même avoir vu Dédé, posé une chopine et un verre près de la bassine.

— Vous savez, dit la vieille à toute vitesse. Votre auto, je sais pas qui c'est, mais n'accusez pas les gendarmes. Je suis sûre qu'ils n'y sont pour rien.

— Je vous demande pardon ? Comment pouvez-vous savoir ?

— Je le sais, c'est tout.

Marion aimerait insister, mais le visage de Mme Rodelot s'est refermé. Des coups d'avertisseur annoncent que, sur la place, le garagiste s'impatiente.

27

L'immeuble de la rue de la Liberté est plus luxueux encore à l'intérieur qu'en façade. Comme en témoignent les plaques de cuivre alignées de part et d'autre de la porte, c'est un repaire de professions libérales et, apparemment, lucratives. Une fois franchi un hall en marbre clair décoré de miroirs monumentaux au cadre doré à la feuille, un escalier de pierre conduit aux étages. Sa rampe en fer forgé relevée de pièces de bronze, les lustres et les appliques à pampilles qui éclairent subtilement les plantes posées sur les appuis des fenêtres confirment l'opulence des occupants. Il y a même des tableaux accrochés aux murs et des meubles d'appoint sur les paliers, preuve qu'ici on ne craint pas les voleurs.

L'étude de Me Renoir occupe deux étages. Le premier, celui des maîtres, reconnaissable à son balcon extérieur qui surplombe la rue de la Liberté, abrite le bureau du notaire. La femme qui accueille Marion doit avoir une cinquantaine d'années plutôt bien conservées, mais, sur son visage aux yeux noisette, une expression de malheur absolu. Elle tient serré dans sa main un mouchoir humide et il est visible qu'elle ne feint pas son chagrin. Marion devine qu'il s'agit de la femme qui l'a appelée la veille pour reporter le rendez-vous.

Elle parle d'une voix éteinte en précédant Marion dans un renfoncement dissimulé derrière une double tenture de velours vert et or :

— Me Renoir vous attend, madame Marion.

Elle ouvre la porte, s'efface. Marion pénètre dans un bureau si vaste qu'on pourrait y loger à l'aise une famille de cinq personnes. Il est situé à l'angle de l'immeuble dans une rotonde en bow-window et offre une vue sublime sur le jardin Darcy. Une jeune femme, mince et élégante dans un ensemble de tricot noir, se lève et vient à la rencontre de Marion, qui la regarde avec stupeur. Ses neurones se mettent au travail à toute vitesse pour retrouver l'endroit où elle a déjà croisé cette frimousse pointue constellée de taches de rousseur. Des images se bousculent. Un brouhaha d'amphithéâtre, des livres qui claquent sur des tables en bois, des jeunes gens qui s'interpellent en riant…

— Je ne me suis pas trompée, s'exclame Me Renoir, c'est bien la même Edwige Marion !

— Suzanne Renoir ! s'écrie Marion. Ça alors ! Qu'est-ce que tu fais là ?

Suzanne Renoir a les traits tirés, et l'absence de maquillage renforce la pâleur de son visage. Elle a les joues creuses et un nez un peu long, mais ses yeux verts lui donnent un charme mystérieux que viennent souligner d'abondants cheveux roux coiffés à la lionne. Elle sourit franchement à Marion, qui, replongée vingt ans en arrière, semble assister à une apparition.

— Je suis notaire, dit-elle en écartant ses mains piquetées de son comme son visage.

— Vraiment ! fait Marion en croisant les bras sur la chemise blanche à manches courtes qu'elle a achetée avant de venir. Je ne sais pas pourquoi, mais je m'attendais à trouver un homme ! Que ce soit toi m'épate encore plus !

— Moi, ce qui m'épate, c'est que tu te souviennes de moi… À la fac, tu ne m'as jamais adressé la parole.

Il y a comme un regret dans la remarque de Suzanne. Marion a l'air surpris.

— On était nombreux, s'excuse-t-elle, et moi je suis plutôt timide, enfin, réservée. Je n'aime pas me jeter au cou des gens.

— Ça dépend lesquels, ironise la notaire. Tu avais toujours beaucoup de garçons autour de toi…

Marion se met à rire franchement. Elle n'en revient pas.

— Ça n'a pas changé, assure-t-elle. Et toi ?

— Oh, moi, les garçons…, murmure Suzanne d'un air ambigu.

Une petite voix souffle à Marion que le sujet est brûlant et, à la façon qu'a Suzanne de la regarder, elle devine qu'il vaut mieux parler d'autre chose.

— J'ai appris pour ton père, dit-elle d'une voix sourde. Je suis désolée.

Aussitôt, les yeux de Suzanne s'emplissent de larmes. Elle se dirige vers un canapé de cuir grenat et s'y laisse choir, invitant d'un signe Marion à s'asseoir à côté d'elle.

— Je ne comprends pas, souffle-t-elle. C'est tellement injuste…

Marion voudrait compatir, mais les mots ne viennent pas, elle n'a jamais été très forte pour les condoléances. Elle se contente de hocher la tête avec toute la sympathie dont elle est capable.

— Ma mère est morte peu après ma naissance, poursuit Suzanne Renoir. Mon père l'adorait, il a tout reporté sur moi. Il m'a étouffée d'amour et je le lui ai bien rendu. C'était un homme exceptionnel. Il ne s'est jamais remarié, je ne lui ai pas connu d'aventure et jamais une autre femme n'est venue à la maison, à l'exception de Josée, la secrétaire que tu as vue en arrivant. Elle aussi lui a sacrifié son existence, en quelque sorte. Comme moi.

— Sacrifié ? s'étonne Marion. Ta vie semble plutôt réussie.

Elle désigne l'ameublement luxueux, les objets et les tableaux qui feraient baver Capdevil et dont elle ne pourrait s'offrir le plus modeste si elle avait le moindre goût pour le luxe et la richesse.

Suzanne essuie une larme qui glisse lentement le long de son nez.

— Mon père a tout misé sur moi… Tu crois que j'ai une vie de rêve. Pour moi, c'est une vie ratée.

Marion ouvre de grands yeux. Décidément, elle ne comprendra jamais rien à l'humanité. Suzanne darde sur elle un regard fiévreux.

— Mon père a voulu que je lui succède, mais je déteste ce métier.

Marion soupçonne le pire.

— Tu voulais être quoi ?

— Flic.

Après un long silence, Suzanne reprend :

— Je suis très ennuyée.

Marion a respecté sa méditation, perplexe. Flic ! Suzanne Renoir ! Quelle drôle d'idée ! Ça ne lui irait pas du tout. On sent qu'elle a été élevée dans un cocon, qu'elle n'a jamais manqué de rien. À l'abri dans une ville moyenne de province, les candidats au mariage ont dû tourner autour d'elle comme des mouches autour d'une tasse de lait.

Marion essaie de se la représenter tenant une arme de ses doigts fins aux ongles soignés, face à un bon voyou poussé dans le terreau des Minguettes... Elle sourit furtivement, et Suzanne, d'un froncement de ses sourcils auburn, la rappelle à l'ordre.

— Oui ? se force Marion. Tu disais ?

— Quand tu as pris rendez-vous avec l'étude, mon père était encore en vie. C'est lui qui gérait ton dossier.

— Je le croyais en fin d'activité ?

— Partiellement, acquiesce Suzanne. Il m'avait confié toutes ses affaires, à l'exception de quelques-unes que je qualifierai de « particulières », soit parce qu'il s'agissait de très vieux clients qui ne voulaient traiter qu'avec lui, soit parce qu'il y tenait pour des raisons personnelles et affectives. Gustave Léman remplissait exactement ces deux conditions. Ils se sont connus pendant leur service militaire en Algérie. Ils avaient à peu près le même âge. Ils sont restés en contact par la suite. Mon père m'a parlé de M. Léman quand il est décédé ; moi, je ne l'ai jamais vu.

— Le dossier devrait suffire à nous éclairer, objecte Marion qui commence à se sentir fébrile, impatiente d'en terminer.

Suzanne se tord les mains, croise les jambes, les décroise.

— Justement... Papa ne venait quasiment plus à l'étude et avait emporté ses dossiers à la maison. Il s'en occupait entre deux séances de jardinage... Il recevait lui-même ses clients ou leurs héritiers, et c'était l'occasion d'un repas, le prétexte pour vider quelques bonnes bouteilles.

« Je l'ai échappé belle ! » songe Marion, qui meurt d'envie de réclamer un café.

— Il est... mort la veille de ton arrivée et de votre rendez-vous, et, j'ai eu beau chercher, je n'ai pas pu remettre la main sur le dossier de M. Léman.

— Il est peut-être ici ?

Suzanne secoue sa chevelure flamboyante.

— Impossible. Papa travaillait encore dessus le dernier soir. Il avait rédigé quelques pièces qu'il devait te faire signer. Il n'est pas venu à l'étude et je suis sûre que Josée n'y a pas touché. Ce matin, en prévision de notre rendez-vous, j'ai ouvert son coffre à la maison. Il n'y est pas. Edwige..., je n'aime pas cela du tout.

— Moi non plus..., murmure Marion, qui tire des propos de Suzanne une conclusion immédiate : elle s'est déplacée pour rien.

28

Elles sont installées face à face dans un minuscule restaurant indien, le Sangri Sha, situé dans une voie étroite qui relie la rue de la Liberté à la place Grangier, derrière la plus grande librairie de la ville. Suzanne remue sa fourchette dans un curry de légumes auquel elle n'a pas encore goûté. Marion, touchée par le chagrin de la jeune femme, picore son nan au fromage en avalant de temps en temps une bouchée de purée d'aubergines au safran. C'est elle qui a insisté pour emmener son ancienne camarade de fac déjeuner, mais, à la voir ainsi défaite, elle se demande si c'était une bonne idée.

— Il n'avait pas un coffre ailleurs, ton père ? demande-t-elle à voix basse pour échapper à la curiosité d'un homme attablé seul à la table voisine. Dans une banque, par exemple ?

— Si, mais il ne contient que des objets de valeur, aucun papier. Tu penses bien que c'est une idée qui m'est venue.

— Tu crois que quelqu'un aurait subtilisé ce dossier ?

— Il n'y a pas d'autre explication.

— Dans quel but ? s'étonne Marion, qui commence à trouver que le mystère Gus Léman s'épaissit. Et qui ?

— Si je le savais ! Je n'ai aucune idée de ce qu'il y avait dedans. Papa était plutôt énigmatique au sujet de cette succession. Il ne voulait en parler qu'avec toi.

Marion repense aux incidents qui bousculent sa vie depuis la veille. Elle hésite à se confier à Suzanne qu'elle estime déjà suffisamment éprouvée, mais, tout compte fait, elle décide de lui en livrer quelques bribes. Suzanne l'écoute, devient plus pâle encore en portant la main à sa bouche. On dirait qu'elle a vu un fantôme.

— Qu'est-ce qu'il y a ? s'inquiète Marion, alors qu'un serveur indien imperturbable s'arrête près de leur table.

Les bras croisés, il patiente et Suzanne l'autorise, d'un geste pressé, à enlever les assiettes presque pleines. La notaire en profite pour fouiller son sac à la recherche d'un mouchoir.

Tandis que l'homme officie et que Suzanne se mouche, Marion laisse errer son regard au-dehors. Elle s'attarde un instant sur un miroir convexe qui, fixé sur la façade de l'immeuble d'en face, permet à ses occupants de sortir sans risque de leur garage. L'image légèrement déformée qui s'y reflète propulse dans ses artères un flot d'adrénaline. À dix mètres de la porte du Sangri Sha, protégé par l'angle mort du virage, un motard vêtu et casqué de noir attend, juché sur un engin que Marion croit identifier aussitôt.

— Attends-moi une minute, souffle-t-elle à Suzanne, qui la regarde avec surprise tandis qu'elle se lève et se dirige vers le fond de la salle, tendue comme un ressort.

L'issue de secours de l'établissement donne sur le couloir de l'immeuble. Marion, embusquée derrière la porte vitrée, prend son temps pour reluquer le motard dont elle ne distingue que la tenue de drap noir, les bottes et les gants de cuir, le casque opaque. La marque de la moto, une japonaise, blanche avec des bandes vertes sur le réservoir, est illisible. En revanche, Marion a la plaque minéralogique en ligne de mire. En un éclair, elle mémorise le numéro. Alors qu'elle hésite sur le parti à prendre, le conducteur tourne la tête vers elle. Trop tard pour reculer et se mettre à l'abri.

« Foutu pour foutu, murmure-t-elle, furieuse de s'être fait repérer, j'y vais. »

Tandis qu'elle ouvre la porte, l'engin se met en mouvement, effectue un demi-tour sur place et disparaît rapidement en direction de la rue de la Liberté. Un sprint jusqu'au coin de la rue, et

Marion s'arrête, essoufflée, sous les regards ébahis d'un groupe de passants qui déambulent en grignotant des sandwichs. La moto a disparu dans la foule.

À la table du Sangri Sha, Suzanne n'a pas bougé. Elle interroge des yeux Marion, qui note le numéro de la moto sur un coin de la nappe en papier. Leur voisin de table est parti et un couple est en train de s'installer à sa place.

— J'ai l'impression que le type à moto rôde encore, dit Marion, désappointée.

— Oh ! mon Dieu ! s'affole Suzanne.

Marion la calme d'un geste qu'elle veut réconfortant.

— Ne t'inquiète pas, c'est après moi qu'il en a.

— Tu en es bien sûre ?

— Pourquoi ?

— Je ne sais pas. Mais, depuis que tu as parlé d'un homme à moto, je me suis souvenue d'une allusion de mon père à un type qui était venu le voir, la veille de sa mort. Il n'a pas pu ou pas voulu me dire de quoi il retournait, mais ça l'avait terriblement contrarié. Cette visite l'avait rendu fébrile. J'ignore pourquoi.

Une sensation désagréable s'empare de Marion. Elle fait signe au serveur, règle l'addition et entraîne Suzanne dehors. Dans la rue, il n'y a rien d'anormal. Pas de motard embusqué, personne en planque. Du moins, à première vue.

De retour dans le bureau notarial, elle fait asseoir Suzanne.

— Que se passe-t-il ? demande celle-ci, la voix étranglée.

— Raconte-moi les circonstances de la mort de ton père.

29

Il faut se rendre à l'évidence : Me Georges Renoir n'est pas tombé tout seul de son échelle.

En quelques minutes, Marion a reconstitué les dernières heures du notaire qui coulait une retraite cossue dans une belle demeure de la banlieue dijonnaise. Elle fait part de ses premières observations à la PJ de Dijon qui conduira l'enquête suite à la plainte que va déposer Suzanne. Le commissaire auquel elle communique ses tuyaux est celui qui lui a permis de rencontrer Sonia Bonte, la légiste.

— Le notaire a reçu une visite la veille de sa mort, lui résume-t-elle. Le plus proche voisin des Renoir fait état d'éclats de voix qu'il a surpris alors qu'il se tenait près de la haie séparant les deux propriétés. Georges Renoir et un inconnu avaient une discussion de plus en plus vive dont il n'a pas compris le sens. Il a seulement capté quelques mots : Algérie, enfant, maladie. Deux adolescents du quartier qui faisaient de la trottinette dans la rue ont remarqué une moto stationnée sur le trottoir devant la propriété du notaire. Ils ont tourné autour : c'est une Yamaha 750 blanc et vert. Tu peux leur faire confiance, ils s'y connaissent.

— Le numéro ?

— N'en demande pas trop, soupire Marion. C'est Josée Braun, la secrétaire de l'étude, qui, le lendemain, a trouvé Me Renoir inanimé dans le jardin. Elle n'a pas vu de moto devant la porte mais une voiture stationnée à quelques mètres du portail alors qu'elle arrivait pour prendre le thé avec son patron. Pas de marque, pas de couleur, pas d'immatriculation non plus, elle a seulement entendu le bruit strident qu'a fait cette auto en démarrant. Un problème mécanique, je suppose.

Marion évite de raconter ce qu'elle a vu devant le Sangri Sha, ainsi que l'impression qu'elle retire de ces événements successifs : la moto de l'IML, celle du restaurant et celle qui a rendu visite à Me Renoir n'en font qu'une. Une Yamaha 750, blanc et vert, immatriculée en Côte-d'Or.

— Le corps du notaire a été découvert au pied d'une échelle, enchaîne-t-elle après un court silence. Le médecin de famille appelé par Josée a conclu tout naturellement à une chute et il est un peu penaud de n'avoir pas approfondi son examen avant de signer le certificat de décès. Il a constaté une blessure à la tête et un hématome au cou, au niveau de la carotide gauche. Il en a déduit que son patient, qui, à sa décharge, présentait des troubles cardiaques qu'il cachait à son entourage, avait été victime d'une chute provoquée par un malaise ou un faux mouvement.

— Ton sentiment sur le mobile ?

Marion s'accorde quelques secondes de réflexion.

— Suzanne, la fille de la victime, m'affirme n'avoir touché à rien depuis « l'accident » et, selon elle, l'ordre n'a pas été troublé dans la maison et aucun vol n'a été constaté.

Une fois de plus, Marion s'abstient de mentionner un détail : la disparition du dossier de la succession de Gustave Léman.

Tandis que, après avoir raccroché, elle s'efforce de réconforter Suzanne, la pensée de son sac volé revient la déranger : son agresseur espérait-il mettre la main sur ce dossier ?

— Ce document est peut-être le lien entre ce qui m'arrive et la mort de ton père, dit-elle à Suzanne. Je n'en ai pas parlé à mes collègues. Essaie de garder ça pour toi quelques jours. Je veux avoir les coudées franches.

Suzanne est très abattue. L'incinération de son père, prévue pour le lendemain, devra être repoussée, et Marion ne lui a pas caché que le vieil homme, qui repose au crématorium avant d'être mis en bière, devra subir une autopsie. C'est du moins la décision logique que devrait prendre le procureur. Marion, une fois de plus, mesure toute l'horreur que cause la mort assassine d'un proche, et ses pensées vont vers ceux qu'elle a perdus et vers Talon qu'elle espère, de toutes ses forces, ne pas perdre.

Comme si cela pouvait rassurer Suzanne, elle appelle le Dr Sonia Bonte pour lui demander de procéder elle-même, de manière officieuse, à un premier examen médico-légal du notaire. En quelques phrases, elle lui résume la situation. La légiste acquiesce : elle va examiner le défunt sans attendre les instructions de la justice.

— Si je comprends bien, je vais devoir garder M. Léman un peu plus longtemps avec moi ? suggère-t-elle de sa voix chaleureuse.

— Oui, je le crains.

— Commissaire ?

Sonia Bonte paraît embarrassée, tout à coup.

— Écoutez... Je... J'ai reçu une visite tout à l'heure. Je ne suis pas censée vous le dire. Mais, s'agissant de cet... individu, j'ai moins de scrupules.

— Qui est-ce ?

— Si je vous dis un bel homme aux yeux bleus qu'on n'aimerait pas croiser au coin d'un bois ?

— Que voulait-il ?

— Me tirer les vers du nez.

— À propos de M. Léman ?

— Non, il voulait me faire parler de vous.

— Comment ça, de moi ? À quel sujet ?

— Tout et rien. Ce que vous m'aviez dit sur vos relations avec M. Léman. Si vous m'aviez révélé des secrets.

— Bon sang ! Mais lesquels ?

— Aucune idée, ma petite. Comme vous n'êtes pas franchement du genre à vous répandre à tort et à travers, je n'ai eu aucun mal à « chiquer », comme on dit dans votre métier.

— Et alors ?

— Il ne m'a pas crue. J'ai eu droit au grand jeu. Le chaud et le froid, la menace et les promesses.

— Qu'avez-vous décidé ?

— C'est à vous de me le dire. Expliquez-moi ce que je dois faire.

— Pourquoi feriez-vous cela pour moi ?

— Parce que je crois que vous êtes en danger.

30

Marion a repris la route de Lyon, tracassée par l'explosion de violence qui fait suite à la mort de Gus Léman. Que pouvaient donc receler ces documents pour justifier de telles précautions de la part du notaire et un tel acharnement de la part de son assassin ?

Un individu qui, bien avant Marion, a eu connaissance du décès de Gus Léman, de ses relations avec Me Renoir, et voulait s'approprier le dossier de la succession. Pour en faire quoi ? Le détruire ? Le monnayer ? Me Renoir a payé sa résistance de sa vie, et l'arrivée de Marion a compliqué encore un peu plus l'affaire.

« Mais quelle affaire, nom de nom ? » s'exclame-t-elle alors qu'elle dépasse un cortège de poids lourds qui, en application d'une immuable loi grégaire, la gratifient tous d'un appel de phares et d'un coup de klaxon.

L'homme a-t-il un lien avec les gendarmes, plus précisément avec le commandant Martinez qui la piste comme un chien à l'affût ?

Le téléphone de bord la fait bondir. C'est Meceri :

— J'ai le résultat pour la plaque de la moto. Vous n'allez pas aimer, patron...

— Allez-y toujours, l'encourage Marion.

— Elle correspond à une voiture de marque Fiat déclarée détruite par son propriétaire depuis un an.

— Quelle adresse ?

— Un nommé Mignot Roger, garagiste à Mirabel, Côte-d'Or.

— Tiens donc ! Comme par hasard…

— Vous voulez que je continue ? Que je me renseigne auprès du garage ?

— Surtout pas ! s'écrie Marion, qui vient d'entrer dans Lyon. Inutile de leur mettre la puce à l'oreille.

Elle raccroche au moment où apparaît, en haut de la « montagne », sa maison au toit tellement en pente qu'il en touche presque le sol. C'est à cause de la neige, lui avaient dit les anciens locataires, qui prétendaient que, l'hiver, la route, flanquée de congères hautes comme des églises et jamais déneigée, pouvait être impraticable pendant une ou deux semaines. Marion, toute à l'excitation de s'installer dans un lieu qui lui rappelait la maison des sept nains, n'avait pas voulu entendre leurs critiques. Élire domicile ici, au grand air, c'était rompre avec le passé et assurer à Nina une meilleure qualité de vie. Elle oubliait que la petite grandissait et qu'elle-même n'avait jamais vraiment aimé la campagne. En ouvrant la porte, elle se demande ce qu'elle a bien pu faire de l'annonce dénichée dans un « gratuit » et où il est question d'un duplex sur les quais de Saône, en plein centre-ville…

La première chose qu'elle voit, une fois le seuil franchi, est un petit tableau posé sur la commode qui fait face à la porte d'entrée, une peinture à la gouache, naïve et malhabile, aux couleurs fanées. Elle représente un château à deux étages, de forme carrée, flanqué de deux tours élégantes bien qu'assez massives, avec des toits de tuiles multicolores, des chiens assis et des oculi grossièrement rendus, sans aucun respect des proportions. Des dépendances et des écuries complètent l'ensemble, qui dégage une impression de mystère et de sérénité tout à la fois. La toile est signée dans l'angle inférieur droit : « C. Arthur ».

Marion la contemple longuement, la prend dans ses mains, la retourne. La toile est encadrée à l'ancienne, en bois doré et brun. Au dos, une inscription : « La maison de nos rêves… G et C… Charmes 1955 ». Un malaise s'empare de la jeune femme. Elle a le sentiment de violer un secret, d'entrer par effraction dans une histoire d'amour. G pour Gustave, C pour Claire… À dix contre un, elle peut parier sur le château qui a servi de modèle : celui qui balise l'entrée de Charmes, enfoui sous une végétation amazonienne. Comme tous les amoureux, ces deux-là devaient rêver d'un conte de fées.

Que s'était-il passé qui avait fait foirer la magie ? La guerre d'Algérie, qui semble revenir souvent dans les propos des uns et des autres ? La mort de Claire ? Bizarrement, l'intuition de Marion l'orienterait vers une troisième explication, mais elle ne possède pas assez d'éléments.

Doucement, elle repose le tableau à l'endroit où Nina l'a installé à son intention.

La maison est impeccablement rangée. Gilles est un homme d'intérieur accompli qui excelle dans les travaux ménagers et la cuisine aussi bien que dans le bricolage et l'entretien du jardin… Il est du signe de la Vierge, ordonné et maniaque. Tout le contraire de Marion dont le désordre chronique et l'absence d'intérêt pour les choses domestiques le désespèrent. Gilles est absent. Il y a un mot sur la table de la cuisine, entre un pain doré, des fruits de saison et un minuscule paquet cubique entouré de papier doré et d'un nœud de satin blanc que Marion se garde d'ouvrir. Elle en devine le contenu et, d'avance, s'en irrite. Une bague pour sceller un engagement. Un acte conformiste, à ses yeux. Cette attention devrait l'émouvoir, elle la rend morose et, d'un geste brusque, elle fourre le cadeau dans le sac publicitaire de Sonia Bonte.

« La maison est trop triste sans toi, a écrit Gilles. J'ai des démarches à faire pour ce que tu sais, j'en profite. Je reviendrai vendredi. Baisers. Gilles. »

« On est mercredi », calcule Marion, qui trouve qu'en effet la maison de conte de fées ne ressemble à rien sans lui et, surtout, sans Nina.

— Ma puce ? s'enquiert-elle une minute plus tard au téléphone. Je suis de retour…

Nina, au bout du fil, laisse exploser sa joie. Marion en est réchauffée, tout à coup. Le ciel paraît plus clair, la maison perd son aspect froid, presque hostile.

— Je passe au bureau et je viens te chercher chez mamy.

Nina est déjà moins contente.

— Cinq minutes, assure Marion, une toute petite chose à régler.

— Maman ?

— Oui, chérie…

— On ira à l'hôpital, après ?

31

— Là, il a fait une deuxième connerie, jubile Capdevil. Parce que, franchement, utiliser la plaque d'une bagnole détruite, c'est lourd. À moins qu'il ne l'ait pas fait exprès...

— Non, il n'a pas pu manquer de bol à ce point-là. Ce n'est pas un hasard.

— Ça veut dire qu'il y a un lien entre lui et le propriétaire de cette Fiat.

— Possible. En tout cas, c'est une boulette trop grosse pour quelqu'un du métier.

Marion a pensé d'emblée au commandant Martinez.

— Mais pourquoi utiliser des plaques, alors que la première fois, devant la morgue... ?

— Parce qu'en plein centre-ville y a généralement plus de flics, il risquait un contrôle, objecte Capdevil, pour une fois plein de bon sens.

— Dans ce cas, le choix de cette plaque est volontaire. On veut m'attirer dans un traquenard. J'ai bien fait de ne pas retourner à Mirabel.

— Je ne comprends pas pourquoi vous ne voulez pas refiler ça aux gendarmes, dit Capdevil. Ou à la PJ de Dijon.

Marion fait la moue.

— Je ne sais pas, j'ai un mauvais feeling avec les gendarmes. Et il est trop tôt pour la PJ. J'attends qu'ils se chargent du dossier de la mort du notaire et qu'ils se mettent dans le bain. Le temps que le parquet bouge, ça peut prendre une semaine ou deux. Au train où vont les choses, je ne sais pas si je serai toujours vivante à ce moment-là.

Capdevil sursaute, il est superstitieux :

— Non, patron, rigolez pas avec ça ! Qu'est-ce qui vous fait croire… ?

— Le vol de mon sac n'était pas un hasard. Et j'ai bien réfléchi sur la route : le motard qui m'a agressée n'a pas mis la main sur ce qu'il cherche. Il va recommencer…

— Il faut vous faire protéger, patron.

— C'est une affaire personnelle, objecte Marion.

Le capitaine la dévisage, soucieux.

— Ça veut dire que vous allez retourner là-bas… Je me trompe ?

Naïma Meceri a entendu la voix de Marion. Elle traverse le couloir et frappe à la porte de son bureau. Capdevil, qui allait entreprendre le compte rendu des investigations exécutées pour Marion, se rembrunit.

— Je reviendrai, dit-il.

— Je vous en prie, capitaine, le sermonne-t-elle. Je vous ai demandé de travailler avec Meceri. Que se passe-t-il ?

Naïma Meceri a une petite mine. Elle arbore le même jean qu'elle portait à l'hôpital lundi matin et une autre chemise bleu ciel, à croire qu'elle n'a rien d'autre dans sa garde-robe.

— Elle a trop de taf avec l'affaire de Talon, riposte Capdevil en évitant de croiser le regard de la jeune fille. Je lui ai demandé de s'occuper du repérage du numéro qui vous a appelé devant la morgue et…

— Et ? s'impatiente Marion.

— Je suis désolée, intervient Meceri en gratifiant le capitaine d'un regard plein de rancune, je ne suis là que depuis deux mois à peine, il voudrait que je sache tout faire, aussi bien et aussi vite que lui qui a quinze ans de boutique…

— Dix-huit, corrige Capdevil. Je ne cherche qu'à t'aider, mais tu refuses.

— J'ai appris à me débrouiller toute seule.

— Ben voyons. Alors, vas-y ! Envoie la sauce. On va voir si t'es aussi forte que tu le dis.

Naïma Meceri fouille sa poche de poitrine sous laquelle on devine la forme d'un sein épanoui. Capdevil ne peut s'empêcher de fixer le téton que le mouvement de la jeune lieutenant fait saillir à travers le tissu. Marion, amusée, sourit franchement quand la pomme d'Adam de Capdevil se met à faire l'ascenseur, à toute vitesse.

— Votre portable a reçu un appel à douze heures trente-cinq, annonce Meceri d'une voix plate. Il a transité par la cellule 323 du relais de Dijon-Nord. L'appelant est un mobile…

Elle énonce le numéro sur le même ton. Capdevil lève les yeux au ciel.

— Identifié ? demande Marion.

Le capitaine croise les bras, curieux d'entendre la suite, une lueur acerbe dans ses yeux verts surmontés de sourcils en accent circonflexe.

— C'est une carte prépayée. Vendue par la poste centrale de Dijon à Némar Jean, 3, place Suquet à Dijon.

— Mais comment t'as fait ? s'écrie le capitaine, dépité. J'ai envoyé des requêtes depuis trois semaines, aucune n'est encore revenue…

— Je me suis débrouillée, répète Meceri, qui s'efforce de ne pas avoir l'air de triompher.

— Bravo, dit Marion. Sauf que ça ne nous mène nulle part.

— Pourquoi ? On a le nom et l'adresse.

— Némar Jean... Jean Némar, rigole Capdevil. T'es futée mais pas encore assez, tu vois...

Naïma Meceri semble ne pas comprendre.

— Jean Némar... Jeanné Mar... J'en ai marre, bordel ! T'as quelque chose sur le disque dur ou pas ?

— Ah ! merde ! s'exclame la jeune fille. Quelle conne je fais ! Je croyais pourtant que les délivrances de cartes étaient soumises à la production d'une pièce d'identité !

— Moi aussi, assure Marion. Les débitants vont devoir être repris en main. Quant à l'adresse, inutile de vérifier, c'est celle du commissariat central de Dijon.

— Il se fiche du monde, votre motard.

— Ou de moi, suppose Marion. Je pense qu'il sait ce qu'il fait. Mais il y a un moment où il va se planter. C'est inévitable.

Naïma Meceri attend la suite. Elle brûle d'envie de se retrouver seule avec Marion pour lui vider son sac. Capdevil le sait, il en rajoute :

— J'ai quelques difficultés à cerner votre commandant de gendarmerie... Martinez. Antoine Martinez, né en 1960 à Alger. Son père était déjà militaire. Je n'ai pas encore obtenu de précisions sur sa carrière. J'ai fait le tour de tous les bureaux du ministère. J'ai l'impression qu'on me balade.

— Bien. Essayez d'accélérer...

— Peut-être que le directeur connaît du monde...

Marion l'interrompt d'un geste définitif :

— Non, fait-elle, personne ne doit être au courant. À part vous, Meceri et moi. C'est clair ?

Le capitaine approuve d'un coup de menton, ses petits yeux vifs scrutent Marion. Il semble fier et inquiet à la fois. Il n'a pas la maîtrise d'un Talon, la solidité d'un Lavot. Il est fragile, pas sûr de lui, et il le sait.

— Allez me chercher un café, s'il vous plaît, Capdevil…

— Mais, c'est-à-dire…

— S'il vous plaît.

Il jette un regard noir à Naïma Meceri et sort en claquant la porte. Qu'il rouvre en s'excusant : elle lui a échappé des mains. Même en colère, le capitaine Capdevil fait preuve d'une éducation parfaite.

— Ça va ? questionne Marion, tandis que Meceri se laisse choir sur une des deux chaises exceptionnellement peu encombrées.

La jeune fille pose ses coudes sur ses genoux, prend sa tête dans ses mains. D'un geste gracieux, elle enfonce ses doigts dans ses épais cheveux noirs et les tire en arrière. Son visage ressemble à celui d'un chat avec ses yeux étirés et ses lèvres légèrement retroussées qui découvrent de petites dents bien alignées. Elle paraît à bout.

— L'IGPN m'a entendue deux fois. Ils vont me confronter avec des témoins demain.

— Quels témoins ?

— Je ne sais pas. Personne ne le sait. Il y a des moments où je voudrais presque être mise en examen. Au moins, j'aurais un avocat. Je saurais ce qui se passe.

— Vous le sauriez à condition que les pièces soient transmises au juge, objecte Marion. Que dit le directeur ?

— Il m'évite. Il évite tout le monde, d'ailleurs. Je sais qu'il est allé voir Talon à l'hôpital, mais il fait croire qu'il n'y est pas allé. Il est bizarre.

Marion sent le désarroi gonfler sa poitrine. Cependant, elle ne peut pas entrer dans le jeu de Meceri et déblatérer sur Quercy. Ce serait une erreur de commandement et une malhonnêteté. Elle enchaîne très vite en demandant des nouvelles de Talon. Le mouvement de tête de la jeune fille n'est pas rassurant.

— J'y suis allée autant que j'ai pu, même la nuit, quand on me laisse approcher. Votre petite fille aussi s'en occupe bien. On dirait qu'il ne veut pas revenir. Pourtant, je suis certaine que, parfois, il bouge les paupières.

Nina a dit la même chose. Est-ce que Talon bouge réellement ou n'est-ce qu'une illusion dont elles tentent de se convaincre, l'une et l'autre ?

Naïma se libère de ses angoisses et sans doute ne peut-elle le faire qu'auprès de Marion, qui croit comprendre, à travers les mots ambigus et son ton haletant, que la jeune lieutenant n'est pas à la fête et que ses collègues ne lui facilitent pas les choses. Mais, quand Marion la presse, elle se dérobe. Et il y a plus grave encore qui la tracasse.

— Je sais qu'on a reçu les résultats de la balistique, dit-elle après une hésitation. Personne ne les a vus, ils sont allés tout droit chez le dirlo. Ce soir, il m'a priée de remettre mon arme de service au labo…

146

— Naïma, fait doucement Marion, qui sent la tuile arriver, est-ce que vous m'avez tout dit ?

32

— Tenez, puisque vous voulez absolument savoir…

Quercy a sa tête des mauvais jours. Ses sourcils broussailleux ne se désunissent plus et il donne l'impression d'avoir dans ses poches toute la réserve de pièces jaunes de la Banque de France.

Le rapport balistique traverse le bureau en rase-mottes. Marion l'attrape au vol.

— Je sais que ça ne va pas vous plaire, mais il faut vous rendre à l'évidence…

Marion lit à toute vitesse, saute les descriptions techniques pour arriver plus vite à la conclusion : Talon a été touché par des balles qui n'ont pas été tirées par l'arme du capitaine Prunier. Quant à l'avocat marseillais, c'est bien l'arme de Talon qui l'a envoyé en enfer. C'est écrit noir sur blanc, et Marion n'est pas étonnée. Elle *savait* ce qu'il y avait dans le rapport. Talon a tiré parce qu'on lui tirait dessus. Reste à savoir qui…

— Alors ? fait Quercy. Qu'est-ce que je disais ? Vous aviez tort d'incriminer Prunier. En revanche, la petite Meceri n'est pas claire.

— La petite Meceri ne sait plus où elle en est, car personne ne l'aide… Au contraire…

— Je lui ai demandé de remettre son arme à la section balistique du laboratoire, enchaîne le directeur sans laisser à Marion le temps d'aller au bout de son propos. Je ne comprends pas qu'on ne l'ait pas saisie en même temps que les autres.

— C'est *vous* qui êtes allé sur les lieux, ne peut-elle s'empêcher de lui faire observer.

— Elle aurait dû dire qu'elle avait tiré. Son attitude est inqualifiable.

— En l'air. Elle a tiré en l'air. Pas sur Talon.

— C'est elle qui le dit. Je vous fiche mon billet qu'on va établir que la balle extraite du plafond et qui a touché Talon au front est sortie de son arme.

— Elle ne peut pas s'être trompée à ce point-là, même débutante…

— Qu'elle n'ait pas tout dit d'emblée est accablant, martèle Quercy en frappant du plat de la main sur son bureau, faisant tressaillir les soldats de plomb qui s'y poursuivent sans relâche. Meceri est une dissimulatrice.

Paul Quercy balaie l'air de la main.

— Vous voulez que je vous dise ? continue-t-il. Ils ont tous paniqué. C'est incroyable. Certains ont commis des choses et ne s'en souviennent pas. D'autres pensent avoir merdé et n'ont rien à se reprocher…

— C'est une allusion à Prunier ?

Elle reprend le rapport avec lequel Quercy s'évente. La fenêtre est grande ouverte, mais pas un souffle d'air ne leur parvient. Marion relit le début du papier, lentement :

— Comment expliquez-vous que l'arme de Prunier n'ait porté aucune trace de tir ?

— Il l'aura nettoyée avant de la remettre au labo.

— Et pourquoi ?

148

— Par réflexe.

— Tiens donc. Il bute un collègue sans s'en rendre compte et ensuite il agit par réflexe comme si de rien n'était, avant de se dérober par un suicide raté...

— Vous y allez un peu fort, non ?

Marion décide de pousser le bouchon encore plus loin :

— Patron, je vous demande solennellement d'arrêter de couvrir Prunier et d'aider la petite Meceri, sinon je vous fais une réputation de misogyne et de raciste. J'ai des arguments et, au besoin, j'en inventerai.

— Elle en serait capable, murmure Quercy, qui, de manière tout à fait déconcertante, paraît vouloir renoncer à entrer en conflit avec elle. Je ne veux de mal à personne, mais, si elle a merdé, elle paiera la note. C'est la règle. Et vous, ça va ? Ce voyage en Bourgogne, bien passé ?

Elle hausse les épaules, décontenancée par le revirement de Quercy.

— Très bien. Merci.

Elle n'a pas envie d'en dire plus. Mais elle surprend dans son regard qui se veut indifférent une attente, un encouragement à poursuivre.

— Un enterrement, ce n'est jamais une partie de plaisir, fait-il en secouant la tête de droite et de gauche. Pas trop dur ?

Marion, sans raison, est brusquement sur le qui-vive. Quercy la promène. Il a changé de sujet pour éviter l'affrontement. Il n'est pas question qu'elle entre dans son jeu.

— Pas du tout ! rétorque-t-elle. J'adore les enterrements.

— Il y avait du monde ?

— Une foule immense se pressait derrière le corbillard tiré par des chevaux blancs.

— Foutez-vous de moi…, marmonne Quercy.

— Bon, abrège Marion, je dois rentrer. Nina m'attend. Je compte sur vous, patron, pour Meceri ?

Mais il ne semble décidément pas pressé de la voir partir. Il contourne son bureau, ouvre une petite porte dissimulée derrière une reproduction médiocre de la Joconde et sort deux verres d'un réfrigérateur, une bouteille d'anisette et des glaçons.

Marion le regarde faire, médusée. C'est la première fois, depuis cinq ans qu'elle travaille avec lui, qu'il fait une chose pareille.

— Ça va me rappeler le bon vieux temps, tiens…, murmure-t-il en remplissant les verres.

— Stop ! s'écrie Marion. Je n'aime pas trop l'anis…

— Allons bon ! Vas-y ! C'est de la bonne. Ton père adorait ça.

— Ah ?

« Qu'est-ce qui lui prend ? s'étonne Marion. Il fait une attaque ou quoi ? »

— À propos de Dijon, enchaîne-t-il après une large gorgée, vous avez des nouvelles de votre sac ?

33

« Maudit Capdevil… », fulmine-t-elle en dévalant l'escalier.

Marion, furieuse de cette indiscrétion qu'elle attribue au capitaine Capdevil, n'a pas voulu commenter l'incident et elle est partie sans boire son anisette.

« Quel sombre con ! » enrage-t-elle, craignant qu'il ne se soit également laissé aller à parler de Martinez à Quercy, voire à lui demander son aide pour le « cribler ».

La porte du couloir claque violemment sous l'effet de sa colère.

Les bureaux se sont vidés. Celui de Capdevil est désert et Marion enrage qu'il ne l'ait pas attendue.

— Il va avoir chaud aux plumes, dit-elle à haute voix.

Un bruit la fait sursauter. Un sanglot qui déchire le silence de l'étage. Marion revient sur ses pas, éclaire la pièce.

Naïma Meceri est assise, les bras croisés sur son bureau, le front sur ses mains jointes. Elle pleure. Marion s'accroupit près d'elle et pose une main hésitante sur son épaule.

— Voyons, fait-elle, ce n'est pas si grave. Embêtant mais pas grave…

La jeune fille secoue ses boucles, relève la tête, offre à la lumière crue des néons un visage ravagé.

— Je suis nulle, hoquette-t-elle. Je fais tout trop vite, n'importe comment. Je vais démissionner, je ferai vendeuse ou… n'importe quoi…

Marion tente de l'apaiser, se redresse en grimaçant à cause de sa jambe encore douloureuse.

— Répondez-moi franchement, Meceri. Sur quoi avez-vous tiré ? Sur qui, plutôt ?

— En l'air, j'en suis sûre.

— Eh bien ! Ne vous mettez pas dans cet état. Les choses vont s'arranger. Il faut serrer les dents.

— Je ne fais que ça depuis trois jours. J'ai trop la trouille et ils vont être trop contents de m'aligner. Une fille, une Arabe, en plus… Une fille de crouille…

— Voyons, Naïma, la reprend Marion, vous n'avez pas le droit de dire ça !

— Je les entends, vous savez, quand ils croient que je ne suis pas là ou quand ils font semblant de ne pas me voir.

Marion durcit ses mâchoires.

— Il faut me dire qui… Je sévirai. Je serai sans pitié.

Naïma Meceri sourit sans joie, essuie ses joues humides d'une main rageuse.

— Mon père s'est battu aux côtés des Français pendant la guerre. Il a tout quitté, il lui est impossible de retourner en Algérie. Il est heureux ici, mais son pays c'est là-bas, et ça lui manque, je le sais. Il est tellement fier de moi…

Elle sanglote encore plus fort et Marion la laisse faire. Les pleurs sont, avec le rire, le meilleur moyen de libérer l'angoisse, de dénouer les tensions. Naïma, à coups de hoquets bruyants, lâche la pression.

Marion a l'impression de se voir dans un miroir. Elle a cheminé sur les traces de son propre père pour que, d'où il est, il soit fier lui aussi. La petite Meceri l'émeut. Saisissant ses épaules, elle l'oblige à se redresser :

— Il faut vous battre, lieutenant. Vous êtes brillante et parfaitement à la hauteur. Personne n'a le droit de dire le contraire. Vu ?

152

Naïma Meceri approuve d'un mouvement du menton. Elle reprend contenance rapidement, se calme en respirant plusieurs fois à fond. Comme chez les enfants, le beau temps succède vite à l'orage et son regard retrouve son éclat. Marion voudrait lui dire qu'elle est là et qu'elle va l'aider, mais elle redoute une nouvelle crise de larmes. Elle regarde sa montre, il est presque vingt heures, Nina va être furieuse. Au moment où elle s'apprête à tourner les talons, la lieutenant bondit.

— Oh, patron, une dame a appelé pendant que vous étiez là-haut. Elle a laissé un numéro.

34

Sonia Bonte a perdu son ton affable, et Marion, brusquement, sent son estomac se contracter.

— J'ai examiné M. Georges Renoir, annonce la femme d'une voix distante. Je l'ai fait sans pièce officielle parce que je m'y étais engagée auprès de vous.

— Il y a un problème ? souffle Marion, qui s'interroge sur le revirement de la légiste.

— En raison de la rigidité du corps et de ses vêtements, je n'ai pu procéder qu'à des vérifications sommaires, poursuit Sonia Bonte sans lui répondre, mais je suis en mesure d'affirmer deux choses que l'autopsie confirmera : le défunt a été victime d'un traumatisme crânien avec lésion hémorragique d'une taille de six à sept centimètres au niveau du temporal droit, provoquée par un objet rigide de forme oblongue. J'ai prélevé quelques cheveux et gratté la plaie. À la loupe binoculaire apparaissent des particules légèrement phosphorescentes...

— De la peinture ?

— Non, soupire Sonia Bonte. L'examen biologique dira de quoi il s'agit. La mort est due à une asphyxie qu'a précipitée une insuffisance cardiaque. Le corps porte des traces de suffusions sanguines, les extrémités des membres et les lèvres sont légèrement violacées, ce qui indiquerait une strangulation. J'ai pris des photos et les agrandissements révèlent des marques indéniables : on lui a serré le cou à mains nues. Les pieds sont œdémateux, d'où ma conclusion relative au mauvais état de son cœur... C'est tout.

— J'en étais sûre ! C'est formidable ! s'exclame Marion. Merci, docteur...

— Pas de quoi, conclut la praticienne sur un ton qui laisse à penser qu'elle va raccrocher sans un mot de plus.

Marion s'empresse :

— Que se passe-t-il ? On dirait que vous m'en voulez, subitement ?

— C'est le moins qu'on puisse dire !

Marion, interloquée, ne sait plus que faire. La légiste attend, dans un silence hostile. Puis, tout à coup, se décide :

— Le flic aux yeux bleus m'a rappelée à l'ordre. Moi qui croyais que notre conversation était confidentielle. Si j'avais su...

— Mais, balbutie Marion, je ne comprends pas...

— Vous lui avez répété ce que je vous ai raconté cet après-midi. Il est furieux et il m'a menacée de représailles. Autant vous prévenir, je souhaite dorénavant rester en dehors de cette histoire.

35

La nuit est bien installée, et Marion, les yeux rivés au feu qui brûle dans la cheminée, écoute le souffle régulier de Nina qui a fini par s'endormir, pelotonnée contre elle. La veste de son pyjama à pois roses et verts découvre sa taille de moineau. Ses cheveux, éclaircis par les visites quotidiennes à la piscine, ont poussé et, après la douche, sa mère lui en a fait une tresse qui retombe jusqu'à la ceinture de sa culotte. Elle a la bouche légèrement entrouverte et, en apercevant ses dents en désordre, Marion songe qu'elle va devoir bientôt penser à lui faire porter un appareil. Elle remue ses membres ankylosés et Nina bouge en grognant avant de se recaler dans la chaleur de sa mère, un bras en travers des cuisses. Il est presque minuit et il serait temps de l'emmener au lit, mais Marion ne s'en sent pas le courage.

Dans les flammes, elle revoit le visage figé de Talon, sa poitrine découverte que n'agite aucune respiration. Déjà quatre jours de coma. Et aucun signe, contrairement à ce que pensent Nina et Naïma, ne permet de supposer un réveil prochain. Combien de temps le corps médical va-t-il immobiliser une place, si précieuse, en réanimation ?

Marion sait que l'espoir s'amenuise, mais elle veut y croire encore, de toutes ses forces.

Pourtant, ce soir, elle flanche.

Le revirement de Sonia Bonte lui laisse un mauvais goût au fond de la gorge. Comme les protestations de Capdevil, revenu au service toutes affaires cessantes pour se faire passer un savon :

— Je vous jure que je n'ai rien dit au directeur ! s'est-il exclamé, en colère parce que Marion mettait sa parole en doute. À aucun moment je n'ai évoqué le vol de votre sac avec lui. Vous me l'aviez interdit et... je ne suis pas devenu fou, tout de même. Voyez du côté de Meceri...

Naïma assistait à la scène et elle a sursauté, comme piquée par une guêpe. Elle a failli sauter à la gorge de Capdevil.

— Pauvre type ! a-t-elle craché. Lâche, avec ça !

Marion a eu toutes les peines du monde à la calmer.

À présent, elle se dit que si Capdevil n'a pas menti, l'auteur de l'indiscrétion est un des témoins de la scène. Reste que, si plusieurs personnes ont pu avertir son directeur de l'agression dont elle a été victime, en revanche une seule a pu rendre compte à Martinez de sa conversation avec Sonia Bonte : elle-même. Et, pas plus que Capdevil, elle n'est devenue folle.

Le téléphone la décolle du canapé mais ne fait qu'agiter Nina, qui ronchonne sans ouvrir les yeux. Une voix de femme, étranglée par l'angoisse, lui fait dresser les cheveux sur la tête. Elle a du mal à identifier Suzanne Renoir dans ce souffle rauque.

— Suzanne ? Que se passe-t-il ?

— J'ai peur, Edwige…, chuchote la notaire. Il est là, dehors. Je l'entends marcher sur les graviers. Il prend des précautions, mais je l'ai vu par une fenêtre du grenier. Au secours !

— Du calme, l'exhorte Marion. C'est qui, « il » ?

— Le motard… Je suis sûre que c'est lui. Il a tué papa, il va me tuer aussi !

— Qu'est-ce que tu racontes ? Où es-tu ?

— Dans ma chambre. Je n'ai pas allumé la lumière, je suis morte de trouille.

— Tu as appelé la police ?

— Non…

— Fais-le, Suzanne. Vite. Le 17. Ils vont venir.

— Oh, mon Dieu ! gémit Suzanne, tétanisée par l'effroi. Je ne peux pas, j'ai trop la frousse.

— OK, ne bouge pas !

Marion, délicatement, repousse Nina et court débrancher son mobile du chargeur. En une seconde, sans lâcher le combiné qui la relie à la notaire, elle obtient le permanent de la salle de commandement de la PJ et lui demande d'appeler de sa part Police-secours. Elle donne l'adresse de Suzanne et insiste sur l'urgence.

— Ils vont envoyer une patrouille, dit-elle à Suzanne. Tu ne risques rien. Ta maison est fermée ?

— Oui. J'ai tout bouclé, Dieu merci…

— Tu as une arme ?

— Non. Mon père avait un fusil, mais je ne sais pas où il le rangeait. Et je suis incapable de me servir d'un truc pareil.

« C'est bien ce que je pensais », songe Marion, qui garde en mémoire les velléités professionnelles de Suzanne.

— Regarde autour de toi, lui enjoint Marion. Il y a forcément des objets contondants ou tranchants. Un couteau de cuisine, une grosse casserole, un pique-feu…

C'est ce qu'elle appelle le « parcours des emplacements stratégiques » et qu'elle enseigne aux femmes seules.

— J'ai trop peur, Edwige… Ah ! Mon Dieu !

— Quoi ?

— Il cogne en bas ! Il essaie d'arracher un volet ou la porte. Il va entrer, il va me tuer. Au secours !

36

— Mais qu'est-ce qui se passe encore ?

Nina, assise du bout des fesses sur la banquette, bras croisés, écarquille les yeux devant sa mère qui marche de long en large, le téléphone sans fil à une oreille, le portable collé à l'autre, et parle à tour de rôle dans l'un ou dans l'autre :

— Tiens bon, Suzanne ! Tu as trouvé quelque chose ? Un club de golf ? Parfait. Oui, brigadier ? Ils y sont dans combien de temps ? Une à deux minutes ? Trois minutes, Suzanne, il faut que tu résistes trois minutes. Monte au grenier, enferme-toi, gagne du temps ! Tu es sûre que tu ne peux pas sortir ? Non, ne sors pas si tu n'es pas certaine de le faire sans risque…

Suzanne gémit à l'autre bout. Pour rien au monde elle ne lâcherait le téléphone qui la relie à son ancienne condisciple. En bas, les coups redoublent, et Marion en mesure, à distance, toute l'intensité. Un craquement comme un arrachement...

« Le premier contrevent qui cède », pense-t-elle alors que son rythme cardiaque s'accélère.

— Demandez-leur de se bouger, merde ! ordonne-t-elle au brigadier de la salle de commandement du central de Dijon. Il va finir par entrer, cet enfoiré !

Elle a masqué l'autre téléphone afin de ne pas affoler Suzanne davantage. Elle se tourne vers Nina, qui la contemple, bouche bée, et lui fait signe de monter se coucher. La petite secoue vivement sa natte : pas question de rater une miette du spectacle. Marion ne perçoit plus de Suzanne que des plaintes d'animal captif.

Puis Marion l'entend pleurer bruyamment, comme une digue qui cède. Tout bruit a cessé dehors. Les assauts de l'agresseur se sont arrêtés net et Marion perçoit à présent, plus lointaines, les voix des policiers qui appellent Suzanne. Elle imagine leurs visages anxieux, les lueurs bleues dans la rue, les fenêtres des villas proches qui s'éclairent et les curieux qui sortent de l'ombre comme les rats attirés par l'odeur du sang.

— Ouvre-leur, dit Marion et rappelle-moi plus tard.

— Non, dit Suzanne, haletante, reste avec moi.

37

— Y a pas eu de mort, alors ?

Nina fronce ses délicats sourcils et pose sur sa mère un regard sérieux. Elle est assise sur son lit et se masse les pieds.

Marion résiste mal à l'envie de rire, malgré le tragique de la situation.

— Ça ne marche pas à tous les coups, dit-elle, mi-figue, mi-raisin.

— Qui c'était, la femme au téléphone ?

— Une ancienne relation de fac.

— Où elle habite ?

— À Dijon.

— C'est où tu étais depuis hier ? Je parie que...

— Pardon de t'avoir mêlée à cette histoire, murmure Marion très vite, je t'avais promis...

— Oh ! Ça me fait rien, au contraire ! J'aime bien quand tu fais la police. Et ça me rode pour plus tard.

— Tu veux être policier ? demande Marion, soulagée de changer de sujet. Je croyais...

— Plutôt médecin. Je verrai. Mais, tu sais, je me demande si « il » va supporter ça longtemps...

— « Il » ?

— Gilles.

Nina continue de se frotter les pieds avec vigueur. Marion ressent soudain la fatigue qui s'abat sur ses épaules. Sa nuit blanche et sa journée marathon lui rappellent que sa résistance n'est plus ce qu'elle a été. Son dos la tire et les élancements de sa hanche traumatisée l'obligent à s'asseoir sur le bord du matelas. Elle s'y prend avec précaution et Nina l'examine du coin de l'œil, l'air de rien.

— Il te manque ? attaque la petite qui, apparemment, n'attend aucune réaction à son affirmation précédente.

— Un peu, oui. Pas toi ?

— Bof ! Pas trop. Surtout, je dors mieux la nuit.

Marion se fige. Nina lui coule un nouveau regard par-dessous sa mèche blonde qui lui tombe devant le visage. La petite a, de toute évidence, envie de mettre sur le tapis un sujet que la jeune femme préférerait ne pas aborder.

— Vous faites un de ces chahuts, la nuit, insiste-t-elle sans faillir. Tu vas avoir un bébé ?

Elle conserve un ton détaché, mais, tout à coup, Marion sait qu'il y a plus que de la gravité dans ses propos. Une angoisse que Nina manifeste en accélérant le mouvement de ses doigts sur ses orteils d'où elle arrache à présent des lambeaux de peau avec une hargne méthodique.

Marion se rapproche d'elle, écarte les cheveux qui masquent la frimousse aiguë de l'enfant et l'oblige à relever la tête.

— Non, dit-elle en plantant ses yeux noirs dans les yeux azur de Nina, je n'aurai pas d'autre enfant que toi.

— Mais si Gilles en veut, lui ? s'obstine la fillette.

— Il sait que je ne suis pas d'accord. Et, d'ailleurs, il est probable que ce n'est tout simplement plus possible.

— À cause de ta fausse couche ?

— Oui.

— Mais si ça arrivait quand même…

— Nina, je t'ai dit que non.

Nina plisse son nez fin et avance la lèvre inférieure pour souffler sous la mèche qui, inlassablement, retombe devant ses yeux. Elle n'en a pas terminé :

— Maman ? Quand on fait l'amour, on a forcément un bébé ?

Marion bloque sa respiration. Elle a eu plusieurs fois des discussions avec Nina pour lui expliquer les choses de la vie, de l'amour et du sexe réunis. Le contexte était toujours vague, les propos généraux. Cette fois, elle sait qu'elle est concernée directement et que la petite, à presque onze ans, ne va pas se contenter d'à-peu-près. Nina grandit, son corps se transforme. Ses seins commencent à se développer. Ce n'est plus une enfant, pas encore une jeune fille.

— Quand on fait l'amour, dit-elle en pesant ses mots, c'est d'abord parce qu'on aime la personne avec qui on le fait. Et on ne le fait pas que pour avoir un bébé...

Nina médite, attend la suite. Marion ne sait plus comment s'en sortir.

— C'est quelque chose de naturel entre des grandes personnes qui s'aiment, répète-t-elle.

Nina regarde sa mère, longuement, cherchant des arguments. Marion devine que son vrai problème, c'est le partage qu'elle doit envisager avec un homme qui n'est pas son père et qui débarque entre elles deux comme un chien dans un jeu de quilles. Finalement, la petite renonce au débat et se glisse en bâillant entre ses draps où les marguerites ont, depuis peu, remplacé les lapins. Marion caresse ses cheveux, chatouille son cou, remonte l'oreiller. Mais Nina se dérobe, lointaine. Elle ferme les yeux, joint les mains. Ses lèvres remuent en silence. Marion, stupéfaite, n'ose plus bouger. Quand, une bonne minute plus tard, l'enfant relève les paupières, son regard est encore grave bien qu'il ait retrouvé un peu de sérénité.

— Je prie pour Jérôme Talon, maman. Tous les soirs.

Marion sourit faiblement. Nina ne reçoit aucune éducation religieuse, d'où lui vient cet engouement soudain pour la prière ? Et où trouve-t-elle les mots ? Sa grand-mère, de plus en plus dévote en vieillissant, est-elle responsable de cette découverte ?

Nina bâille encore, ses mouvements se ralentissent. Elle mime de ses lèvres un baiser à l'adresse de sa mère, qui se remet debout péniblement et se penche pour l'embrasser. Marion éteint la lampe de chevet, arrange le drap.

Sur le seuil de la chambre, elle se retourne. Nina a les yeux grands ouverts.

— Maman, demande-t-elle d'une voix lointaine, tu veux bien qu'on l'accroche dans ma chambre, le château ?

38

Le sommeil la fuit. Malgré une douche interminable, un pyjama propre et des draps neufs qui sentent bon la lavande, elle tourne et se retourne dans son lit, hantée par les questions de Nina, les mystères liés à l'héritage de Gus Léman et les derniers incidents qui ajoutent à son inquiétude. Suzanne Renoir, agressée chez elle par quelqu'un qui semblait se moquer de se faire remarquer ou pas, qui a réussi à arracher un volet et à s'enfuir à l'arrivée de Police-secours...

« Pas de moto dans la rue », ont dit les agents d'intervention de Dijon. Quelques véhicules dont ils ont relevé les immatriculations qui lui seront transmises demain. Pas de témoignages exploitables dans un secteur résidentiel où, à minuit, les gens dorment, dans leur lit ou devant la télé.

Suzanne a rappelé trois fois avant de retrouver un semblant de calme et Marion a dû parlementer avec la police de Dijon pour qu'une surveillance de la zone soit maintenue au moins jusqu'au matin. Après, elle va devoir aviser. Comment ? Elle n'en a pas la moindre idée, mais elle a une certitude : si Suzanne est dans ce mauvais pas, c'est en partie à cause d'elle.

Nina tousse dans son sommeil, et Marion pense que la petite a raison : cette maison est en papier.

Adossée aux oreillers, elle contemple par la fenêtre ouverte la lune pleine, énorme et exceptionnellement dégagée des nuages, et la supplie de l'aider à remettre sa vie en ordre. L'autre lui sourit, béate et muette.

Marion bondit soudain, le cœur battant. Cette fois, c'est la sonnerie de son portable. Un coup d'œil au réveil : deux heures trente. C'est obligatoirement une tuile.

— Edwige, articule avec peine la voix d'outre-tombe de Suzanne, je te réveille ?

« Non, je faisais une réussite », ironise Marion pour elle-même alors qu'elle a très envie d'envoyer la notaire se faire pendre ailleurs. Elle se promet de couper son portable dès qu'elle l'aura rassurée pour la énième fois et se prépare à abréger la conversation, mais quelque chose dans le ton de son amie la met sur ses gardes.

— Que se passe-t-il ?

— Je suis à l'étude, dit Suzanne, catastrophée. On m'a appelée il y a une demi-heure.

— Pardon ?

— L'étude a été cambriolée. Tout est sens dessus dessous.

39

Depuis le seuil du garage, Marion contemple le tas de cartons avec rancune. Ils ont pourtant l'air bien inoffensifs, ainsi empilés au carré par les mains soigneuses de Gilles.

Il n'y a plus d'échappatoire possible. Elle doit les ouvrir.

Mon doux chéri,

Je suis triste. Tu es si loin... De plus en plus loin, me semble-t-il... Tu n'as pas répondu à mes dernières lettres. Peut-être ne te sont-elles pas parvenues ? J'écoute la radio sans cesse, je lis les journaux avec angoisse, et chaque jour, je vais voir tes parents dans l'espoir qu'ils me donnent quelques nouvelles. Je hais cette Algérie qui t'éloigne de moi. Je me raccroche au souvenir de nos merveilleux moments, dans le parc de notre « maison »... Tu te souviens quand nos vélos sont tombés, poussés par le vent ? Quelle peur de nous faire surprendre ! J'en tremble encore... de bonheur et de plaisir... Parfois, j'ai le sentiment que c'est tout ce qui me reste de nous.

Ici, c'est l'automne, les feuilles commencent à tomber. Le froid va venir. Rien que d'y penser, j'en ai le sang glacé. Reviens vite, mon tendre amour, réchauffer mon corps qui dépérit loin de tes mains.

Ta Claire.

Marion replie la lettre, la replace dans son enveloppe avec précaution, la range avec les autres. Sans faiblir, elle ouvre la suivante.

Elle est dans l'intimité de Gus depuis une heure et demie et elle sait qu'elle ne pourra pas regagner son lit avant d'être allée au bout.

Le premier carton ne contenait que des babioles, quelques jouets d'enfant pauvre, un vieil ours dépenaillé, des morceaux d'écorce gravés, des bouts de bois sculptés, un bonnet et une écharpe tricotés à la main, des sabots de petite taille sur lesquels une main malhabile avait inscrit le prénom de Gustave. Le second était plus scolaire avec des cahiers et des manuels, plusieurs livres de la Bibliothèque verte reçus à la fête des écoles. Gustave Léman était un bon élève, studieux et sage, à qui le maître, un certain M. Jacotin, donnait chaque année un ouvrage à l'occasion de la kermesse. *David Copperfield*, *Croc-Blanc*, *Le Tour du monde en quatre-vingts jours*...

166

Est venu le temps de l'adolescence, une école professionnelle dans le quartier des Marcs-d'Or à Dijon. Le jeune Gus y apprenait la mécanique sans y mettre l'assiduité et la ferveur d'avant son certificat d'études. Il bifurque, après une année médiocre, vers le travail du bois. Deux cartons témoignent de sa passion pour ce matériau et de son habileté à le travailler. Deux ravissants meubles miniatures bouclent la période d'apprentissage. L'un des deux, une commode en noyer, est inachevé. Les dernières pièces, façades de tiroir, doucine, boutons, n'ont pas été fixées et vagabondent dans le carton.

Le jeune Léman étudie aussi la comptabilité et Marion en déduit qu'il avait le projet de s'établir, de créer et de diriger une menuiserie ou une ébénisterie.

À ce stade, elle a la sensation d'avoir fait le tour de la première partie de la vie de Gus Léman.

Un constat la trouble : chaque carton est numéroté et porte son nom à elle : Edwige Marion, rédigé d'une écriture large à l'ancienne, avec pleins et déliés, et d'une encre dont le bleu a beaucoup perdu de sa fraîcheur. Sans aucune erreur possible, il s'agit de l'écriture de Gus et il est tout aussi manifeste que ces inscriptions ont une bonne trentaine d'années.

Sur la partie supérieure de cette première série est apposée une étiquette de dix centimètres de côté, généralement à moitié déchirée. On y lit le nom de Gustave Léman et une adresse incomplète. En observant chaque bout de papier, Marion la reconstitue : 26, boulevard Richard-Lenoir, Paris, XIe.

Un petit mécanisme qu'elle connaît bien se met en route dans son cerveau : cette adresse lui dit quelque chose. Comme une personne dont on connaît le nom mais dont on a perdu le visage.

Marion a oublié sa fatigue quand elle s'attaque au lot suivant. Gus devait avoir atteint l'âge de vingt ans, moins peut-être, car la période militaire s'annonçait. Le carton contient des livres sur l'armement et les techniques de combat terrestre, des cartes d'état-major, des effets militaires, des douilles de cartouche et des cibles jaunies, trophées arrachés au temps par un jeune soldat fier et enthousiaste. Il fait ses classes à Bordeaux et note presque chaque jour les exercices, les kilomètres parcourus avec le paquetage, les corvées, les permissions où il retrouve Claire Arthur, sa fiancée.

Marion n'a pas eu le courage de lire chacune de ces pages quadrillées. Il en ressort seulement que l'appelé Léman est de santé aléatoire et que sa maladie de peau lui crée de nombreux soucis. Il est souvent dispensé d'entraînement à cause de ses pieds « en sang », et c'est à cette époque qu'on commence à lui prescrire du Sparfix après l'avoir relégué aux services administratifs et comptables du régiment. Dans une lettre qu'il écrit à sa mère et qui, mystérieusement, n'a pas été cachetée ni expédiée, il réclame du « baume de la mère Blanc », « la seule médication qui me soulage vraiment »…

Marion laisse errer un instant ses pensées du côté de la vieille maison de Charmes, et c'est en ouvrant le carton suivant que lui revient l'odeur tenace de camphre et d'arnica… Dans une pochette en toile kaki, entre un poignard commando, une matraque en bois, des insignes militaires, une montre sans bracelet et des mouchoirs soigneusement pliés, elle trouve la source de ce parfum obsédant : un petit pot de verre fermé par un couvercle à rabat et qu'un caoutchouc rend étanche. Le pot est vide, mais l'odeur agressive a franchi le temps sans rien perdre de sa vigueur. L'odeur de Charmes, celle du mouchoir en papier de la cheminée, celle qui parasite Marion depuis trois jours. Le baume de la mère Blanc…

C'est dans le même lot que Marion a découvert la lettre de Claire. Elle l'a tirée au hasard d'un paquet impressionnant de missives rédigées d'une main nerveuse à l'écriture fine et serrée. Elles sont rangées dans une boîte en carton, classées chronologiquement. Le premier tas, enveloppes bleu pâle doublées de papier de soie rose, est adressé à Bordeaux, à la caserne où Gus a commencé sa vie de soldat. Le second, enveloppes blanches communes sans doublure, comme si Gus ne méritait plus que des attentions ordinaires, a été envoyé villa Manoubia, à Alger.

Après la lettre que Marion vient de lire, plusieurs autres suivent mais à un rythme qui s'espace ainsi qu'en témoignent les cachets de la poste. Marion en ouvre une autre, la dernière du dernier tas. Elle contient une amertume indicible, la détresse d'une fiancée abandonnée :

J'ai su par ta mère que tu devais venir en métropole. Je t'ai attendu de toutes mes forces. Mais tu t'es arrêté à Paris, j'ose croire qu'il ne s'agit que d'un contretemps à cause de tes activités militaires. Pourtant, je dois te dire que, bien des fois, je perds

l'espoir. Y a-t-il une autre femme dans ta vie ? Je
préférerais la vérité, mon chéri, à ce silence qui me
tue. J'avais, je ne devrais pas te le dire, une surprise
pour toi… Réponds-moi, je t'en supplie.

Ta Claire qui t'aime et se désespère.

En dehors de ce paquet de lettres de Claire, aucun autre courrier dans ce fatras que Gus semblait conserver avec soin et dans un ordre sourcilleux.

De nouveaux documents concernant l'armée et les premiers mois de son séjour en Algérie sortent de l'ombre du carton n° 8 : l'année 1958 et les suivantes, les troubles, les manifestations, le déchirement de deux communautés qui luttent pour leur survie. Gus est handicapé par sa peau qui s'abrase comme une vieille pelure d'oignon desséchée, qui saigne et le fait souffrir. Il est donc transféré dans une unité moins opérationnelle et pour laquelle il s'était porté volontaire. En atteste la copie de sa demande soigneusement classée avec la réponse du colonel du régiment. Marion comprend en feuilletant quelques carnets et registres que cette unité est chargée des opérations de collecte de renseignements à titre militaire. Horrifiée, elle découvre que les officiers, gradés et soldats affectés dans les DOP[1] y appliquaient des consignes ouvertement édictées et codifiées, instituant la torture comme une des toutes premières méthodes de recueil d'information, « puisque toutes les autres échouent avec un peuple qui manie le mensonge et la dissimulation à la perfection ». Marion se souvient de l'allusion du père Léon et imagine

---

1. Divisions des opérations particulières.

fugitivement la vengeance d'un torturé ou d'un de ses proches. L'histoire a de ces retours de flamme, parfois...

En feuilletant le cahier d'écolier aux feuilles quadrillées sur lesquelles Gus note quelques détails à faire frémir, Marion a mis la main sur une photo découpée dans un journal et prise un jour de manifestation à Alger. On y distingue les tenues sombres des CRS massés derrière des cars Berliet au museau fuyant, les fumées des gaz lacrymogènes et, au premier plan, tenant l'extrémité d'un bout de bois auquel est fixée une banderole, un jeune homme brun et beau, au regard brillant, comme éclairé de l'intérieur par la foi dans le combat qu'il mène. Le calicot indique qu'il appartient au comité des étudiants algérois contre l'indépendance. Quelques mots de commentaires de la main de Gus montrent l'admiration que le jeune militaire porte à cet étudiant. Sa rencontre avec lui et l'amitié qui en est née ont fait basculer sa vie. Gus, petit ébéniste bourguignon, a rallié la cause lointaine des pieds-noirs, oublié la métropole et sa fiancée. Il a rencontré Félix Marion.

40

La foule se presse autour d'une grande bâtisse, hurle des slogans hostiles. Des hommes apparaissent au balcon du premier étage. L'un d'entre eux est en tenue militaire. Il se saisit d'un porte-voix et commence à haranguer la foule, qui ne l'écoute pas. Des projectiles volent, les CRS se préparent, introduisent les grenades dans des lance-patates gros comme des bazookas.

Une voiture apparaît au loin, cernée de motards, de véhicules militaires et d'hommes de troupe. C'est une Hotchkiss noire décapotable. Le général s'y tient debout, dépassant le tumulte de ses deux mètres. Il s'avance, inexorable, et la foule s'écarte et se tait. Versatile, imprévisible, elle change de ton. Le tohu-bohu cesse progressivement, reprend un semblant de vigueur sous la poussée d'un slogan proféré par une bouche isolée et anonyme. Puis viennent les acclamations, inattendues. Comme par miracle, de petits drapeaux surgissent et s'agitent dans le soleil.

Edwige Marion erre dans la foule, elle est une petite fille et elle est nue. Personne pourtant ne prête attention à elle. À dix mètres devant, un couple se regarde dans les yeux, main dans la main. Gus Léman est en civil. Il dévore d'un regard fiévreux sa compagne brune et svelte qui porte une robe sans manches en vichy rose et des souliers plats. Ses cheveux sont relevés en queue de cheval, noués par un ruban blanc qui vole dans l'air brûlant.

La petite Edwige veut appeler ce couple, attirer son attention, mais aucun son ne sort de ses lèvres sèches. Elle a sommeil tout à coup, elle voudrait se coucher dans la poussière de la place que les charges des CRS soulèvent comme les vents de sable dans les dunes. Ses jambes sont engourdies, son bras droit ankylosé, ses paupières refusent de rester ouvertes. Gus essaie d'entraîner la jeune fille brune qui, soudain, aperçoit l'enfant et vient jusqu'à elle en courant. Elle la prend par l'épaule, la secoue sans douceur :

— Maman, maman..., crie-t-elle, réveille-toi !

Marion sursaute et pose un regard hébété sur le décor qui l'entoure : une montagne de cartons dont la parfaite architecture à laquelle s'était appliqué Gilles n'est plus qu'un souvenir. Elle distingue la tondeuse à gazon, quelques outils de jardin alignés contre le mur du garage comme à la parade.

— Maman ! Mais qu'est-ce que tu fais là ? T'as dormi là ? T'es malade ?

La voix de Nina a du mal à percer les limbes de sa conscience.

— C'est quoi, cette photo ?

Marion se redresse en grimaçant. Ses membres sont raides et refusent de se déplier. Elle s'appuie au carton contre lequel elle s'est endormie, anéantie par la fatigue et l'émotion, et se met debout en gémissant. Elle est vidée, sale, meurtrie.

Son regard tombe sur la photo qu'elle n'a pas lâchée et que Nina essaie de décrypter en se tordant le cou. Une photo en noir et blanc, prise sur une place de Paris déserte, entre une fontaine et une colonne Morris. Une jeune fille brune en robe trapèze et un jeune homme qui la dévore des yeux. Une légende au dos : « En souvenir d'une merveilleuse journée. Août 1959 ».

Le jeune homme, c'est Gus Léman, cheveux courts, visage pointu, ni beau ni laid. Un grain de beauté sur la lèvre supérieure droite et des yeux d'une surprenante couleur claire. La jeune femme est ravissante avec ses cheveux et ses yeux de jais. Elle a signé la légende de son nom : Agnès Moreau.

Elle a ajouté son adresse : 26, boulevard Richard-Lenoir, Paris, XIᵉ.

— C'est qui, sur la photo ? insiste Nina, qui s'impatiente.

Marion regarde encore le rectangle de papier comme pour se convaincre de ce qu'elle y voit. Elle ferme les yeux, les rouvre. Les personnages n'ont pas bougé. Elle se tourne vers Nina :

— C'est ma mère.

41

Capdevil est arrivé toutes affaires cessantes. Quand Marion sort de la douche, il se tient dans l'entrée, en contemplation devant le tableau toujours posé sur la commode.

— Vous n'avez pas acheté cette horreur quand même ? s'inquiète-t-il, connaissant les penchants de Marion pour les achats intempestifs de vieux objets sans intérêt.

— Comment, cette horreur ? se rebiffe-t-elle, piquée. C'est un beau château, non ?

— Le château, je ne dis pas... Encore que ce style un peu crème Chantilly avec tours et échauguettes... Mais la peinture, franchement nulle... Enfin, c'est un travail d'amateur.

— Exactement, admet Marion, qui remarque à cet instant sur la toile les deux vélos grossièrement représentés, tombés pêle-mêle au pied d'un muret.

Le souvenir de l'évocation de ce détail dans la lettre de Claire à Gus fait monter en elle une nostalgie coupable. Les rêves de Claire sombraient parce que son amoureux avait rencontré Agnès Moreau, sa mère !

— Incroyable…, murmure-t-elle, incapable d'imaginer la suite de cette rencontre.

— Pardon ?

— Non, rien… Je me demande où se trouve ce château…

Le capitaine a revêtu son éternelle tenue : un pantalon de lainage gris indécis et une veste en tweed dans les tons verts. Morne et immuable, elle traverse avec lui toutes les saisons. Capdevil n'a jamais trop chaud ni trop froid et se moque de son apparence comme d'une guigne. Il sort une loupe de sa poche de poitrine et se met en devoir d'examiner la toile.

— En Bourgogne, fait-il après un moment. On en a construit des quantités à l'époque des ducs, tous dans le même style. Je parie qu'il est perché sur un promontoire et qu'il a subi de multiples transformations au cours des siècles. Vous me le confiez ?

— Oh non ! Nina ne me le pardonnerait pas.

— Je prends une photo ?

— Si vous voulez, murmure Marion qui le voit, cette fois, extirper de sa poche de poitrine un minuscule appareil.

— Je vous demande pardon pour hier, enchaîne-t-elle quand il a terminé.

Le ton mesuré de Marion ne trompe pas l'officier : elle est sincère, mais, surtout, elle a besoin de lui.

— Vous avez apporté ce que je vous ai demandé ?

Capdevil sort d'une autre poche déformée par la quantité invraisemblable d'objets qu'il y loge un téléphone portable, un des Alpha que le groupe utilise de manière ponctuelle. Les appareils sont attribués à des titulaires fantaisistes, donc anonymes. Puis le capitaine extrait encore un chargeur de son inépuisable veste et tend le tout à sa chef.

Marion met le mobile en marche et sort de la maison en faisant signe à l'officier de la suivre. Éberlué et inquiet, il la suit sans poser de questions. D'un pas tranquille, ils se dirigent tous deux vers la route, comme n'importe quel couple en balade.

— Je peux savoir ? s'enquiert le capitaine.

Les accents circonflexes de ses sourcils pointent vers le ciel bleu clair, presque blanc.

Marion compose un numéro et, pendant les sonneries, affranchit Capdevil :

— Mes téléphones sont interceptés, dit-elle.

Puis, aussitôt :

— Suzanne ? Écoute bien ! Tu vas au café d'en face, le grand qui fait l'angle. Tu ne bouges pas de là, je te rappelle dans dix minutes. S'il te plaît, fais ce que je te dis.

Elle raccroche sans laisser le temps à la notaire d'en placer une et surprend le regard trouble de Capdevil.

— Je ne suis sûre de rien, fait-elle, je ne suis pas parano non plus. J'ai un sacré doute sur la confidentialité de mes communications, c'est tout.

— Qui ?

— Je ne sais pas. L'IGPN dans le cadre de l'affaire du Chien qui fume…

176

Elle énonce cette éventualité comme pour s'en convaincre elle-même. Le capitaine hausse ses épaules un peu arrondies.

— Vous n'y étiez pas. Et quel intérêt ? Vous n'avez rien à voir dans l'affaire.

— En effet. Bien que j'aie connu plus tordu... Mais vous avez sûrement raison. Je pense que c'est en rapport avec les événements de ces derniers jours. Et que tout cela est lié à...

— Gustave Léman ?

Elle approuve d'un mouvement bref du menton.

— Une écoute judiciaire par les gendarmes de là-bas ? suggère Capdevil, incrédule.

— Non, sauf s'ils pensent que c'est moi qui ai tué le vieux... En réalité, je crois que la raison, c'est moi qui la détiens. Je pense avoir mis la main sur des choses compromettantes pour des gens haut placés.

— À savoir ?

— De hauts responsables de la police et de la gendarmerie.

— Sans blague ?

Marion confirme d'un hochement de tête.

— Il faut que je vérifie deux ou trois petites choses encore...

Capdevil siffle doucement. Il se dandine d'un pied sur l'autre en suivant des yeux un groupe de vaches qui grimpe la côte, le long d'une clôture électrifiée. Le vent léger apporte jusqu'à eux des effluves de bouse et de lait chaud.

— En tout cas, des gens assez influents et puissants pour demander une écoute administrative sur mes lignes. Quelqu'un qui peut faire signer le document par le directeur de cabinet du Premier ministre... À ce niveau de responsabilité, personne n'a l'idée de vérifier le bien-fondé d'une telle démarche... On l'envoie au GIC, qui fait exécuter l'ordre... Le tour est joué.

— Dans quel intérêt ?

— Le leur, mon vieux. Ces gens ont des carrières, des ambitions. Un grain de sable nommé Gus Léman qui resurgit, alors qu'on le croyait mort depuis longtemps... Et moi qui mets les pieds dans le plat. Je l'ai pas fait exprès, je ne comprends rien, mais une chose est sûre, je les dérange.

— Ça a un rapport avec quoi ?

— L'OAS.

42

Suzanne Renoir s'est installée à l'intérieur du Rayon de lune, près de la fenêtre qui lui offre une vue parfaite sur la place en arc de cercle. Il est quinze heures. Elle se demande encore où Marion veut en venir, mais le jeu commence à l'exciter, même si elle meurt de trouille.

Elle a exécuté les instructions à la lettre. À midi, quand son ex-copine de fac l'a appelée à l'étude, elle a attendu dix minutes, puis s'est rendue à La Concorde, la brasserie où, autrefois, elle révisait ses cours, des après-midi entiers, gavée de café et de cacahuètes.

À peine s'était-elle assise qu'on la demandait au téléphone. C'était Marion qui voulait connaître les circonstances précises du cambriolage de l'étude.

Suzanne s'est exécutée avec force détails : le malfaiteur avait mis le feu aux caves de l'immeuble, concentrant l'attention de la police et des pompiers sur le sous-sol et, surtout, profitant du fait que l'on avait, par précaution, coupé l'électricité dans tout le bâtiment. Les alarmes protégeant l'étude ayant été rendues inopérantes, il avait tranquillement vaqué à ses occupations, au nez et à la barbe des forces de sécurité.

— L'inventaire est en cours, a conclu Suzanne, mais les deux femmes, sans avoir besoin de se le dire, avaient deviné ce que cherchait le visiteur.

— Ils vont sévir jusqu'à ce qu'ils trouvent, a prévenu Marion, employant un pluriel sur lequel elle hésitait encore. Cette façon d'opérer est du genre sophistiqué, finement pensée et exécutée avec habileté. Il faut te protéger. Je m'en occupe.

Elle n'a pas dit comment et Suzanne a admiré son sang-froid. Elle en a déduit que la situation était grave et que la commissaire craignait d'avoir affaire à un groupe puissant et organisé susceptible de l'espionner, notamment à travers son téléphone.

Entre midi et deux, Suzanne est allée dans une agence souscrire un abonnement pour un téléphone mobile, mis en service aussitôt. La vibration de l'appareil contre son ventre la fait sursauter. Marion a une minute de retard.

Suzanne se détourne pour parler.

— Alors ? fait la voix de Marion.

— Pas de mec en vue, glousse la notaire. Et je suis seule dans la place, à part la serveuse.

« Et pour cause », a-t-elle envie d'ajouter.

Le Rayon de lune est un bar à filles. Pas un bar à putes, mais un bar réservé aux filles. Les hommes y sont très mal reçus.

— Dehors ? demande Marion.

— Quelques voitures. J'ai eu l'impression qu'on me suivait. Et là, je dois dire que c'est plus qu'une impression. Il y a un type dans une voiture à vingt mètres. Une Golf cabriolet noire.

Marion ne commente pas. Ce que lui dit la notaire ne la surprend pas. Le commandant Martinez a changé de cible, mais il est toujours là.

— Qu'est-ce que je dois faire maintenant ? chuchote Suzanne dans son portable.

Marion se concentre un moment en regardant par la fenêtre Nina qui joue dans le jardin avec la lapine naine que Gilles lui a offerte. Choupette a trois mois, c'est une boule de poils adorable. Dans quelque temps, l'a prévenue un vieux brigadier du commissariat qui a vingt ans de Police-secours derrière lui, elle aura triplé de volume et grignotera les fils électriques, ceux du téléphone, les canapés et les plantes vertes…

— Rien pour le moment, dit-elle sans lâcher la petite des yeux. Enfin, si…

— Oui ? fait Suzanne dont l'excitation transparaît. Dis-moi… Tu sais, ça me change les idées. Et puis c'est pour retrouver l'assassin de papa, n'est-ce pas, Edwige ?

— Écoute, Suzanne, rétorque Marion d'une voix tendue, rends-moi service…

— Mais oui, je t'ai dit que je ne demande que ça… Quoi ?

— Arrête de m'appeler Edwige !

Suzanne en perd la voix.

— Je n'aime pas mon prénom, explique Marion, c'est comme ça. Tout le monde m'appelle Marion, tout court. Alors, si tu veux bien…

— Mais bien sûr, Ed…, enfin… Marion. Ça me fait drôle, mais c'est comme tu veux.

— Merci. Où en étions-nous ?

— Euh… hésite Suzanne, désarçonnée. Ah oui, tu voulais me demander de faire quelque chose.

— Exact ! Je m'en souviens. Est-ce que tu sais d'où ton père a fait…

Elle voulait dire : « d'où ton père a sorti les cartons ? » Elle se tait brusquement. Est-il judicieux de parler des paquets de Gus Léman à Suzanne qui n'en connaît sans doute pas l'existence, puisqu'elle n'en a jamais fait état ?

Marion a trouvé, grâce à Me Tarquin fils, le nom du transporteur, les Messageries lyonnaises, qui ont pris livraison des cartons au 2, rue de la Liberté à Dijon. À l'étude elle-même. Mais cela aussi, visiblement, Suzanne l'ignore.

Marion décide de lui poser la question différemment :

— Est-ce que tu sais ce que représentait l'héritage de Gustave Léman ?

— Pas du tout, je te l'ai déjà dit. Mon père ne m'a strictement rien dévoilé de cette affaire, pas plus qu'à Josée. J'ai cherché partout, il n'y a aucune trace de ce dossier.

— Si je te donne une adresse : 26, boulevard Richard-Lenoir à Paris, ça évoque quoi pour toi ?

Suzanne ne prend même pas la peine de réfléchir.

— Rien. Ça ne me dit absolument rien.

— Tu es sûre ?

Soupir de la notaire. Début d'irritation.

— Bon, concède Marion, j'arrête de t'embêter.

— C'est important ?

— Oui.

Suzanne promet de faire le maximum.

43

Marion dépose Nina chez mamy Lisette, et son cœur se serre. La petite a l'air résignée, elle ne pose aucune question et semble avoir renoncé pour de bon à ses bouderies entrecoupées de colères. Sa mère devrait en être soulagée ; pourtant, le fait que Nina baisse les bras l'inquiète. D'ailleurs, l'enfant est allée s'asseoir sans un mot devant la télévision, qu'elle met en route d'un geste machinal. Lisette ouvre la bouche pour intervenir, mais, devant le regard impérieux de Marion, elle se ravise :

— Vous repassez à quelle heure ?

Nina ne lève même pas la tête, comme si la réponse de sa mère lui était indifférente.

— Dès que possible, répond prudemment Marion, qui veut surtout éviter d'être prise en flagrant délit de mensonge.

— On a le temps d'aller à la piscine ? demande la grand-mère, qui a pris goût à la chose.

— Je préférerais que vous n'y alliez pas aujourd'hui, dit-elle. Et soyez prudente, n'ouvrez pas la porte à n'importe qui.

— Ça recommence ? déplore la vieille dame.

— C'est une consigne générale et permanente, répond Marion, qui se sent oppressée mais n'ose pas le dire.

Elle adresse un petit signe de la main à Nina qui s'obstine à ne pas la regarder.

Marion tire la porte derrière elle et y reste un moment adossée. Le palier sent l'oignon frit et la tarte aux pommes. Son estomac gronde et elle se rend compte tout à coup qu'elle n'a rien avalé depuis la veille. À travers la cloison mince comme du carton, elle entend Nina qui cherche querelle à sa grand-mère.

— Ça sera toujours comme ça ! s'écrie la fillette. On n'a même plus le droit d'aller à la piscine. On n'ira jamais à la mer, jamais en vacances ! J'en ai ras le bol !

Lisette gronde en sourdine et Marion s'esquive, bouleversée.

Alors qu'elle aborde l'avenue qui conduit au complexe hospitalier, elle ralentit et compose un numéro. Elle a branché l'Alpha sur l'installation mains libres du véhicule et, de l'extérieur, personne ne peut voir qu'elle téléphone.

Gilles répond aussitôt à son appel.

— Où es-tu, ma belle ?

— Je vais à l'hôpital, répond Marion. Est-ce que je peux te demander quelque chose de très important ?

— Grand Dieu ! Tu me fais peur ! Tu ne veux pas que je tue quelqu'un au moins ?

Marion n'a pas envie de rire ni d'annoncer à Gilles que leurs vacances sont définitivement à l'eau. Mais elle ne veut pas non plus l'effrayer.

— Est-ce que tu pourrais emmener Nina à la mer ? demande-t-elle sur un ton qu'elle espère détaché. Quelques jours... Un week-end, par exemple, le temps que j'y voie clair. Après, on partira tous les trois, comme prévu.

Gilles garde le silence un moment. Devinant ce qu'il rumine, elle explique qu'elle est bloquée par l'affaire de la fusillade du Chien qui fume et qu'elle se sent coupable de priver la petite d'un séjour dont elle a rêvé.

— D'accord, fait Gilles après un nouveau silence. Je serai là dans la soirée.

— Ne passe pas à la maison, s'empresse Marion. Je lui déposerai un sac avec ses affaires chez Lisette.

— Qu'est-ce qui se passe, ma belle ? s'étonne Gilles, faussement enjoué. Tu me caches quelque chose ? Un amant ?

Marion ne prend pas la peine de répondre à cette question qui lui paraît bien stupide en ces circonstances.

— Écoute, dit-elle, je ne peux pas te raconter. Je vais raccrocher et te rappeler dans trente secondes. Tu ne fais pas état de ce que nous venons de dire. Fais comme si je ne t'avais pas appelé une première fois. D'accord ?

Elle coupe la communication en se disant fugitivement que Nina a raison : à moins que Gilles n'ait l'âme d'un aventurier, ce qu'elle n'a pas véritablement décelé en lui, il y a peu de chance pour que ces jeux où elle expose sa vie – et celle des autres – comme dans une partie de roulette russe l'amusent longtemps.

44

Elle fait un crochet par le service de réanimation de l'hôpital pour constater la déprimante absence d'amélioration de l'état de Talon. À son chevet, Naïma Meceri, penchée sur le visage de l'officier, paraît absorbée dans une conversation à voix basse et sans écho. Marion n'ose pas déranger ce tête-à-tête, chamboulée autant par sa propre impuissance que par le tragique du spectacle de ce couple étrangement harmonieux.

Elle se rend directement à l'Institut médico-légal en empruntant les sous-sols, qu'elle serait capable de suivre, dans les deux sens, les yeux fermés.

Une autopsie est en cours dans la salle qu'elle connaît bien, mais ce n'est pas le Dr Marsal qui officie ni Marcello qui l'assiste. Elle traverse la pièce sans déclencher de réaction des quelques étudiants qui observent le travail du légiste en prenant des notes.

Derrière la vitre du bureau de Marsal, elle aperçoit un homme de dos dont l'allure lui rappelle vaguement quelqu'un. Il porte un pantalon rouge, une chemise à fleurs d'un ton criard, des Reebok neuves, et ses cheveux bruns pendouillent bizarrement dans son cou. Au moment où Marion s'enquiert du Dr Marsal, l'inconnu se retourne et elle reste sans voix.

— Eh bien, fait le légiste tandis que Marion le dévisage, incrédule, vous voulez ma photo ?

Elle renouvelle l'examen, de face cette fois, depuis l'accoutrement bigarré aux chaussures de sport en passant par la moumoute, et elle se cramponne pour ne pas hurler de rire.

— Qu'est-ce qui vous arrive, doc ? éructe-t-elle après de longues secondes de lutte intérieure. Vous avez pris trop d'antioxydants ? Vous êtes tombé dans une marmite d'élixir de jeunesse ?

Le médecin hausse sèchement ses épaules étroites, bombe son torse maigre, pointe un menton conquérant dans sa direction et la défie en caressant fièrement ses cheveux artificiels. Une barbe de trois jours ombre ses joues creuses et Marion, qui le soupçonne de la laisser pousser pour faire jeune, se détend. Elle explose de rire.

— Vous êtes amoureux, ou quoi ? suffoque-t-elle, les larmes aux yeux.

Le regard qui flambe derrière les lunettes de myope pour une fois impeccables confirme l'hypothèse qu'elle vient de lancer, au hasard.

— C'est pas possible ! Vous allez renoncer au célibat ?

— Et faire des enfants, oui. Et alors ?

Il ressemble à un petit coq avec ses pieds écartés et son pantalon dont la ceinture frôle le dessous de ses bras. La jeune femme rit de plus belle.

— Vous vouliez quelque chose ? demande-t-il, pincé.

— Vous m'inviterez à la noce ? poursuit Marion, hilare, heureuse de pouvoir se défouler.

— Sûrement pas. J'y inviterai mes vrais amis. Vous, vous êtes une moqueuse, une… sans-cœur.

Il a l'air vexé. Marion, comprenant qu'elle l'a blessé, fait machine arrière :

— Ne vous fâchez pas… C'est tellement… inhabituel. Je vous aime bien, vous savez. Je suis contente pour vous. Je vous félicite. Ça va comme ça ?

Marsal répond par un mouvement de dépit. Son bureau est une fournaise comparé à l'atmosphère glaciale de la salle voisine. Il s'éponge le front avec un mouchoir en papier et Marion se souvient subitement qu'elle est venue lui demander un service. Elle sort de son sac ce qu'elle a apporté et, avant même d'y avoir jeté un coup d'œil, le légiste tend les deux mains en avant dans un geste de refus définitif.

— Pas question. Pas de truc en douce. Fini les combines.

— Mais vous ne savez même pas de quoi il s'agit, proteste-t-elle en s'interposant entre lui et la porte sur laquelle il lorgne de manière ostensible.

— Tu parles ! Je vous connais comme si je vous avais faite. Quand vous arrivez comme ça, en douce, avec votre air innocent, c'est toujours pour un coup fourré. Mais ça, c'est terminé. J'ai besoin de mon job, moi, maintenant. Et avec vous, je suis sûr de me retrouver en taule un jour ou l'autre. Et ce n'est pas vous qui viendrez me délivrer, car vous y serez aussi.

— Enfin, doc…

Il secoue énergiquement la tête.

— Je pars en vacances. Mariage, voyage de noces. Demandez à l'autre, là-bas.

Il désigne du pouce son confrère qui vient de lancer le moteur de la scie électrique et s'attaque à la calotte crânienne de son « client ». Le son strident fait grincer les dents de Marion, qui en profite pour fermer la porte, espérant gagner du temps et obtenir un sursis à la décision du doc. Mais elle a beau faire, Marsal reste intraitable. Il se contemple dans un petit miroir constellé de traces de doigts, rectifie le col de sa chemise, vérifie la bonne tenue de sa moumoute et se dirige vers la porte d'un pas décidé. En passant devant Marion, il jette un œil dégoûté sur le sachet qu'elle tient à la main, fronce son long nez.

— Je ne sais pas ce que c'est, mais ça pue...

45

Gilles est parti avec Nina en fin d'après-midi. La petite a accepté la décision de sa mère avec un fatalisme qui ne lui ressemble pas. Elle a seulement exigé, d'une petite voix éteinte, d'aller embrasser son ami Talon à l'hôpital avant leur départ pour la Normandie. Marion a pris toutes les précautions pour qu'un observateur ou des oreilles indiscrètes ne puissent connaître leur projet, encore moins leur destination, mais, elle a beau se raisonner, le poids qui pèse sur son estomac ne désarme pas.

La maison est calme. Elle a fermé les portes et les fenêtres et installé Choupette dans une grande cage afin de ne pas avoir à la chercher dans tout le jardin en l'absence de Nina. Elle sent le danger qui rôde, mais, si elle craint pour les siens, elle n'a pas peur pour elle-même. Depuis longtemps, la souffrance et la mort font partie de son quotidien et ce sont des éventualités qu'elle est prête à affronter à tout moment.

À tout hasard, elle a gardé son arme de service à portée de main, entre son portable personnel et l'Alpha du service. Elle en est à se demander ce qu'elle va faire de cette soirée vide, quand la sonnerie sobre de l'Alpha rompt le silence.

— Capdevil ? demande-t-elle, sûre qu'il s'agit du capitaine, envoyé à la pêche dans les archives de l'époque trouble de l'OAS et qui n'a pas donné signe de vie depuis midi.

Ce n'est pas Capdevil mais Naïma Meceri.

— Je suis à pied d'œuvre, patron…

— Très bien ! Vous avez fait bon voyage ? Que pensez-vous de mon idée ?

— Rien, patron. Je viens d'arriver.

Naïma Meceri laisse passer un temps. Comme Marion se tait aussi, elle se décide à poser la question qui la démange :

— Vous… vous avez des nouvelles ?

Au début de l'après-midi, une onde de choc a soulevé la PJ : Meceri a été suspendue de ses fonctions. À titre conservatoire, selon la formule consacrée. L'étude balistique complémentaire a en effet démontré que la balle incrustée dans le plafond du Chien qui fume a bien été tirée par l'arme de service de la jeune fille. Étant donné qu'aucun autre projectile n'a été découvert à proximité, il a été quasiment établi que c'est celui de Meceri qui a éraflé le front de Talon. Et de forts soupçons mettent en cause un deuxième tir qui aurait abouti dans l'abdomen de l'officier. Quercy, qui croit dur comme fer à cette hypothèse, a tenu à notifier lui-même la décision de suspension à la jeune lieutenant. Elle l'a très mal pris.

— Pas de très bonnes nouvelles, Naïma, soupire Marion. *Monsieur* Quercy campe sur ses positions. Je n'ai pas réussi à lui parler, il m'évite. Il ne sait donc pas que vous êtes à Dijon et je n'ai pas l'intention de le lui dire. Je n'ai pas vu le compte rendu du laboratoire... Je vais y passer demain matin. Vous êtes sûre que...

— Patron, s'impatiente Meceri, je suis déjà assez emm... enfin, dans la merde, quoi ! J'ai tiré en l'air, pas sur Talon. Je sais que ce n'est pas ce que dit le rapport balistique, mais moi, oui...

— Bien, la calme Marion. Je vous crois. Occupez-vous de Suzanne. Protégez-la et ne la quittez pas d'une semelle. D'accord ?

— Je ne sais même pas si j'en suis capable, fait Meceri, amère. C'est vrai, je foire tout. Et puis là, je sais pas, mais je crois plutôt que c'est elle qui va me protéger...

— C'est-à-dire ?

— Elle se balade avec un vieux colt 45 rouillé et une pétoire de la guerre de 14. Un vrai arsenal !

— Quoi ? s'écrie Marion, affolée. Qu'est-ce que c'est que ce cirque ?

— Les armes de mon père ! s'exclame Suzanne, qui s'est saisie de l'appareil et dont l'élocution paraît laborieuse. Je les ai trouvées dans la cave. Si un autre connard se pointe, il va s'en prendre une...

— Donne ça immédiatement au lieutenant Meceri, ordonne Marion, qui l'imagine gesticulant dans le vide avec son artillerie délabrée, tu vas faire une bêtise...

— Je suis tout à fait capable...

— Non ! se fâche Marion, fais ce que je te dis. Suzanne !

— Oui, dit la notaire, docile, ça va... je lui donne. Elle est mignonne, dis donc.

— Suzanne, ça suffit ! Écoute-moi... Je vais te rappeler dans quelques minutes. Tu te souviens de ce qu'on a décidé ?

— Oui, marmonne Suzanne, je suis pas bourrée, tout de même !

Marion raccroche, change de téléphone. Compose le numéro de Suzanne depuis son portable personnel :

— Je serai chez toi dans une heure, improvise-t-elle dans l'espoir d'embrouiller ceux qui l'écoutent et tout particulièrement le commandant Martinez.

— Retrouvons-nous plutôt au Rayon de lune, jubile la notaire, qui s'amuse comme une petite folle. Tu verras, je te présenterai des copines extra...

Marion abrège : inutile d'en faire trop, Suzanne pourrait se prendre au jeu. Imaginer la tête de Martinez découvrant son goût inattendu pour les femmes lui arrache un sourire.

46

Il est vingt et une heures quand elle se décide à descendre au garage, malgré la promesse qu'elle s'est faite le matin, après la découverte de la liaison de Gus Léman et de sa mère, de ne plus toucher à ces cartons dont elle redoute les révélations encore à venir. Elle a tourné en rond dans la maison vide, regardé des photos de Nina, tenté une intrusion sur TF1, appelé l'hôpital, parlé à Lisette qui a pris, pour la soirée, la relève de sa petite-fille et de Meceri auprès de Talon.

Rien n'y a fait.

Elle a peur de ce qu'elle va trouver. Cependant, c'est avec une sorte d'impatience qu'elle ouvre le dixième carton.

Celui-ci regorge de ces riens bêtifiants qui dénoncent le jeune homme amoureux. On pourrait croire qu'Agnès Moreau l'est aussi car, en cette année 1960, les tourtereaux se fiancent officiellement. Ils partagent l'appartement du boulevard Richard-Lenoir. Agnès est vaguement actrice dans de petits spectacles où elle joue surtout les utilités, de temps en temps mannequin intérimaire, sans grand succès, malgré sa beauté et sa fougue. Gus, lui, la couvre de cadeaux. Rien n'indique pourtant dans ses notes et ses poèmes enflammés, pas plus que dans les traces minutieuses qu'il garde de ses achats, la façon dont il se procure l'argent. Il évoque ici et là des activités de comptabilité, mais les conditions en restent vagues. Seule certitude : le couple vit très bien. Il sort, mène la grande vie dans des soirées parisiennes, ponctuées parfois de l'écho des bombes du FLN, puis, à cause du cheminement inexorable de l'Algérie vers son indépendance, de celles de l'OAS. Gus Léman ne parle jamais de sa famille. Son silence ostensible ressemble à une cassure. Marion traduit : il a abandonné Claire et rompu avec les siens.

Pas un mot non plus de la famille d'Agnès Moreau, et pour cause. Marion est bien placée pour savoir que sa mère, enfant de l'Assistance, n'a jamais pu mettre la main sur un seul oncle ou cousin, même éloigné. Elle a grandi dans une famille d'accueil avec laquelle elle s'est empressée de rompre sitôt son émancipation acquise.

Les seules lettres que Gus reçoit à Paris viennent d'Algérie d'où il est parti, libéré de ses obligations militaires. Elles sont signées Félix. Marion y découvre, le cœur battant, ce père qu'elle a si peu connu et dont sa mère, enfermée dans son chagrin et ses chimères, ne lui a parlé qu'avec réticence. Félix Marion est un Latin au sang chaud, révolté par ce que la France se prépare à faire de « son » pays. La passion et la haine le font glisser insensiblement vers des activités moins pacifiques. Il évoque à mots couverts quelques « missions » dont on a du mal à comprendre ce qu'elles désignent exactement. Car l'étudiant engagé a passé un concours pour être commissaire de police et s'est fait recaler. À titre de consolation, et parce que la police a besoin de bras, il a été admis à faire son entrée dans la grande maison comme officier de police. Il ne cesse pas pour autant ses activités de l'ombre et s'en ouvre à mots couverts et puérils à son ami Gus, dont il déplore l'absence : « un grand vide, comme une punition de chaque instant ».

Plusieurs lettres contiennent des photos, car Félix mitraille avec fougue. L'une d'elles, qu'il conservait à Alger dans un album « du bon vieux temps », montre Gus, Félix et trois jeunes gens. Leurs noms, déjà familiers à Marion, sont écrits au dos : Gustave Léman, Félix Marion, Marc Berthe et Bernard Dunois. Curieusement, le cinquième larron n'est pas désigné ; peut-être est-ce parce qu'il offre à l'objectif un visage à moitié dissimulé par l'ombre d'un arbre. Marion, qui a compris que Gus a été membre d'un réseau impliqué dans des activités louches, découvre, atterrée, que son propre père, policier héroïque, non seulement en a fait partie mais en a été l'un des meneurs. Comme en témoigne cette lettre désespérée qui fait suite au décès du père de Félix à Oran, dans des circonstances que le jeune policier qualifie d'« assassinat commis par les partisans de l'Algérie indépendante ». Ces derniers deviennent alors bien plus que des ennemis à combattre, des bêtes dangereuses à éliminer. « Nous devons réagir avec les mêmes moyens », écrit-il à son ami, peu soucieux des espions qui le guettent ou trop naïf pour s'en préoccuper.

Félix s'est jeté tête baissée dans la lutte clandestine. *In nomine patris.*

Mêlée au paquet de lettres de Félix à Gus, une enveloppe blanche jaunie par les années attire Marion. L'adresse a été raturée deux fois. D'abord envoyée à la première caserne de Gus en Algérie, puis à celle de « l'usine » où il faisait du « renseignement », elle a finalement atterri chez Agnès Moreau après un long cheminement. Comme si elle ne représentait plus le moindre intérêt pour lui, Gus ne l'a même pas décachetée. Elle porte l'écriture de Claire Arthur et a été postée à Charmes en juin 1959.

Marion la retourne entre ses doigts, obnubilée par ce carré de papier taché. Elle lui trouve un aspect poignant et ne peut s'empêcher de compatir aux souffrances de la jeune fille délaissée, nourrissant du même coup et de manière inattendue un début de rancœur à l'encontre de sa mère, à cause de ce bonheur qu'elle volait à quelqu'un.

Marion voudrait ouvrir la lettre et y lire que Claire a rencontré un autre garçon et qu'elle va l'épouser. Mais elle sait que ce n'est pas ce que contient l'enveloppe et, renonçant à violer l'ultime secret de Claire, elle la fourre dans sa poche, intacte.

47

La sonnerie du téléphone Alpha et la voix de Capdevil, cette fois. La communication est mauvaise.

— Où êtes-vous ? demande Marion à voix basse comme si les fantômes encore enfouis dans les cartons pouvaient l'entendre.

— Dans une cave…

— Vous n'êtes pas en train de vous soûler ? s'inquiète-t-elle, bien qu'elle sache le capitaine plus sobre qu'un troupeau de chameaux.

— J'ai mis la main sur des trucs intéressants… Vous pouvez venir ?

— OK. Mais pas tout de suite. Dans une heure, ça va ?

Elle ne lui dit pas qu'elle aussi se trouve dans une cave et qu'elle a décidé d'ouvrir les derniers cartons.

Le téléphone Alpha, encore. C'est Pierre Le Guen, dit PLG, un capitaine de gendarmerie que Marion a connu dans une autre vie. Il commandait en second le GIGN, elle l'avait croisé plusieurs fois au cours d'opérations difficiles. Il était intelligent, séduisant. Ils avaient brièvement rêvé ensemble, puis renoncé à une vie où ils se seraient rencontrés en moyenne une fois par mois. Il en reste une grande complicité et une confiance réciproque. Marion a fait appel à PLG, qui a changé radicalement de voie et sévit aujourd'hui au service action de la DGSE, pour obtenir quelques tuyaux sur le commandant Martinez.

— Un dur. Très pro…, fait PLG sur le ton sibyllin qui sied au monde du renseignement. Il a commencé par l'armée de terre, à dix-neuf ans. Assez contesté, bagarreur, le genre forte tête mais efficace, bien noté. Il a été écarté de son unité et muté à deux reprises pour des histoires troubles.

— Genre ?

— Disons qu'il a tendance à aller au-delà de ce qu'on lui demande.

Marion se contracte.

— Mais encore ?

— Ces histoires n'ont aucun intérêt et elles sont couvertes par le secret-défense. En gros, c'est le genre d'homme à qui tu dis « Assomme »…

— … et qui tue…, achève Marion dans un murmure. Je vois. Qu'est-ce qui s'est passé pour lui ?

— Il n'a jamais été sanctionné. Son père était colonel, ceci expliquant sans doute cela. Ensuite, il a travaillé quelques années ici…

— Tu veux dire, dans ta boutique ? Boulevard Mortier ?

— Oui. Accroché aux basques d'un officier supérieur dont il est devenu l'âme damnée, l'homme de main à l'occasion. Un homme brillant qui a fait son chemin dans les hautes sphères militaires... Aujourd'hui, général...

— Laisse-moi deviner... Il n'aurait pas des ambitions du côté de la Défense ?

— Tu es toujours aussi douée ! Le général Marc Berthe, exactement. C'est lui le protecteur de Martinez.

— Merci, Pierre. Mais dis-moi une chose... Le papa colonel, c'était un pied-noir ?

— En effet.

La boucle est bouclée. Papa Martinez a connu Marc Berthe, l'actuel haut fonctionnaire de la Direction générale de la gendarmerie, en Algérie. Le fils, Antoine Martinez, s'est collé dans le giron du général et l'autre se sert de lui aujourd'hui. Pourquoi ? Quel rapport avec elle ?

— Qu'est-ce qu'il a donc à cacher, le général ?

— Ça, je ne sais pas..., avoue PLG, mais ça doit être gratiné. D'ailleurs, je n'ai pas pu mettre la main sur le dossier officiel de ton gus... Sorti des archives il y a deux jours ! Heureusement qu'ici on garde des copies de tout...

Il marque une pause, semble hésiter une fraction de seconde.

— Ce qui m'amène à ta deuxième question.

— Alors ? Remarque, après ce que tu viens de me dire, je connais la réponse...

— C'est oui. Tu avais raison.

Marion ne commente pas. Elle avait vu juste en se supposant écoutée.

— Fais gaffe à toi, conclut PLG d'une voix inquiète.

Elle aussi est tendue. C'est sans trembler, pourtant, qu'elle arrache le papier collant qui scelle l'avant-dernier carton.

48

Il attend, tapi dans l'ombre. L'ombre est son sort, pense-t-il, amer. Une gorgée de bile remonte jusqu'à ses lèvres, il crache dans le buisson un jus acide.

Il ne sait pas ce que fait Marion dans son garage. Il s'en fout. Il a besoin qu'elle s'en aille. Il va détruire les preuves. Il va détruire tout ce qui la touche et tout ce qu'elle a touché, avant d'en finir avec elle.

Une nouvelle nausée tord son estomac et il a un souvenir brutal des pâtes fraîches au saumon qu'il a avalées en vitesse dans un fast-food du village pendant que Marion faisait ses courses chez les commerçants. Les pâtes étaient desséchées et le saumon avait une odeur bizarre.

Il vomit en exhalant un râle venu du fond de ses boyaux où naît déjà une autre révolution. La tête lui tourne, des sueurs froides inondent son corps. Il va s'évanouir. Il faut qu'il s'enfuie avant qu'elle ne le trouve en vrac devant sa porte.

49

La Peugeot dévale la route sinueuse qui conduit au pied de la « montagne » et débouche sur le grand carrefour des Quatre-Chemins perpétuellement squatté par des poids lourds autour desquels, dans la lumière des phares et l'éclairage discret des cabines, se développent une vie et une activité que l'on devine troubles. Marion appuie sur l'accélérateur sans prendre garde à ces existences qui l'indiffèrent et sans se préoccuper de savoir si on l'espionne ou si on la suit. Elle ressent un désarroi qu'elle ne saurait exprimer autrement qu'en serrant les dents de toutes ses forces. L'impression que tout ce en quoi elle a cru jusqu'à ce jour n'était que trompe-l'œil et faux-semblant.

Passé les villages de Taluyers et de Brignais, elle fait un écart sur la route heureusement plus large à cet endroit et réalise qu'elle roule à gauche et n'a pas allumé ses feux. Elle remarque au dernier moment les appels de phare d'un véhicule affolé qui manque de se jeter dans le fossé pour l'éviter et lui envoie un long coup de klaxon furieux.

Elle pense aux silences de sa mère, aux mensonges des uns, aux égarements des autres, et se demande comment elle va gérer cela, émerger de ce fiasco.

Sa vie avec Nina, son mariage avec Gilles, soudain, lui paraissent dérisoires, impossibles. Au moment où elle commençait à entrevoir sa vie, enfin, plus nettement. Où elle espérait pour Nina et elle un équilibre dans un foyer veillé par un homme solide.

Derrière elle, dans le coffre, deux mètres cubes de souvenirs empoisonnés remettent tout en question.

50

Capdevil la guette à l'entrée du parking. L'hôtel de police mène sa vie nocturne. Ralentie, plus nonchalante, jamais totalement arrêtée. Cette partie de la bâtisse est la plus calme. Les caméras ont remplacé les gardes statiques, luxe aujourd'hui exorbitant. Mais Marion sait que de l'autre côté, celui de la cour, l'agitation de la nuit équivaut à celle du jour, les visiteurs et les plaignants en moins.

Le capitaine s'installe à ses côtés dans le véhicule et remarque aussitôt son air hébété, son apparence négligée. Elle est vêtue d'un vieux jogging râpé couvert de salissures noirâtres et les mêmes coulées douteuses maculent ses mains et son visage. Ses cheveux, que depuis quelque temps elle parvenait à domestiquer, ont retrouvé leur désordre légendaire. Le capitaine lui demande de gagner le dernier niveau et elle s'exécute sans une question, ce que, la connaissant, l'officier juge inquiétant.

Au troisième sous-sol, vide, à l'exception de quelques vieilles bagnoles saisies qui attendent la fin du monde en se couvrant de poussière, Capdevil se dirige vers une porte métallique et, après un rapide coup d'œil alentour, l'ouvre à l'aide d'une clé qu'il a sortie de sa poche. Il referme sans bruit derrière eux et entraîne Marion à travers un dédale de travées dans lesquelles il navigue comme un poisson dans l'eau. Lui n'a pas changé de tenue et ses chaussures de cuir brun portent des traces blanchâtres qui laissent penser qu'il a marché dans l'eau.

Marion, encore sous le choc, se laisse guider docilement. Les lieux sont déserts et propres, mais l'humidité suinte des murs et imprègne le sol grossièrement recouvert d'une sorte de sable ocre. Une autre porte, une autre clé. Ils entrent dans une pièce carrée, dallée, sèche et fraîche. De nombreuses caisses sont empilées contre les murs, sur plusieurs rangées. Au fond, trois armoires fortes. Capdevil s'arrête, espérant une réaction de Marion.

Celle-ci, perdue dans ses pensées, semble enfin prendre conscience de ce qui l'entoure.

— Mais où on est ici ? murmure-t-elle en regardant autour d'elle.

— Sous l'hôtel de police. Dans un ancien réseau d'assainissement, fermé au moment de la mise en service du grand collecteur d'égouts, nettoyé et aménagé quand le projet de construction de cet immeuble a été lancé.

— Mais comment savez-vous tout ça ?

Capdevil sourit finement.

— Je suis un fouineur, ne l'oubliez pas !

« Uniquement pour les choses qui vous intéressent », a envie d'ajouter sa supérieure, mais elle n'en a pas la force.

— Un jour, explique-t-il, j'ai dû aller chercher des renseignements dans les archives du cadastre de la ville pour une enquête. Je suis tombé là-dessus. J'ai fait des photocopies des plans et je suis venu voir. J'étais loin de penser qu'on avait gardé ces souterrains en bon état et, surtout, qu'ils étaient accessibles.

— Et la clé ?

Le haussement d'épaules de Capdevil exprime une vague commisération.

— Une fois là, j'ai été surpris de dénicher ça...

Il balaie la pièce d'un geste large, désigne les armoires fortes :

— Elles n'étaient même pas fermées.

— Qu'est-ce qu'il y a dans ces caisses ? demande Marion en se penchant sur ce qui paraît être de vieux papiers, certains en vrac, d'autres réunis dans des chemises cartonnées à l'aspect peu engageant.

— Les archives mortes, explique le capitaine. Celles d'avant la guerre et de la période d'occupation. Celles qu'on ne trouve plus là-haut soit parce qu'on prétend qu'elles ont été détruites, soit parce qu'on n'a pas intérêt à ce qu'elles tombent entre toutes les mains. Celles dont on a honte mais qu'on garde quand même, parce que, dans la maison, on déteste jeter.

— Comme le dossier de Gus Léman, avance Marion, pleine d'espoir et de dégoût anticipé.

— Non, la déçoit Capdevil, il n'est pas ici. En tout cas, pas dans les armoires fortes ni classé à la période que vous m'avez indiquée. Toute trace de Gustave Léman a disparu, même aux RG où il ne reste qu'une vieille fiche dans un sabot qui porte le numéro 372/61 et un sigle que vous connaissez.

— OAS ?

— Exact. Mais c'est tout.

— Alors, pourquoi m'amener ici ?

— Vous allez voir !

Capdevil ouvre l'armoire du milieu, désigne trois gros registres recouverts de moleskine noire. Il tire une tablette métallique dissimulée sous l'étagère centrale et y dépose les trois volumes. Le cœur de Marion bat plus vite. Que va-t-elle encore apprendre de ce passé sans lequel elle avait bien vécu jusqu'ici, ignorante et sans regrets ? Elle pose sur les documents un regard noir et maudit violemment Gus Léman, l'estomac au bord des lèvres.

— Ce sont des registres de main courante du commissariat central de Lyon, explique Capdevil, établis entre 1961 et 1965. J'ai trié et gardé les plus intéressants.

— Mais quand avez-vous fait ça ?

— La nuit. Dès le moment où vous m'avez demandé de chercher. Vous voyez que je ne suis pas si mauvais que vous pensez...

— La nuit ? murmure Marion, abasourdie. Vous êtes venu toutes les nuits ici ?

— Oh, fait le capitaine, modeste, je viens là au moins deux fois par semaine. Toujours la nuit, bien sûr.

Marion le dévisage sans comprendre. Il la scrute de son regard aux reflets verts qui paraissent plus foncés à cause de la lumière sans pitié d'un néon suspendu au plafond. Il semble hésiter à lui livrer un secret, capital pour lui. Puis, se décidant subitement, il se dirige vers le troisième coffre-fort, manipule la combinaison, entrouvre les lourds battants et se retourne vers sa chef en masquant de son corps l'intérieur du meuble :

— Vous me jurez de ne rien dire à personne ? Je peux compter sur vous ?

Elle acquiesce d'un bref signe de tête. Cela ne semble pas suffire à Capdevil.

— Jurez !

Il y a une telle anxiété dans sa voix que Marion prend peur. Quels secrets honteux est-il venu dissimuler ici ? À quelle terrible révélation va-t-elle devoir faire face ? Malgré l'appréhension qui lui noue les tripes, elle s'exécute :

— Je vous le jure.

Alors, le capitaine s'efface et Marion en prend plein les yeux. L'armoire forte a été débarrassée de ses étagères, hormis celle du milieu qui supporte une Vierge moyenâgeuse bleu et or, assise en majesté sur un trône, et qui tient devant elle un coffre finement ouvragé. Autour de la statuette sont disposées des pièces d'orfèvrerie d'une grande finesse, rutilantes, dépourvues du plus infime grain de poussière. Et posés contre la paroi du fond, des toiles, des dessins, des gravures.

— Celle-là est un Picasso, celle-ci un Holbein. Là, c'est un Goya...

Capdevil roule les noms dans sa bouche comme s'il s'agissait de crus rarissimes arrachés au secret des Hospices de Beaune.

— Attendez ! proteste Marion. Vous me citez des noms prestigieux, comme ça... Ça vaut une fortune, ces toiles...

— Pensez-vous !

— Ce sont des faux ?

Le capitaine sursaute d'indignation :

— Non ! Seulement, ils portent des signatures contestées ou bien ils ne sont pas signés du tout.

Ça arrive que les peintres oublient, par distraction. Mais moi, je sais que ce sont bien des œuvres de ces peintres.

Marion fait la moue en se penchant pour regarder de plus près le dessin que Capdevil attribue à Goya.

— Ça, par exemple… Ce n'est pas signé.

— C'est un dessin autoportrait de Goya au fusain et à la craie de couleur… De sa dernière période bordelaise, quand il fuyait l'absolutisme et l'intransigeance de Ferdinand VII d'Espagne. Son travail est truffé de micro-signatures dans les cheveux, les rides du visage… C'est en quelque sorte sa marque de fabrique. Certains critiques pensent que de nombreux chefs-d'œuvre attribués à des peintres célébrissimes comme Léonard de Vinci ne sont que des copies exécutées par Goya dans sa période romaine. On avance même que la *Vierge aux Rochers* de Vinci, exposée au Louvre, est de lui…

Marion l'écoute, attentive et stupéfaite. Elle se détend, comme détachée de ses propres soucis, gagnée par la ferveur du capitaine qui enchaîne, le regard brillant, en désignant une huile qui représente un empereur romain :

— Celui-ci a été peint par Dürer, du moins c'est ce que je crois… C'est le portrait d'Agrippa von Nettesheim, un humaniste allemand renommé qui a résidé à Lyon et s'adonnait à la magie, comme le laisse supposer l'inscription latine entourant le tondo. Il était très lié avec Catherine de Médicis, qui l'a pris en grippe quand il lui a prédit que son mari mourrait jeune et qu'elle ne serait pas reine. Il a terminé sa vie dans la misère… Il utilisait le feu, les flammes pour voir dans l'avenir.

« Le feu, les flammes », pense Marion, qui se prend vraiment au jeu.

— Que signifie l'inscription latine ?

— « Qu'une juste récompense soit attribuée au travail de l'homme courageux… Que tombe sans vie celui qui croit aux fantômes. »

— Faut que je fasse gaffe, moi…, murmure-t-elle sous l'œil inquiet de Capdevil.

Marion laisse aller son regard des œuvres d'art insolites dans cette cave à la silhouette avachie de l'officier qui irradie une fièvre communicative.

— Mais pourquoi garder ça ici ? demande-t-elle.

Un masque de douleur remplace l'exaltation sur le visage de Capdevil. Il s'agite au rappel de mauvais souvenirs.

— J'ai acquis ces œuvres dans les salles des ventes, en économisant sur ma paie et grâce à de petites sommes héritées de mes parents. C'est tout ce que je possède… J'étais convaincu que l'endroit le plus sûr pour abriter ces merveilles était le coffre d'une banque… Il y a quatre ans, ma banque a brûlé. Entièrement. Les salles des coffres situées aux premier et deuxième sous-sols ont été inondées par les trombes d'eau déversées par les pompiers, et tout est resté en l'état, sous la flotte, pendant plus d'un an. Quand on a enfin dégagé et ouvert les coffres, je ne vous raconte pas l'enfer…

— C'est là que vous avez fait votre infarctus ? se souvient Marion, qui n'en avait jamais connu les circonstances exactes.

— Oui… Je n'ai sauvé que la Vierge et quelques toiles qui ne valent plus un sou… J'ai recommencé patiemment à en dénicher d'autres et jamais plus je ne les confierai à une banque. Ici, elles sont à l'abri, personne ne vient jamais.

51

Le silence n'est troublé que par le froissement des pages dont le papier craque parfois un peu trop fort parce que deux feuillets restent collés l'un à l'autre. Au fur et à mesure de ses découvertes dans les registres, Capdevil a placé des repères. Il jette un coup d'œil par-dessus l'épaule de Marion et remarque son air tendu, ses yeux écarquillés.

— Je suis tombé là-dessus par hasard, dit-il très vite.

Ce qu'il désigne du menton, c'est le compte rendu de l'intervention de patrouilles de la Sûreté nationale et des premiers enquêteurs sur un vol à main armée commis le 1er janvier 1965 dans les salons du Grand Hôtel de Lyon où se tenait une exposition prestigieuse. Des joyaux magnifiques, bijoux exceptionnels et pierres rares. Cerise sur le gâteau : un public trié sur le volet avec des femmes de la haute société parées comme des sapins de Noël des plus coûteux bijoux de la place Vendôme.

La main courante énumère les témoignages signalant l'irruption d'une dizaine d'hommes masqués et armés. Cela se passe à zéro heure, pile au moment où les éclairages se tamisent et où l'assistance échange ses vœux. Les femmes sont délestées de leurs parures en douceur, d'une main ferme mais courtoise. Les bijoux exposés passent subrepticement des présentoirs aux sacs des malfrats. L'opération ne dure que quelques minutes et, toujours selon les rapports, tandis que les hommes en armes maintiennent le public en respect, un des malfaiteurs fuit vers l'arrière de l'hôtel avec le butin.

C'est alors que la lumière est complètement coupée. Les braqueurs se replient, une fusillade éclate dans le hall, côté cour. La confusion est totale pendant plusieurs minutes. Des coups de feu font choir des gravats des plafonds, des miroirs explosent. Les gens hurlent dans le noir, leurs visages terrifiés éclairés de façon intermittente par les flammes de quelques intrépides porteurs de briquet.

Quand la lumière revient enfin, on relève un mort. L'officier de police Félix Marion tient encore en main le pistolet-mitrailleur MAT 49 dont on l'avait équipé pour assurer le service de sécurité de la manifestation. Lui et quelques maigres effectifs, réveillon de Saint-Sylvestre oblige.

La mention fait état de l'arrivée sur les lieux du procureur de la République, du maire de la ville et de la brigade criminelle. Enfin, elle précise qu'un compte rendu a été fait au commissaire de permanence de nuit.

Marion cesse sa lecture mais ne peut décoller les yeux de la double page rédigée au stylo noir, d'une écriture penchée. La voix de Capdevil éclate dans la pièce :

— J'ai pensé que vous aimeriez lire ça...

— Ça me fait tout drôle, murmure Marion, assommée. J'avais à peine trois ans, et malgré cela c'est comme si j'y avais assisté.

— Je comprends. Là où j'ai mis les repères, ce sont d'autres braquages, moins importants que celui-ci, mais toujours commis dans des circonstances analogues : hommes nombreux, bien entraînés, calmes et non violents. De jolis magots, quand même, de l'argent mais surtout des bijoux. Et toujours un dispositif de police maigrelet ou qui tarde à venir sur les lieux. J'ai essayé de traduire en monnaie actuelle le montant des préjudices : rien que le braquage de la Saint-Sylvestre représenterait plus de trente millions d'aujourd'hui... En revanche, je n'ai pas trouvé d'allusion à Gustave Léman.

— Il y était pourtant. C'était lui l'instigateur et l'organisateur du braquage.

52

Marion continue à feuilleter les mains courantes et commence à comprendre que ce qu'elle trimballe dans son coffre est de la dynamite pure. Elle n'a encore que des soupçons sur le rôle exact joué par les uns et par les autres, braqueurs et policiers. Capdevil, le nez plongé dans une caisse d'archives, recherche des documents relatifs à l'organisation des services de police à l'époque du braquage.

— Ces voyous bénéficiaient sinon de complicités, du moins d'une bienveillance au plus haut niveau des services, dit-elle. C'est obligatoire.

— Ces gens haut placés auxquels vous pensez, objecte Capdevil, je ne vois pas ce qui les inquiète aujourd'hui... Les faits dont il s'agit sont prescrits, ils ne risquent plus rien. Les activistes de l'OAS ont été absous, même ceux qui avaient tenté de tuer de Gaulle. Ou alors vous ne me dites pas tout.

Marion ferme un instant les yeux, pince le haut de son nez entre son pouce et son index.

— Vous savez, dit-elle, pour moi, ces braqueurs grand style n'étaient que des voyous qui voulaient faire leur pelote sur le dos d'une grande cause. Et, aujourd'hui, ce qui travaille leurs anciens complices c'est peut-être tout simplement l'envie de mettre la main sur le butin.

— Le fameux trésor de guerre de l'OAS..., commente l'officier. Je croyais que c'était une légende.

— Peut-être, en effet, la légende a-t-elle créé ce trésor de toutes pièces. En tout cas, l'argent du braquage de la Saint-Sylvestre, lui, était bien réel.

Capdevil pousse une exclamation sourde et relève la tête. Marion ne bronche pas. Elle a les yeux clos, elle est pâle, ses yeux sont bordés de cernes sombres. Le capitaine se demande depuis combien de temps elle n'a pas dormi. Elle est tellement immobile et perdue dans ses songes qu'il croit, un instant, qu'elle a sombré dans le sommeil. Mais le mouvement de sa main droite qui caresse distraitement la moleskine des registres le rassure. Il s'approche d'elle, un feuillet jauni à la main. Elle relève ses paupières, braque sur lui ses yeux noirs et l'examine comme si elle découvrait sa présence.

— Patron ?

— Oui, Capdevil..., souffle-t-elle avec lassitude.

— Vous avez cité le nom de Bernard Dunois tout à l'heure, je n'ai pas rêvé ?

— En effet ! s'écrie-t-elle en bondissant sur ses pieds. Pourquoi ?

Il agite la feuille format 21 × 27.

— Faites voir.

Marion lui prend des mains le papier jauni. C'est une note adressée aux chefs de service de la police lyonnaise et aux chefs des unités de gendarmerie. Elle demande la plus grande vigilance sur les activités de groupes « terroristes », émanations nostalgiques de l'OAS, avec lesquels, visiblement, les autorités ont encore maille à partir. Elle est signée Bernard Dunois, directeur de cabinet du préfet du Rhône.

— Il est passé par la préfectorale, lui ?

— Il a été en poste à Lyon de 1962 à fin 1965, commente Capdevil. Puis il est allé à Paris, dans un cabinet ministériel, et, quelques années plus tard, il s'est lancé dans la politique en se présentant comme député d'un parti de la droite modérée avant de changer de camp quand le pouvoir a changé de main... J'ai lu ça dans *Le Bulletin quotidien* quand il a été nommé à la Défense, au début de l'année.

Les destinataires sont nommés *in fine*. La plupart sont inconnus de Marion, sauf un : Marc Berthe, alors commandant en second de la délégation départementale de gendarmerie du département du Rhône.

Marion se sent fragile, un peu perdue. À qui peut-elle se fier ? Ses hommes – Naïma Meceri comprise – sont, à des titres divers, neutralisés. Ceux qui restent dans son groupe ne peuvent en aucun cas les suppléer. Elle doit laisser Gilles en dehors de ces affaires nauséabondes, et Paul Quercy, par son comportement des derniers jours et son brusque accès de carriérisme, a sévèrement amputé le capital de confiance qu'elle lui avait accordé.

Elle continue d'observer Capdevil, qui attend son bon vouloir, et elle hésite.

Que sait-elle de ce capitaine sinon qu'il est fragile, versatile, qu'un rien l'effraie et surtout la perspective des ennuis dans lesquels elle peut l'entraîner ? Elle sait toutefois qu'il est intelligent, sensible, et qu'il ne l'a jamais trahie. Mais aussi qu'il peut pécher par désintérêt ou légèreté ou parce qu'une jolie toile croise sa route.

Oh ! et puis qu'importe ! Ce soir, elle doit absolument parler à quelqu'un.

53

Ils ont apporté les trois derniers cartons jusqu'au repère de Capdevil. Le troisième sous-sol n'est pas équipé de caméras de surveillance et, puisque personne n'y vient jamais à cause des infiltrations d'eau et des rats gros comme des chats qui y rôdent, le risque de se faire surprendre est quasiment nul. Les cartons sont posés au milieu de la pièce et Capdevil souffle comme une locomotive en s'épongeant le front.

— Je ne sais pas ce qu'il y a là-dedans ! La vache ! c'est lourd comme du plomb.

Ce qui pèse, ce sont une dizaine d'armes de poing, trois MAT 49, deux Sten, deux fusils d'assaut, le tout impeccable, sans une trace de résidu de tir et soigneusement emballé dans des toiles cirées qui conservent les calibres bien imbibés dans leur graisse. Des munitions, elles aussi emballées, et qui ont traversé les années sans bobo, avec, à peine, une légère marque verdâtre d'oxydation ici et là. Des masques à gaz, des bombes lacrymogènes, des cagoules, des gants. Des cartes et des plans, des comptes rendus minutieux de préparation des opérations, la constitution des équipes, les debriefings, la liste des « prises », l'évaluation des butins. Tout ce que la presse a écrit sur les braquages de la bande figure, classé chronologiquement et par année, dans des chemises cartonnées. On peut les recouper sans peine avec les interventions relatées dans les mains courantes du commissariat.

À part deux attaques à main armée en 1962 à Paris, toutes les autres, quatorze au total, se sont déroulées à Lyon.

Capdevil est sur les fesses.

Ils achèvent de déballer le contenu des trois cartons. Il ne reste qu'une boîte à chaussures que Marion a mise de côté et qu'elle a interdite à Capdevil. Les lettres, son secret de naissance, les clés de son roman familial.

— C'est personnel…, a-t-elle proféré d'une voix rauque.

Ils ne disent plus rien. Le silence de tombeau qui règne dans la cave est ponctué parfois d'une exclamation involontaire. Ils ont étalé le butin comme ils l'auraient fait lors de l'arrestation d'une équipe de « beaux mecs » avant de poser pour la postérité ou un photographe de presse. De temps en temps, Capdevil lève les yeux pour observer sa chef de groupe et tenter de déchiffrer sur son visage tendu l'effet que produit sur elle la désormais certitude que son père, s'il ne commettait pas lui-même les braquages avec Gus et sa bande, en avait connaissance et les facilitait.

Les notes évoquant les préparatifs des actions font état de la présence systématique de Félix Marion en service. C'était lui le premier intervenant de la brigade et il prenait son temps, laissant aux autres celui de s'enfuir, nettoyant parfois derrière eux leurs oublis – rares. Quand ce n'était pas possible ou pas suffisamment verrouillé, la bande « démontait » le coup, renonçait.

Marion a le sentiment que Gustave Léman et Félix Marion ont été inséparables jusqu'au bout et qu'après le braquage durant lequel son ami a trouvé la mort tout s'est arrêté pour Gus aussi, puisque, passé cette date fatidique, il n'y a plus rien. Plus de cartons, plus de lettres.

Capdevil plonge à son tour dans les coupures de presse que Marion a fait défiler à la hâte, sans les lire. Le capitaine ne se presse pas, s'attarde sur un papier, farfouille, revient en arrière. Il se redresse, un peu pâle, les joues mangées d'une barbe drue, poivre et sel.

— Il y a un autre truc marrant, fait-il, lugubre. Vous savez qui était chef de la brigade criminelle en 64 et 65 et qui a enquêté sur la mort de votre père ?

Elle se fige et le regarde. Elle s'attend au pire. Elle entend un homme à la voix tonitruante lui rappeler qu'il a occupé son poste avant elle, quand il était un jeune blanc-bec de commissaire et croyait tout savoir sur tout, comme elle aujourd'hui. Capdevil lui tend la feuille de journal illustrée d'une photo.

— Paul Quercy !

54

En remontant à la surface, elle a eu besoin de faire quelques pas dans la cour, de respirer l'air frais et de sentir autour d'elle les mouvements habituels du commissariat, d'entendre les blagues douteuses des gardiens, les cris des camés dans les geôles. Les portes des voitures de police claquent, les lumières bleues des gyrophares propulsent sur les visages des ombres cadavériques.

C'est chez elle, ici. Ces flics qui la dévisagent du coin de l'œil sont sa famille, puisque, à part Nina, elle n'en a pas d'autre. Elle pense à elle, tout à coup, et à Gilles. Il n'est pas encore très tard, elle se demande pourquoi elle n'a pas eu un petit coup de fil, ne serait-ce que pour lui annoncer qu'ils sont bien arrivés. Elle programme sur l'Alpha le numéro du portable de Gilles et n'obtient, après quatre ou cinq sonneries, que sa messagerie... « Vous êtes en relation avec Gilles Andrieux, veuillez laisser un message. » Elle s'exécute et se trouve une voix de malade qui doit bien aller avec son teint de déterrée et son allure générale, dont elle prend conscience au regard étonné des flicards qui la croisent.

Capdevil est allé se laver les mains.

Elle lève la tête vers le ciel où quelques étoiles bataillent avec les nuages qui masquent une bonne moitié de la pleine lune décroissante.

Au cinquième étage, la lumière brille à la fenêtre de Paul Quercy.

55

Elle frappe et entre sans attendre la réponse. Il est assis, tourné vers la fenêtre, les pieds croisés posés sur son bureau. Il téléphone tout en fumant un petit cigare qui empeste l'atmosphère. L'apparition de Marion fait froncer ses sourcils broussailleux.

— Je vous ai dit d'entrer ?

Marion est parvenue jusqu'au grand bureau de faux acajou vernis et elle y prend appui des deux mains. Il n'a pas besoin d'un discours pour comprendre qu'elle ne va pas très bien et qu'il ne s'en débarrassera pas avant qu'elle ait vidé son sac.

— Je te rappelle, murmure-t-il à son interlocuteur.

— Vous m'avez trompée, Monsieur le directeur. Vous êtes un fourbe et un menteur.

Estomaqué, Quercy ouvre la bouche et la referme, en oublie même de téter son cigarillo. Il décroise les jambes, reprend une pose de directeur, les avant-bras appuyés sur le bord de son bureau, comme un curé sur le point d'attaquer un sermon.

— Écoutez, commissaire, je n'ai pas de temps à perdre avec vos états d'âme, et si vous avez vos nerfs, il va falloir vous défouler ailleurs. J'ai demandé la suspension de Meceri parce que je ne pouvais pas faire autrement et pour la protéger. Mais, je vous rassure, le capitaine Prunier va passer au trapèze, demain. Vous avez convaincu nos amis de l'IGPN, vous êtes satisfaite, au moins ? Tiens, à propos de Meceri, j'aimerais bien savoir où elle est à l'heure qu'il est... Vous n'auriez pas une petite idée là-dessus, par hasard ?

— Ce n'est pas de cela que je veux vous parler.

Marion a parlé sèchement, son regard noir planté au fond de celui de Quercy. Pris à contre-pied, il paraît déconfit.

— Ah bon ! Et de quoi allons-nous parler dans ce cas ?

— De Gus Léman et de la mort de mon père.

— Je ne vous en ai jamais parlé parce que ce ne sont pas de bons souvenirs. Je voulais vous préserver.

— Moi aussi ? Décidément, c'est une manie chez vous... Je ne vous crois pas. Ce n'est pas moi que vous protégez.

Elle le défie d'un regard assassin.

Il se lève, les mains dans la quincaillerie de ses poches, plus énervées que jamais.

— C'est vous que vous protégez, et quelques-uns de vos amis aux mains sales.

Il esquisse un sourire ironique :

— Pas possible ? Et lesquels ? Oh ! c'est juste une question pour voir...

217

— Ceux-là.

D'un geste vif, elle brandit sous son nez la photo prise sur une place d'Alger, puis la plaque sur le bureau avec violence.

— Ne me dites pas que vous ne les reconnaissez pas ! s'exclame-t-elle alors qu'il lui semble que le directeur change de couleur. Le petit dont on ne voit pas le visage, là...

— C'est moi, oui, et alors ? explose Quercy. Je n'ai jamais caché que je connaissais votre père ni que j'avais vécu et travaillé en Algérie. C'est même là-bas que j'ai passé le concours. Ce n'était pas très compliqué, à cette époque, de devenir commissaire, on nous courait après...

— Ne cherchez pas à noyer le poisson. Je veux savoir pourquoi vous avez prétendu ne pas connaître Gus Léman.

— Je n'ai rien dit de tel. J'ai refusé d'en parler, c'est tout.

— Gustave Léman était un braqueur, assène Marion, outrée de la mauvaise foi de Quercy. Il a commis des braquages dans la région, quatorze très exactement, avec une bande de voyous, tous membres de l'OAS. Vous ne pouviez pas l'ignorer, au poste que vous occupiez alors. Mon père était sous vos ordres...

Quercy interrompt Marion d'un geste.

— Comment t'es-tu procuré cette photo ?

— Peu importe ! Vous ne vouliez pas que je sache la vérité, avouez-le.

— Mais quelle vérité, nom de Dieu ? Ton père était un bon flic, un peu casse-cou, mais c'était de son âge. D'ailleurs, on avait le même âge à quelque chose près, sauf que j'étais déjà commissaire et lui

218

officier. Il a fait partie de mon groupe et il est resté au tapis un soir de réveillon. C'est tout.

— Non, ce n'est pas tout. Il a côtoyé ces voyous.

Quercy sort les mains de ses poches, lève les bras au ciel.

— Elle est bien bonne, celle-là ! Mais, figure-toi, fillette, que les flics ça côtoie des voyous tous les jours. Tu n'avais pas remarqué, peut-être ?

De nouveau, Quercy prend la tangente.

— Arrêtez de jouer à ça avec moi, vous savez très bien ce que je veux dire. Mon père était l'ami de Gustave Léman. Il ne pouvait pas ignorer ses activités. Ni vous non plus.

Quercy s'est arrêté de marcher de long en large. Il aspire une longue bouffée de son cigare et la rejette aussitôt, créant autour de lui un nuage nauséabond.

— Je veux que vous me disiez ce que vous savez, continue la jeune femme, impassible.

— Écoutez, jeune fille, soupire Quercy, excédé, vous me fatiguez. Il n'y a rien à savoir. Gustave Léman braquait, on n'a jamais eu de billes pour l'arrêter et, quand on aurait pu le faire, il a disparu. Quant à ton père, il le connaissait, c'est un fait... C'était son indic.

— Quoi ?

— Son informateur.

— Sur quoi ?

— Tout et rien. D'autres braqueurs, des proxos...

Quercy ment. Il improvise au fur et à mesure.

— Et vous, son chef de groupe, vous n'en saviez pas plus sur ces... relations ? Vous n'avez pas établi de dossier sur Léman ?

— Non, pas d'éléments, pas de dossier.

Quercy continue de mentir. Marion le sait, puisque, après avoir quitté la cave de Capdevil, elle est allée rôder à « la mine », la salle souterraine où sont entassés les dossiers de quelques décennies du crime dans la région. Les archives vivantes, traduirait le capitaine amateur d'art. Potier, le chef bègue des lieux, traînait là comme tous les soirs, chargé à bloc. Elle n'a eu aucune peine à lui faire avouer qu'il avait remis le dossier Léman à Paul Quercy en personne au début de la semaine. Que celui-ci le lui avait rendu une heure plus tard et qu'il l'avait rangé à sa place. Sans s'apercevoir qu'il n'y avait plus rien dedans qu'une vieille RIF et une déclaration de perte de papiers. Elle a poussé Potier dans ses retranchements et il s'est souvenu du jour et de l'heure : c'était juste après qu'elle eut annoncé à son patron la mort de Gus Léman et son voyage à Dijon.

Quercy la toise.

— C'est tout ce que vous vouliez savoir ? Vous êtes contente ?

— Non.

— Vous commencez à m'emmerder. Il est une heure du matin, j'ai encore du boulot à cause de toutes vos foutues conneries et j'aimerais bien dormir une heure ou deux.

— Je ne partirai pas d'ici tant que vous ne m'aurez pas dit pourquoi on me menace.

Cette fois, Quercy se bloque, toute hargne directoriale ravalée.

— On vous menace ? éructe-t-il.

— Oui, on fait même pire, on m'agresse. Le vol de mon sac, c'était une tentative de meurtre. Voilà. Regardez !

Elle abaisse prestement son pantalon de jogging qui a pris la teinte indécise de la palette d'un peintre qui aurait trop mélangé les couleurs. Le haut de sa cuisse et sa hanche blessée présentent une apparence pas brillante, dans les tons violet foncé marbré de rouge. Sur la peau arrachée s'est formée par endroits une croûte encore à vif. Quercy contourne le bureau, pose un regard consterné sur la blessure, revient s'asseoir sans mot dire.

— Je ne laisserai personne vous faire du mal, dit-il longtemps après, d'une drôle de voix. Mais si vous savez quelque chose à propos de Léman, il vaudrait mieux me le dire.

Marion remonte son pantalon tandis qu'une petite alarme s'allume au rouge dans son cerveau. Sans doute en a-t-elle déjà trop dit à ce chef en qui elle n'a plus confiance. Alors, ses déboires avec les gendarmes de Mirabel, la mort de Me Renoir, les attaques contre la maison et l'étude de Suzanne, elle décide de les garder pour elle. Tout comme les preuves qui cohabitent à présent au sous-sol avec les merveilles de Capdevil.

— Je ne sais rien, ment-elle, Léman ne m'intéresse pas.

Elle penche le buste en avant.

— Je veux juste connaître la vérité sur la mort de mon père.

Quercy tire longuement sur son cigare. La pièce, pourtant vaste, est empuantie. Il hoche la tête, se relève, revient jusqu'à Marion, pose une main qu'il veut rassurante sur son épaule mais qui lui procure, à elle, une sensation déplaisante.

— Écoute, fillette, profère-t-il de son insupportable ton paternel, tu veux savoir... Tu veux toujours tout savoir.

— C'est pour ça que je suis un bon flic...

Quercy écarte l'interruption de Marion d'un geste irrité.

— Bien sûr ! Mais il y a des choses qu'il vaut mieux ne pas savoir. On s'en porte mieux, crois-moi !

— Pas moi. C'est la vérité qui me nourrit !

Il la fixe, tire une nouvelle bouffée, l'expulse lentement. Il secoue la cendre au-dessus d'une corbeille remplie de bouts de papier déchiquetés. Il semble soudain très fatigué.

— C'est incroyable ! dit-il sans la regarder. Tu es incroyable !

— Allez-y, le défie-t-elle, je suis prête.

— Ton père a trempé dans les braquages de Léman. Je ne sais pas comment tu as deviné ou appris ça, mais c'est un fait. On s'en doutait tous, ici. Ils étaient très forts parce que très unis, comme des frères. Le soir de la Saint-Sylvestre, il y a eu une embrouille entre eux, à cause du butin. Gus a voulu s'arracher tout seul avec les bijoux et ton père est intervenu.

— Vous voulez dire ?...

— Ton père, c'est Gus Léman qui l'a tué.

56

Marion est rentrée chez elle et n'a pas supporté la maison vide, le garage encore éclairé avec le gros des cartons empilés qui prouvent qu'elle n'a pas rêvé, qu'elle n'est pas dans un cauchemar dont elle va sortir, le cœur en folie mais soulagée de remettre les pieds dans un monde à l'endroit. Elle n'a pas davantage supporté, en renouvelant ses appels à Gilles, de ne recevoir en écho qu'une voix synthétique et désincarnée. Elle s'est exhortée au calme et à la patience en supposant que son fiancé et Nina, fatigués, ont voulu dormir en paix. Bien que ce ne soit pas, mais pas du tout, un comportement qu'elle puisse attendre de cet homme carré.

Elle a donc demandé à Capdevil de l'héberger pour la nuit. Bien que contrarié – le capitaine n'aime pas les visites intempestives qui dérangent son pré carré de célibataire –, celui-ci n'a pas osé dire non.

Capdevil habite en plein centre de Lyon, rue de la Barre, et son salon est éclairé en permanence par les flashs de l'enseigne de la pharmacie qui occupe le rez-de-chaussée de l'immeuble. Ils ont discuté une partie de la nuit en buvant des bières que l'officier est allé chercher à la brasserie du coin. Au terme de quoi, ils n'ont pas réussi à trouver une explication convaincante à l'attitude de Quercy, sinon que leur chef a quelque chose sur la conscience et qu'il faut s'en méfier.

Marion n'a pas fermé l'œil de la nuit et c'est encore plus fourbue qu'elle revient à la maison de la « montagne » pour se laver et se changer.

À huit heures et après deux appels, Gilles ne répond toujours pas au téléphone. Le sachant matinal, la jeune femme commence à être vraiment inquiète.

La porte principale de la maison est fermée à clé, mais, dès qu'elle atteint l'entrée, Marion s'arrête comme un chien de chasse qui a reniflé la piste d'un renard. Elle fait le tour de la maison et sait immédiatement que quelqu'un y a pénétré. Rien n'a été dérangé, rien n'a été emporté. Pas même les rares bijoux qui lui viennent de sa mère et qu'elle ne porte jamais, ni ses prises de guerre : deux vieux automatiques MAB, quelques armes blanches, des coups-de-poing américains et une collection de paires de menottes. C'est en repassant devant la porte entrouverte qui mène au garage qu'elle comprend et se précipite.

En apparence, rien n'a changé. Les cartons sont à leur place.

Tendue, Marion inspecte les emballages et leur contenu. À première vue, elle jurerait que tout y est, du moins tout ce qu'elle n'a pas emporté dans le repaire secret de Capdevil. Les souvenirs d'enfance de Gus Léman n'ont pas intéressé les visiteurs. La porte à deux battants du garage est fermée, elle n'a pas été fracturée non plus.

Figée au milieu du sous-sol, sourcils froncés, Marion revient sur le moindre de ses gestes de la soirée. Se remémorant son départ dans la précipitation et son trouble, elle en conclut qu'elle a tout simplement oublié de verrouiller la porte.

Ils n'ont eu qu'à entrer.

Elle se demande fugitivement ce qui se serait produit si elle avait été là...

57

À neuf heures, la sonnerie aigrelette de l'Alpha lui donne l'espoir qu'enfin Gilles a écouté sa messagerie.

Ce n'est que Suzanne.

— J'ai passé une nuit blanche à cause de toi, dit la notaire.

— Naïma ?

Suzanne a un petit rire triste.

— Non, je ne pense pas être son genre, malheureusement. Elle est belle comme un cœur pourtant, mais pas très loquace. Elle dort encore. Je me suis creusé la tête pour trouver une réponse à ta question.

— Ma question ? s'étonne Marion, qui, encore sous le choc de sa dernière nuit, a complètement oublié de quoi il s'agit.

— 26, boulevard Richard-Lenoir...

— Ah ! Excuse-moi, ça m'était complètement sorti de la tête... Eh bien ?

— Je me suis souvenue que mon père avait gardé de son lointain passé de gérant de biens immobiliers un petit portefeuille d'appartements et propriétés. C'est très limité, en fait, mais il avait continué à s'en occuper pour des clients à situation spéciale, qui vivent à l'étranger par exemple.

— Et tu as découvert l'appartement du boulevard Richard-Lenoir dans la liste...

— Bravo !

— Qui occupe l'appartement ?

— Il est loué depuis 1965... Actuellement à un médecin, le Dr Lefranc.

225

— Qui est le propriétaire ?

— Inconnu au bataillon. J'ai demandé à Josée, elle en a entendu parler une ou deux fois par papa, mais elle ne l'a jamais vu. Il n'y a aucune adresse, seulement un nom. C'est un certain Arthur Clair.

58

Marion a rassemblé quelques effets et, cette fois, elle prend soin de fermer soigneusement les volets et la porte du garage. Tout en sachant que cela ne saurait empêcher des cambrioleurs, même inexpérimentés, de s'introduire chez elle. Elle a cependant l'intime conviction qu'il n'arrivera plus rien à sa maison. Les visiteurs n'ont pas trouvé ce qu'ils cherchaient – et pour cause. Avec un peu de chance, ses ennemis sont tranquillisés : ils ont compris comment Gus Léman a fait irruption dans sa vie et ce qu'il lui a transmis. Aucune preuve de leurs forfaits passés. Et si c'est de l'argent qu'ils veulent, ils vont aller ailleurs.

Au moment où, dans le vestibule, elle se retourne une dernière fois avant de fermer la porte, un détail lui saute aux yeux : le tableau a disparu.

Avant de se mettre en route pour Dijon, elle donne rendez-vous à Capdevil à l'hôtel de police. Après une demi-heure au service balistique à examiner les éléments sur lesquels les spécialistes ont bâti leurs rapports après la fusillade du Chien qui fume, elle en est ressortie perplexe.

Le capitaine est déjà attablé devant un petit déjeuner gargantuesque à la cafétéria, quasiment déserte à cause du week-end. C'est le seul endroit où Marion est sûre que personne ne pourra l'espionner. Capdevil s'est rasé et sent l'eau de Cologne.

— La PJ de Dijon a commencé officiellement l'enquête sur le meurtre du notaire, dit-elle. L'autopsie a lieu cet après-midi et Suzanne, la fille de feu Mᵉ Renoir, va être entendue en fin de matinée. Les collègues souhaitent que je sois présente.

Capdevil hoche la tête, la bouche pleine.

— Je peux vous confier ça ?

Elle pose la main à plat sur la boîte à chaussures dont elle n'a pas voulu lui montrer le contenu dans la cave.

— Mettez-la en lieu sûr, mais ne l'ouvrez pas, s'il vous plaît. C'est vraiment très... personnel et je ne peux pas l'emporter avec moi... S'il m'arrivait quelque chose, détruisez-la. D'accord ?

— Bien sûr, patron, murmure Capdevil, la cuiller en l'air. C'est si grave ?

Elle fait la moue.

— Oui... Non... Je ne sais pas. C'est personnel, répète-t-elle, des choses de... de ma vie.

Ils finissent d'avaler un thé déjà froid et Capdevil essuie la graisse du croissant qui a coulé sur son menton. Ils procèdent à un échange de téléphones portables : Marion rend Alpha 1 et prend possession d'Alpha 2. Elle a posé son appareil personnel à côté d'elle et le regarde avec rancune : Gilles est toujours déconnecté.

— Capitaine ?

— Oui, patron ?

— Je voudrais que vous fassiez un repérage de mobile...

— Mais on est samedi... Je comptais aller à une vente cet après-midi...

— Mon... fiancé ne répond pas depuis hier soir.

Capdevil ébauche un sourire entendu que Marion désamorce aussitôt :

— Nina est avec lui. Ils sont partis pour le week-end du côté de Deauville. C'est là que nous devions aller en vacances tous les trois. Mais Gilles voulait me faire une surprise, je ne sais pas où il avait réservé.

— C'est malin, marmonne Capdevil pour dire quelque chose. Avec tout ce qui se passe autour de vous en ce moment !

Marion se tord les mains.

— Qui va signer la réquisition ? s'inquiète le capitaine.

— Mais vous, bien sûr ! Vous êtes OPJ, non ? Accrochez-vous à une CR[1] en cours... Ce n'est pas ce qui manque dans le service, les CR...

— Et Quercy ?

— Ah ! surtout pas un mot au boss... Je ne veux pas qu'il se mêle de ça.

— Vous lui avez parlé de nos trouvailles de cette nuit ?

— Bien sûr que non. Je suis sûre qu'il n'est pas clair, malgré ses grands airs, genre « ma petite fille, il y a des choses que je *dois* faire pour vous protéger »...

---

1. Commission rogatoire, délivrée par un juge d'instruction.

— C'est pas possible ! se lamente Capdevil. On peut plus se fier à personne, alors ? C'est bizarre, vous dites ça comme vous parleriez de la météo…

— Ce n'est pas lui qui me fait peur.

— Je ne comprends rien.

— Moi non plus, Capdevil, je ne comprends pas tout. À vrai dire, je comprends de moins en moins. J'ai l'impression d'avoir affaire à des pros et en même temps à des débutants…

— Comme s'il y avait deux équipes ?

— En quelque sorte…

Elle réfléchit, visage soucieux, sourcils rapprochés.

— Oui, enchaîne-t-elle, c'est exactement l'impression que j'ai. Des pros et des blaireaux. Allez, ne traînez pas… Et n'oubliez pas d'aller voir Talon. Il n'a que Lisette et vous aujourd'hui…

Ignorant la moue dépitée du capitaine qui voit son après-midi définitivement fichu, elle ramasse le sac de Sonia Bonte, y fourre son portable et Alpha 2 et se lève pour partir.

— Ah ! fait-elle en se retournant si brusquement que Capdevil sursaute, encore un truc ! Le château…

— Hein ? Quoi ? Quel château ?

Le capitaine roule des yeux de hibou malade. Puis il se frappe le front.

— Ah oui, le château… Faut suivre avec vous, bougonne-t-il. Qu'est-ce qu'il a, le château ?

— Il a disparu. Enfin la toile. Quelqu'un est entré chez moi et l'a piqué. Il faut vous mettre là-dessus rapido. Je ne sais pas quel rôle il a dans l'affaire, mais j'ai l'impression que je ne suis pas la seule à m'y intéresser.

59

Le Dr Lefranc est dermatologue et en consultation. Son assistante ne connaît pas les conditions de la location de l'appartement transformé en cabinet médical cinq ans auparavant, mais elle affirme n'avoir jamais eu connaissance de l'existence d'une cave. Sinon, elle l'aurait bourrée jusqu'à la gueule de tout le bric-à-brac qui encombre le cabinet. Marion, qui profite d'une pause dans une station-service de l'autoroute pour téléphoner, entend une grosse voix rouspéter derrière la femme, et un homme enjoué vient dans la foulée la remplacer au bout du fil.

— Docteur Lefranc ! C'est à quel sujet ?

Marion se présente, recommence son histoire. Le médecin écoute puis :

— C'est drôle que vous me parliez de la cave !

— Ah ?

— Il y a cinq ans, quand j'ai loué l'appartement, pas moyen d'obtenir la disposition de ce local. Personne n'en avait bénéficié avant, du reste. Le propriétaire en conservait la jouissance selon son bon vouloir et *ad vitam æternam*, c'était écrit dans le bail. Et puis, il y a une bonne semaine, j'ai reçu une lettre de Me Renoir, le gestionnaire, m'annonçant que la cave était disponible... Ne me dites pas que vous allez la récupérer ?

Marion le rassure. Elle sait à présent où avaient été entreposés les cartons. Ils étaient restés là où Gus les avait rangés du temps où il vivait chez Agnès Moreau. Elle calcule à toute vitesse ce qu'elle sait de la vie de sa mère qui avait quitté

Paris et Gus pour s'installer à Lyon avec Félix en 1963, quelques mois après sa naissance. Gus Léman avait suivi le couple, avec sa bande de braqueurs. Après la mort de son mari, Agnès avait vendu l'appartement de Paris à cet Arthur Clair.

Marion tressaille. Elle capte vaguement le bagout du dermatologue qui n'en finit pas de lui expliquer l'intérêt vital de cette cave pour son équilibre et celui de ses patients qui trébuchent dans les boîtes d'archives et d'échantillons pharmaceutiques. Sans parler de son assistante et de la femme de ménage qui piquent des crises quotidiennes...

— Mais quelle imbécile ! s'exclame Marion. J'ai du yaourt dans le cigare ou quoi ? Arthur Clair ! Claire Arthur...

Claire Arthur était la fiancée de Gustave Léman. Pour une raison encore obscure, à un moment de sa vie, Gus Léman a choisi de s'appeler Arthur Clair.

60

Sonia Bonte a retrouvé son air serein et son assurance sous ses allures maniérées. Elle a écouté Marion lui faire part des raisons pour lesquelles leurs conversations téléphoniques avaient été connues du commandant Martinez sans l'interrompre. Elle s'est plongée dans une réflexion grave, puis elle a pris sa décision : elle fait confiance à Marion.

Cela étant acquis, elle est aussitôt passée à la présentation pré-autopsique de Me Renoir. Bien qu'elle ne soit pas concernée par l'enquête, Marion a assisté à l'opération avec son homologue de la PJ de Dijon et son équipe. En réalité, c'est Suzanne qui le lui avait demandé puisqu'on lui interdisait à elle, sa fille qui aurait voulu être flic, d'être présente.

— Tu n'y penses pas, l'a calmée Marion, une autopsie c'est déjà insupportable quand on ne connaît pas le mort, alors un proche, tu imagines…

Elle lui a affirmé que tout se faisait dans le respect de la dignité du défunt et que tout ce qu'on raconte parfois à ce sujet est pure invention – gardant pour elle le souvenir de quelques plaisanteries douteuses qui représentent le plus souvent une soupape indispensable à l'équilibre des légistes et de leurs assistants.

Marion a pu constater que Me Renoir était encore un fort bel homme. Sans doute Suzanne tient-elle de sa défunte mère cette carnation laiteuse, sa chevelure de feu et sa frêle silhouette, car son père était très brun et très athlétique.

— Cardiaque et accablé de maux divers dont une cirrhose du foie en pleine expansion, comme en atteste l'épanchement excessif de liquide dans son abdomen, a asséné la légiste, ajoutant que l'enveloppe charnelle est parfois trompeuse. Pour le reste, tout semblait aller pour le mieux et le notaire aurait pu vivre encore de longues années.

Sonia Bonte a déterminé que six coups violents avaient été portés à Georges Renoir, principalement sur le crâne et la face, l'un d'entre eux lui ayant coupé le frein de la lèvre supérieure et fracturé une incisive, et un second enfoncé le temporal droit avant que son agresseur lui serre le cou à mains nues.

Tandis que l'assistant procède à la restauration du corps, un vieil homme à l'air accablé entreprend le nettoyage de la salle. Marion est restée en retrait et attend que le Dr Bonte ait fini de se laver les mains et les avant-bras.

La légiste s'essuie soigneusement et se frictionne avec un gel qu'elle a extrait d'un grand flacon.

— Antibactérien, commente-t-elle sobrement. Alors ? On le prend, ce thé ?

Un moment plus tard, tournant sa cuiller dans le liquide fumant d'un geste élégant de ses mains manucurées auxquelles elle a remis leurs bagues, elle répond aux questions de Marion :

— Je n'ai pas encore les résultats des prélèvements que j'ai effectués au crématorium. J'ai rappelé le service de biologie ce matin, ils sont débordés. Demain, j'espère…

— Je regrette, s'excuse Marion, de vous avoir causé des soucis…

— Ce n'est rien, élude Sonia Bonte. N'en parlons plus ! Ce type ne me fait pas peur. D'ailleurs, je ne l'ai pas revu.

Elle arbore un tailleur parme gansé de rouge dont Marion jurerait, bien qu'elle soit ignare en la matière, qu'il vient de chez un grand couturier. Son chignon et son maquillage doivent la mobiliser une heure matin et soir, et on devine qu'elle n'a pas obtenu cette silhouette parfaite en passant l'aspirateur ou en lavant les carreaux.

— Mon mari est un grand chirurgien, explique la légiste sur un ton ironique comme si elle avait deviné les pensées de la commissaire simplement vêtue d'un jean, d'un polo Lacoste et d'un blouson de daim vert bouteille un peu lustré autour des poches. Il gagne beaucoup d'argent et... j'en profite...

Elle se penche au-dessus de la théière qui laisse échapper le délicat parfum d'un Darjeeling de grande classe.

— ... à fond, dit-elle avec une expression de totale jouissance, qui laisse Marion pantoise.

— Vous avez bien raison, répond celle-ci finalement. Moi, je ne sais pas faire ce genre de chose. Et je n'ai jamais le temps de m'occuper de moi !

Sonia Bonte fait un geste signifiant que cela n'a pas d'importance et reprend, sérieuse :

— Je vous trouve très belle et je vous envie parce que c'est votre nature. Vous n'avez besoin d'aucun artifice. Les hommes vous feront la cour jusqu'à un âge avancé et vous vivrez cent ans si vous arrêtez de vous faire bousculer par des motos ou des gens en armes... Vous attendez quoi de moi, au juste ?

— Ouf, sourit Marion. C'est vrai, docteur, j'ai quelque chose à vous demander.

Elle a toujours le sac publicitaire que Sonia Bonte lui a prêté puisque, entre son voyage en voiture de Lyon à Dijon, sa visite à la PJ et l'autopsie de Me Renoir, elle n'a pas eu une minute à elle. Elle en sort une pochette translucide dans laquelle elle a roulé en boule le mouchoir en papier de la cheminée de Charmes. Même à travers le film plastique, l'odeur dont il est imprégné est perceptible. Sonia Bonte fronce le nez.

— Beurk, cette odeur, dites donc !

Elle saisit le sachet, l'examine sous toutes les coutures, l'entrouvre et le renifle à bonne distance.

Elle se mord la lèvre inférieure comme si elle cherchait à attraper un souvenir volatil.

— Ça me fait penser à quelque chose…, murmure-t-elle.

— C'est un baume, genre remède de bonne femme. M. Léman s'en servait pour soulager les effets de son… épidermolyse bulleuse. Vous avez sans doute repéré cette odeur sur son cadavre.

La légiste se concentre, secoue lentement la tête en faisant valser les gros anneaux d'or qui ornent ses oreilles.

— Non, ce n'est pas là… je m'en souviendrais. Mais ça me reviendra peut-être… Que voulez-vous que je fasse ?

— Je n'en sais trop rien. Analyser ce mouchoir, à toutes fins utiles, comme on dit… C'est officieux, bien sûr, et il ne faudrait surtout pas en parler au beau commandant…

— Vous me prenez pour qui ?

Elle penche la tête et remarque l'air soucieux de Marion, son visage chiffonné par une angoisse qu'elle parvient mal à dissimuler.

— Des ennuis ?

Marion n'est pas venue pour raconter sa vie à Sonia Bonte. C'est une chose qu'elle ne sait pas faire, pas plus que se maquiller ou se faire les ongles. Cependant, elle aimerait se confier. Comme elle s'y attendait, Capdevil a localisé le portable de Gilles sur la côte normande. Il a capté les appels de Marion relayés par trois balises, ce qui, à l'examen de la carte des implantations, lui dessine un champ allant de Deauville à Cabourg et en supposant que le fiancé ait effectivement choisi une villégiature en bord de mer. Jusqu'à présent,

235

les hôtels interrogés n'ont pas donné de réponse positive quant à la présence de Gilles Andrieux et de Nina Marion dans leurs murs. Alors soit Gilles ne peut pas répondre, soit il se tait volontairement. Marion ne sait plus que penser.

Elle lève les yeux sur le visage attentif de Sonia Bonte.

— Non, lâche-t-elle d'une voix incertaine. Enfin, ce ne sont pas vraiment des ennuis, de petits soucis plutôt… En fait, j'ai eu l'occasion de parler avec un dermatologue de la maladie de M. Léman.

— C'est ça qui vous tracasse ? Ce n'est pas contagieux, vous savez.

— Je sais, seulement transmissible génétiquement. Je me demandais si la transmission était obligatoire. Disons, systématique, vous comprenez ?

— Mais non, ce n'est pas systématique. Toutefois, les risques sont grands. Et ça peut aussi sauter une génération.

— Comment ça ?

— Un descendant d'une personne malade peut être porteur sain et transmettre le gène infecté à ses enfants.

— Ah bon ? Moi qui croyais…

Elle attendait une autre réponse, elle a espéré un bref moment que Sonia Bonte lèverait une fois pour toutes le doute qui la mine. Ses épaules se voûtent. La légiste se penche.

— Mais dites-moi ce qui vous met dans cet état, je peux peut-être vous aider…

— Gustave Léman affirme que je suis sa fille.

61

Le retour à Charmes était inscrit dans la logique des événements. Pourtant, une angoisse croissante doublée de culpabilité étreint Marion : au lieu d'être là sur cette route de Bourgogne, elle devrait être en Normandie, en train de retourner ciel et terre pour retrouver son fiancé et sa fille.

Il est dix-sept heures trente, le soleil est encore haut à cause de l'heure d'été et la nature resplendit, lavée par les pluies d'orage.

Marion conduit machinalement et à petite vitesse. De son portable personnel, elle appelle Capdevil pour s'entretenir de banalités et rassurer ceux qui l'écoutent. Il en profite pour lui annoncer que la santé de Talon se dégrade : la balle collée à sa vertèbre s'est déplacée imperceptiblement sous l'effet d'un remue-ménage interne, et personne n'est optimiste. Il promet de passer la nuit auprès de son collègue, « ce qui, ajoute-t-il, sera moins agréable que la nuit dernière ».

— Eh, se récrie Marion, à vous entendre on pourrait croire qu'on a couché ensemble ! Je rêve !

Elle change de téléphone pour s'entretenir de la disparition de Gilles et de Nina.

— J'en suis à quatorze hôtels, gémit Capdevil. Et vous, de votre côté, rien ?

— Rien. Je vais appeler les collègues de la PJ de Rouen. Au moins, ils vont y mettre les moyens. Et si ça ne donne rien, dans la soirée, je signalerai officiellement leur disparition.

— Nom de Dieu ! se lamente Capdevil. Qu'est-ce qui a bien pu se passer ? Il y a forcément une explication.

— Sans blague ? Allez-y, j'écoute !

— Ne le prenez pas mal, moi je disais ça comme ça. Vous ne vous êtes pas disputés, par hasard ?

Marion observe un silence hostile.

— Ça ne me regarde pas, en effet, admet Capdevil, prudent… Qu'est-ce qu'il aime votre… fiancé ?

— Pardon ?

— Il a bien un hobby, une passion ? En général, nous les mecs, quand on bande pour quelque chose, on a envie d'y faire adhérer la femme qu'on aime… Il a peut-être réservé dans un lieu spécialisé. Je ne sais pas, moi, le golf, le tennis, le canoë, la pétanque… À moins qu'il n'ait voulu faire plaisir à la petite…

Marion réfléchit à toute allure tandis qu'apparaît au loin le clocher de Charmes, juste après un grand carrefour de routes baptisé « le guidon de vélo » en raison de sa configuration. Dans un pré, de paisibles vaches broutent en remuant la queue pour chasser les mouches. Plus loin, un poulain de quelques jours gambade gauchement autour de sa mère, qui fait semblant de ne pas le voir mais lui balance de grands coups de tête amoureux chaque fois qu'il vient se frotter à sa robe.

Une vision brève de Nina chevauchant un poney gris s'interpose entre le pare-brise et le pré.

— Le cheval ! s'exclame-t-elle.

— Quoi ?

— Nina adore l'équitation ! Cherchez du côté des centres équestres, des poney-clubs, des parcs de loisirs.

Capdevil soupire de contentement. Enfin un début de piste.

62

Marion s'arrête à l'extrémité du grand mur d'enceinte du château et, après avoir fermé sa voiture, entreprend de le longer pour dénicher un accès moins exposé aux regards que l'entrée principale.

Autour d'elle, tout est calme. Elle n'a plus vu le moindre véhicule à deux ou à quatre roues derrière elle depuis le dernier village et n'a croisé qu'une camionnette depuis qu'elle a franchi le cap du guidon de vélo.

Le mur est en meilleur état qu'elle n'aurait pu le croire et elle peste en silence en crapahutant dans les herbes hautes qui maculent son jean de traces humides. À chaque instant, elle s'enfonce dans un sol meuble et mouillé. Elle a parcouru tout le côté du mur exposé à l'ouest et c'est en débouchant sur la partie invisible depuis la route qu'elle découvre la bâtisse. Sidérée, elle contemple l'étendue d'un carnage que rien, côté village, ne laisse supposer. Par ici, le mur a été entièrement démoli et une dizaine de maisons neuves se pressent dans le parc du château, réunies en un lotissement qui lui a pris jusqu'à son nom : le manoir de Chantegrive. Des terrains délimités au cordeau et l'architecture insipide des habitations aux façades roses ou ocre achèvent de défigurer le parc au fond duquel se dresse, reproche vivant bien que délabré, le manoir lui-même. Édifiée sur trois niveaux, c'est une bâtisse rectangulaire et sobre, avec des portes-fenêtres ouvertes sur une terrasse. En dépit de son mauvais état général, la construction ne manque pas de prestige, dans le style qu'affectionnaient les petits barons de province à la fin du XIXᵉ siècle.

Marion, déçue, reconnaît qu'elle a fait fausse route. Le manoir de Chantegrive n'a rien de commun avec « la maison de nos rêves ».

63

La place du village est étonnamment peuplée. La 4L de la poste est arrêtée près de l'ancienne bascule, portière avant ouverte, et le fourgon bleu des gendarmes est stationné en face du café Rodelot. L'adjudant Chrétiennot, reconnaissable à son teint coloré et à la bedaine qui déforme son pull, est en discussion avec un autre gendarme et un couple de personnes âgées. Tous les regards se dirigent aussitôt vers Marion, dont le véhicule vient de stopper derrière la voiture jaune à bandes bleues.

— Merde, dit-elle à haute voix, contrariée par la présence des gendarmes.

Bien que contrainte d'aller jusqu'à eux, elle hésite à quitter l'abri de sa voiture et gagne quelques secondes en observant distraitement le facteur occupé à relever la boîte aux lettres publique.

C'est au moment où elle se décide à sortir que le préposé se retourne. Ce n'est pas le facteur qu'elle a vu à plusieurs reprises, mais une jeune femme blonde à lunettes, qui remonte dans sa voiture de service et démarre sans lui accorder la plus petite marque d'intérêt.

L'adjudant Chrétiennot n'a pas l'air surpris de voir débarquer Marion au milieu du week-end. Ni hostile, note-t-elle, soulagée. Il ne lui demande pas ce qu'elle vient faire ici, à croire qu'il s'attendait à son retour. Derrière les vitres du café constellées de réclames, la silhouette de Mme Rodelot apparaît et disparaît aussitôt. Marion se prépare à voir s'agiter les lames en plastique du rideau, mais rien ne se passe et le silence s'installe entre les protagonistes de cette drôle de scène. Le couple de personnes âgées recule de quelques pas, l'air inquiet, comme s'il s'apprêtait à assister au remake d'une sanglante séquence de western.

C'est l'adjudant Chrétiennot qui tranche le premier le silence :

— Madame la commissaire ! Vous tombez à pic ! Je voulais justement vous voir.

— Les grands esprits se rencontrent, grince Marion, qui n'avait pas mis cet entretien à son programme. Je vous écoute…

— Pas ici, décrète le gendarme après un coup d'œil circulaire. À la brigade, dans une demi-heure.

64

Ce laps de temps lui a suffi pour appeler la PJ de Rouen. En se basant sur la carte de couverture qui leur permet, grâce aux signaux relevés sur les trois balises, de délimiter une zone précise, et nantis des indications que Marion leur a données – en admettant qu'elle ait vu juste –, les enquêteurs ne devraient pas tarder à trouver une trace de Gilles. Ce transfert partiel des investigations à des « locaux » a soulagé Capdevil, qui craint toujours de ne pas être à la hauteur des exigences de son patron.

L'adjudant Chrétiennot reçoit Marion dans un bureau spartiate, décoré de quelques vieux almanachs des postes et de fanions élaborés à la gloire d'unités méconnues ou à l'occasion de concours de boules dont il est un fervent participant.

— J'allais vous appeler, dit-il sans préambule et sur un ton plutôt aimable. Je voulais vous présenter mes excuses...

Marion, sur le qui-vive, regarde autour d'elle, mais ne perçoit aucun signe inquiétant, en provenance de la pièce de tapissage notamment. Le gendarme remarque qu'elle est tendue.

— Il n'y a personne là-dedans aujourd'hui, assure-t-il en désignant du pouce la pièce derrière lui. Sachez, au passage, que je n'approuve ni l'homme ni les méthodes et que je ne sais rien de ce qu'il manigance.

— Ce n'est pas pour me parler du commandant Martinez que vous vouliez me voir, j'imagine...

— Non, en effet, mais je voulais vous le dire quand même.

— Merci, murmure Marion, qui attend la suite, déjà plus sereine. Moi aussi, j'avais l'intention de venir vous voir ce soir.

Chrétiennot croise ses mains sur son ventre. Une furtive lueur de doute traverse ses yeux noirs, petits et vifs.

— Hum…, fait-il. C'est parfait alors… Pourquoi ?

— Je voudrais que vous m'autorisiez à parler avec vos témoins.

— Lesquels ?

— Le père Léon et une vieille femme qui doit habiter pas loin de chez M. Léman. Elle s'appelle Blanc.

L'adjudant hausse les épaules.

— La moitié des habitants de Charmes s'appelle Blanc. C'est une des plus vieilles familles du secteur. Est-ce que ce ne serait pas Marie Blanc, celle qui faisait le ménage chez les Léman ?

— C'est elle qu'on appelle la mère Blanc ?

— Sans doute. Si c'est bien d'elle qu'il s'agit, elle est partie en maison de retraite après la mort de Gus. Ça lui a fait perdre la boule, je ne pense pas que vous en obtiendrez grand-chose.

— Vous êtes allé l'entendre, je suppose ?

— Oui, un de mes gars y est allé avec son fils. Elle est gâteuse, il n'en a rien tiré.

Marion fronce les sourcils.

— Son fils, Pierre Blanc, croit bon de préciser le gendarme, c'est le facteur de Charmes.

— Ah !

Elle se concentre sur un souvenir difficile à attraper.

— Ça y est, je me souviens ! C'est lui qui a trouvé le corps de Gus Léman, non ?

— Exact.

— C'est drôle…, murmure Marion. Marie Blanc, la mère du facteur !

Chrétiennot la regarde avec l'air de se demander ce que cette découverte a d'excitant. À la campagne, tout le monde est plus ou moins parent, le monde est petit, les coïncidences inexistantes ou, en tout cas, exceptionnelles. Marion en convient.

— Vous en espérez quoi, de ces témoins ? demande l'adjudant, de nouveau soupçonneux.

— Rassurez-vous, ils ne m'intéressent pas pour l'assassinat de Gus... mais pour des faits relatifs à M. Léman lui-même et à sa vie passée. Je ne peux pas vous en dire plus, mais je vous promets de ne pas interférer dans votre enquête.

— Je vous remercie pour votre franchise et votre courtoisie.

Il se tait et l'observe longuement, cherchant à identifier quel piège elle est en train de lui tendre. Marion soutient son regard et elle sent que le gendarme se laisse progressivement fléchir.

— D'accord, accepte-t-il enfin. Je vous fais confiance, mais ceci doit rester strictement entre nous.

— Bien entendu. Cependant, vous n'ignorez pas que mes faits et gestes ne passent pas inaperçus.

Il acquiesce d'un signe de tête contrarié et se prépare à donner son avis sur ce point. Marion l'en dispense d'un geste bref.

— Mais vous, qu'aviez-vous à me dire ?

— Je vous ai suspectée pour l'incendie de la maison... J'ai eu tort. Les experts sont formels. Le feu a été allumé en plusieurs points à la fois et tout s'est embrasé très vite, en quelques secondes, vers minuit. Mme Rodelot a témoigné que vous n'aviez pas quitté le café entre votre arrivée et le moment où les cloches ont sonné. Votre véhicule était HS...

— J'aurais pu aller mettre le feu à pied. Quitter le café sans qu'elle m'entende...

Chrétiennot, jusqu'ici réservé, se marre franchement.

— Connaissant la bonne femme, c'est impossible. Une inconnue sous son toit, c'est au moins deux ans de commérage, alors vous pensez bien qu'elle n'a pas raté une miette du plus infime de vos soupirs.

— Je m'en doute, dit Marion en riant aussi. Et vos témoins, ils sont revenus sur leurs accusations ? Le père Léon, le facteur ?

Le gendarme marque le coup.

— Comment savez-vous ?

— Je suis flic.

— D'accord ! Le facteur, je ne sais pas, car il est en vacances, vous avez croisé sa remplaçante tout à l'heure et, entre nous, c'est quelqu'un de très informé mais d'un peu... spécial.

— Genre ?

Il se penche en avant et baisse la voix, un éclat amusé dans ses petits yeux :

— Genre solitaire, il fréquente peu de gens, mais il connaît tout le monde... Bizarre, quoi ! Je ferais plutôt confiance au père Léon qui est revenu en arrière et affirme qu'il vous a vue près de la maison ce soir-là mais... beaucoup plus tôt.

Marion ne confirme ni ne nie. Elle ne baisse pas les yeux et reste impassible.

— À son âge, on peut confondre les heures, fait l'adjudant avec un soupir et un sourire en coin.

Le revirement de Chrétiennot est inespéré et, Dieu sait pourquoi, elle aurait tendance à se fier à lui.

— Vous saviez que j'allais revenir, n'est-ce pas ? lui demande-t-elle tout à trac, alors qu'un jeune

245

appelé apparaît à la porte en faisant de grands signes à son chef.

L'adjudant produit un petit bruit agacé avec sa bouche et se lève. Marion, restée seule dans le bureau, meurt d'envie de rappeler Rouen ou Capdevil. Elle examine son téléphone, écoute la messagerie deux fois de suite en vain et le repose avec colère. Dans le silence presque parfait de la brigade, des échos d'une conversation lui parviennent. Elle n'identifie pas les voix, elle ne comprend pas ce qui se dit, mais elle est sûre qu'on parle d'elle. D'ailleurs, elle reconnaît son nom. Puis les voix s'éteignent et les pas de l'adjudant se font entendre.

— Quand on parle du loup…, commente-t-il d'un air entendu, sans se rasseoir. Qu'est-ce qu'on disait ? Ah oui ! Que je savais que vous reviendriez… Vous ne me faites pas l'effet de quelqu'un qui renonce facilement, vous savez. Mais, quand même, j'aimerais bien savoir…

Marion sait ce qui le turlupine et qu'il espère lui faire dire : est-elle bien allée dans la maison de Gus Léman et, si oui, quel était le but de cette visite clandestine ? Elle voudrait lui être agréable et lui livrer le fond de sa pensée à propos de l'incendiaire, mais sa raison lui souffle que ce serait maladroit et inopportun. Pourtant, elle a envie de lui renvoyer l'ascenseur, ne serait-ce que parce qu'il hait Martinez.

Chrétiennot la regarde se lever et fouiller dans ce sac bizarre qui vante un produit de parapharmacie de grande surface. Elle en sort un sachet de plastique, de ceux que lui-même utilise pour constituer les scellés. Il ne voit pas bien ce qu'il y a dedans, mais ça ressemble à un portefeuille. Elle le lui tend.

— Tenez, mon adjudant. Je ne sais pas où vous en êtes de votre enquête sur l'assassinat de M. Léman, mais je pense que ceci pourra vous être utile. Je ne vous dirai pas où je l'ai trouvé et il est possible qu'il y ait dessus les paluches de l'assassin. Je vous en fais cadeau, vous vous débrouillerez bien pour l'intégrer à votre procédure.

En traversant le grand bureau contigu occupé par un gendarme qui lit *Le Bien public*, elle sent l'odeur, toujours la même, si obsédante qu'elle la suit jusqu'ici. Le baume de la mère Blanc.

Le gendarme est un petit homme râblé équipé d'une paire de grosses bacchantes noires, qui accompagne toujours Chrétiennot et qu'elle a croisé plusieurs fois sur sa route, ici même, au café Rodelot, ou encore sur les lieux de l'incendie. Elle s'arrête devant lui et le regarde. Il ne lève même pas les yeux.

65

Marion a fait un large crochet dans Mirabel pour s'assurer qu'on ne la suit pas et constate que la bourgade est plutôt agréable avec ses rues fleuries et la rivière qui la traverse comme un mince serpentin paresseux. Quelques jeunes gens assis sur des « meules » bruyantes s'arrêtent un instant de refaire le monde pour lui indiquer l'adresse qu'elle cherche.

Celle du propriétaire de la Fiat envoyée à la casse, qui correspond à un garage situé à la sortie nord du village, entre un supermarché Champion et une entreprise de pompes funèbres, juste en face de la poste. Le garage Mignot est fermé, mais de nombreux véhicules plus ou moins amochés squattent la rue et même le trottoir.

Marion remarque que le garage Mignot est également un spécialiste de la moto et qu'il est concessionnaire Yamaha.

66

Suzanne Renoir est assise sur le canapé de son salon, les jambes repliées sous elle, le buste dressé dans une attitude hiératique. Elle n'a pour ainsi dire pas mangé et ses yeux fiévreux avalent ses joues. Naïma Meceri va régulièrement faire un tour dans le jardin pour « patrouiller », semblant prendre très à cœur son rôle de garde du corps. Ce n'est en réalité qu'une façon de tromper sa nervosité et de calmer les milliards de fourmis qui s'impatientent dans ses jambes.

Marion, enfoncée dans un fauteuil, a les yeux clos. Elle rassemble le peu d'énergie qui lui reste pour rester maîtresse d'elle-même.

Elle a rejoint la banlieue résidentielle de Dijon où habite Suzanne à la demande de celle-ci, qui ne supporte pas l'idée d'être seule dans sa maison. La jeune Meceri est beaucoup trop taciturne et lointaine à son goût. Marion a cédé, terrifiée à la pensée de la chambre d'hôtel où elle échouerait inévitablement et pas enthousiaste à l'idée de demander l'hospitalité à Mme Rodelot à qui, pourtant, elle doit une petite visite de remerciement.

Suzanne a fait livrer un repas thaïlandais, que les trois femmes ont picoré sans entrain. Marion a passé son temps au téléphone, entre Rouen et Lyon, pour s'entendre répondre la même chose à chaque appel : RAS. Capdevil a repris le collier vers dix-neuf heures pour relancer l'opération repérage qui avait langui durant le week-end. Il a rappelé une heure plus tard pour annoncer qu'une balise du sud de Rouen avait capté un signal à dix-huit heures trente, ce qui correspondait au énième message envoyé par Marion sur le portable de Gilles. Ils ne sont donc plus sur la côte normande mais autour de Rouen. « Pourquoi, au nom du ciel ? » se demande la jeune femme avec obstination.

Marion a été contrainte d'expliquer la situation à ses deux compagnes, et l'ambiance déjà morose est devenue carrément lugubre.

Il est presque vingt-trois heures. Le téléphone fait décoller Marion de son siège et elle se précipite en tremblant. Elle s'est dit tout au long de la soirée que plus le temps passait, moins les nouvelles seraient bonnes, et c'est prise de vertige qu'elle serre le portable Alpha 2 contre son oreille. Ce ne peut être que Capdevil.

— On les a retrouvés, dit-il seulement.

67

— Je t'écoute, énonce Marion sur un ton glacial.

— Je savais que ce n'était pas une bonne idée, fait Gilles à l'autre bout.

Il parle bas et sa voix est embarrassée.

— Où êtes-vous ? demande Marion encore plus sèchement.

— À Tolysland. Un parc d'attractions près de Rouen. Hier, on a dormi au bord de la mer.

— L'idée de ne pas répondre aux appels ni aux messages était de toi ?

— De Nina.

Marion a l'impression de mal entendre. De ne pas tout comprendre.

— Elle était en colère parce que tu n'étais pas là… J'ai cru bien faire.

— Mais, nom de Dieu, tu es inconscient ou quoi ? J'ai failli crever de trouille, moi ! Est-ce que tu te rends compte de ça, espèce de salaud ?

Elle explose, déverse un flot de paroles sans suite, insulte Gilles, libère le trop-plein accumulé. Il ne dit rien, il ne sait pas quoi dire, il écoute. À la fin, Marion pleure à moitié. Elle les a crus morts, enlevés par ce dingue, Martinez ou un autre, qui veut la détruire, qui n'hésite pas à la frapper, elle et autour d'elle. Gilles ne comprend rien à ce qu'elle raconte. Il propose de parler demain, dans la sérénité, mais il a beau faire, il ne parvient pas à l'apaiser.

Elle a bu deux cognacs cul sec et lentement la vie revient dans son corps qu'un moment elle a cru mort. Sa tête s'est alourdie et une chaleur bienfaisante engourdit ses membres. Elle se sert un troisième verre et Suzanne fait de même. Seule Meceri ne boit pas. Elle continue à ruminer ses déboires en silence. Marion lui a suggéré d'aller se coucher, mais la jeune fille attend que ses deux compagnes aillent au lit pour procéder au bouclage des issues.

— C'est ridicule, marmonne Suzanne, dont la voix s'empâte à grande vitesse, mon amie Edwige, enfin... mon amie Marion est là !

Elle a parlé avec emphase, ce qui la fait rire bêtement. Elle boit une longue gorgée, s'étrangle.

— Qu'est-ce qu'il y a, Meceri ? s'enquiert Marion, qui aimerait que la jeune fille cesse de s'agiter.

— Mais rien, patron.

— *Mais rien, patron*, bafouille Suzanne pour la singer.

— Vous mentez mal, Meceri, insiste Marion, qui, en dépit de l'alcool, devine ce qui la taraude. Si ça peut vous calmer une minute, je suis allée voir l'unité de balistique ce matin et je les ai convaincus de retourner au Chien qui fume.

— Pourquoi ? demande la lieutenant, sur ses gardes.

— Parce que je ne suis pas persuadée que la balle que vous avez tirée dans le plafond soit celle qui a touché Talon.

— Moi, je suis sûre que non. Mais personne ne me croit.

— Qu'est-ce que je viens de vous dire ? Moi, je vous crois. Mais je suis la seule, à l'heure qu'il est. J'ai la conviction qu'il y a une arme quelque part qui ne figure pas parmi celles que les gens de la balistique ont examinées.

— Comment ça ?

— L'arme qui a tué l'avocat est celle de Talon, c'est un fait. Il était en état de légitime défense. Mais, si ce n'est pas vous qui avez tiré sur Talon, ni Prunier, il y a forcément une arme qu'on n'a pas trouvée.

— Comment je vais pouvoir me sortir de là ? s'inquiète Meceri.

— Évidemment, dit Marion, songeuse, si on pouvait extraire la balle que Talon a dans le corps…

Le regard sombre de Meceri reprend un peu de vie.

— Est-ce qu'on pourra ?

— Non, je ne pense pas. Sauf s'il meurt.

Marion aide Suzanne à regagner sa chambre, un modèle pour catalogue de décoration. Une bonbonnière avec du tulle et des coussins mousseux. La chambre d'une fillette de presque quarante ans avec des poupées et un ours en peluche. Suzanne est ivre et tient à peine debout. Marion la couche et la borde, mais elle lui interdit la petite pilule rose qui ne ferait pas bon ménage avec l'alcool.

— Je voudrais bien savoir où il a foutu ce foutu dossier, marmonne Suzanne, à moitié endormie.

— Qu'est-ce que tu dis ?

— Mon père et son bordel chronique…

Suzanne se lâche sous le regard ébahi de Marion.

— Il était chiant, exigeant, râleur. Il buvait comme un trou, mais en cachette. Alcoolique mondain, jamais ivre. Ou alors digne. Tu vois le genre ?

Marion n'en revient pas. Le vernis de la fille aimante craquerait-il ? Est-ce de la rancœur ou du dépit à l'égard de ce père qui n'est plus là ?

Pourtant, son visage n'exprime qu'une douleur contenue.

— C'est lui qui est allé à Paris pour régler la question de l'appartement du boulevard Richard-Lenoir ? ne peut s'empêcher de s'enquérir Marion, qui entend profiter de ce besoin qu'a tout à coup Suzanne de se confier.

La jeune femme approuve d'une tête de plus en plus dodelinante.

— Je me souviens d'un truc, tiens, ânonne Suzanne, à propos de voyage. Quand tu as appelé pour prendre rendez-vous avec mon père, j'étais là. Josée, cette vieille pimbêche de Josée, tiens, il faudra que je t'en parle, d'elle... Elle a tout tenté pour qu'il l'épouse, mais il était pas fou, le vieux.

— Tu disais, à propos de Josée ? la relance Marion.

— Elle a transféré ton appel ici. Après t'avoir parlé, mon père a dit qu'il allait pouvoir liquider la succession de son copain Léman et qu'il se demandait la tête que ferait l'héritière.

— Il a dit autre chose à ce propos ?

Suzanne agite sa tignasse rousse.

— Rien du tout. Il avait la tête d'un gamin qui va faire une bonne blague.

Marion pense aux cartons, aux conséquences de cette livraison sur sa vie, à l'incendie de la maison dont elle n'a même pas eu le temps d'hériter, et elle trouve la plaisanterie plutôt amère.

— Il avait le dossier à ce moment-là ?

— Me souviens pas. Mais je crois pas. Il est sorti une partie de la matinée. Il est rentré à midi et des poussières, il était bien chaud... comme moi ce soir. Il m'a dit que, le lendemain, il déjeunerait à l'extérieur, avec toi, qu'il aurait besoin de la voiture.

— Tu as un avis sur tout ça, Suzanne ?
— Il projetait un voyage.

68

Une bonne odeur de cuisine envahit le café dont la grande salle, exposée plein sud, est inondée de soleil. À vue de nez, Marion parie pour un lapin au vin blanc et aux girolles dont elle a entrevu des monceaux sur les marchés des deux ou trois villages qu'elle a traversés entre Dijon et Charmes. Il n'y a que deux consommateurs attablés, des types entre deux âges, endimanchés, dont les regards brillants trahissent le nombre d'apéros avalés. Ils se lèvent dès que Marion s'approche du comptoir. Les chaises raclent bruyamment le parquet et l'un des deux hommes tangue dangereusement.

— Oh là ! Reine ! s'écrie l'autre, on va à la soupe. Viens donc nous dire ce qu'on te doit !
— Voilà, voilà ! résonne la voix de la vieille femme du fond de sa cuisine.

Elle a mis ses habits du dimanche : une robe mauve, des bas noirs et un gilet de coton blanc parsemé de fleurettes de la couleur de la robe. Elle est allée à la messe, car son missel est toujours posé sur une table à côté d'une mantille de dentelle noire. Elle s'arrête pile en voyant Marion et un éclair furtif traverse son regard morne.

— Bonjour, madame Rodelot, fait doucement Marion une fois que la femme a encaissé le prix des consommations, reconduit à la porte ses clients, essuyé leur table et remis d'aplomb les chaises qu'ils ont bousculées. Je voulais vous remercier d'avoir témoigné en ma faveur.

La femme hausse les épaules et se dirige vers la cuisine, faisant craindre à Marion qu'elle n'y disparaisse sans avoir prononcé un mot, pas même bonjour ou au revoir.

— Je n'ai rien fait que dire la vérité, affirme-t-elle en se retournant brusquement. Elle veut manger ?

Le lapin est divin, les girolles fantastiques. Les deux femmes mangent en silence, la mère Rodelot toujours en mouvement, alerte, et les sens affûtés comme ceux d'un oiseau. Marion, qui s'est réveillée tard avec un étau autour des tempes et une vague gueule de bois, savoure le calme et les talents culinaires de son hôtesse.

— Quand je n'ai rien à dire, je ne dis rien, remarquez ! affirme soudain Mme Rodelot. Et j'aime pas les vauriens !

— Qu'entendez-vous par là ?

— Oh ! Je sais de quoi je parle.

— Bien sûr. Vous faites allusion à ma voiture ?

— Entre autres.

— Qui a fait ça, selon vous ?

— Un vaurien, je vous dis.

Marion songe qu'une pince à forceps lui serait bien utile. La vieille se lève et s'en va. Elle revient peu après avec un plateau de fromages dans une main et une tarte aux prunes dans l'autre.

— On dit que c'est vous qui héritez du Gus, se lance-t-elle enfin. C'est vrai, ça ? Ou c'est une fable ?

— Qui dit ça ? Les gendarmes ? La rumeur publique ?

— Un peu les deux. Il paraît qu'il était très riche.

Marion s'esclaffe, ragaillardie par la bonne chère.

— Je ne crois pas qu'il l'était, non. Et je n'ai aucune raison d'hériter de lui.

De même qu'elle n'a aucune raison de confier ses secrets à cette femme qui n'en peut plus de curiosité.

— Madame Rodelot, fait Marion en se coupant un morceau de brie bien coulant, parlez-moi de Claire Arthur.

— Ah ! vous savez son nom maintenant ?

— Oui. Où vivait-elle ?

— Au château, tiens ! Avec ses parents.

Marion en reste le couteau en l'air.

— Quel château ?

— Celui de Charmes, rétorque la vieille dame en désignant d'un coup de menton la direction du manoir de Chantegrive. Son père, c'était le baron Arthur des Aubrais de Chantegrive. Sa mère, c'était une de La Motte. La Claire, elle avait ces blasons en horreur, elle se faisait appeler du prénom de son père. Claire Arthur… Ils ont jamais travaillé, ces gens-là. Le travail, c'était pas assez bien pour eux. Ils sont morts ruinés, par exemple ! Y a une justice.

— Et Claire ?

— Morte aussi.

— Je sais… Mais comment est-ce arrivé ?

— Comme ça. Vingt ans, elle avait.

Marion n'insiste pas : elle commence à savoir interpréter le visage buté de son hôtesse. Elle prend une tangente :

— Elle n'a jamais eu d'enfants ?

Reine Rodelot écarquille les yeux et se précipite sur la tarte, qu'elle se met à découper nerveusement. Elle secoue la tête avec force, remonte ses lunettes sur son nez.

— Non, pas d'enfants. Et vous ? Vous en avez, des enfants ?

— Une petite fille. Je voudrais aller à la mairie, vous croyez que c'est possible ?

La vieille lève ses yeux ternes sur le carillon qui balance son tic-tac immuable au-dessus de la porte entrouverte sur la cour, derrière le bistrot. Il marque quatorze heures.

— Dans une minute, le maire y sera. Il y travaille tous les dimanches après-midi.

69

La mort de Claire des Aubrais de Chantegrive a été enregistrée à la mairie de Charmes le 30 juin 1959. Cette année-là a été exceptionnelle pour la commune dont la population n'a jamais dépassé deux cents âmes, les plus fortes courbes de natalité ayant culminé à cinq naissances en 1946, le baby-boom d'après-guerre, les morts se comptant par deux, trois au pis. Or 1959 a vu mourir six des habitants de Charmes : Jean Léon, mort pour la France en Algérie le 10 mars, Claire des Aubrais, alias Claire Arthur, le 1er juillet, ses parents le 9 septembre, et deux inconnus à la fin de l'année.

— C'était une année noire, commente le maire, qui, à première vue, ne devait pas être encore né ou tout juste. La démographie charmoise était en chute libre !

Il a une tête d'instituteur honnête, style IIIe République. Il en a aussi l'allure chétive et l'habit étriqué.

— Vous savez comment sont morts les propriétaires du manoir ?

— Je ne suis pas du village, je ne réside à Charmes que depuis dix ans. J'ai été élu maire aux dernières élections...

« À mon corps défendant et parce qu'il n'y avait personne d'autre pour s'y coller », semblent ajouter ses yeux sérieux.

— ... Et si vous avez terminé, mademoiselle, j'aimerais fermer.

Marion se lève et lui tend le registre dans lequel elle a pu parcourir les naissances, les mariages et les décès d'une population étonnamment réduite et stable. L'air autour d'elle embaume l'école, la craie, le papier et le vieux poêle. La salle de l'état civil est située juste au-dessus de l'ancienne classe unique, abandonnée depuis belle lurette mais conservée intacte avec ses pupitres triples pour les grands, quadruples pour les petits, l'estrade du maître et son bureau, et les cartes géographiques au mur. De la fenêtre, elle a vue sur la cour, le préau et, à droite, les cabinets. Elle imagine Gus évoluant dans cet espace et le maître, sévère, tapant sur les doigts des récalcitrants avec sa règle en fer. Sauf sur ceux de Gus, à cause de sa maladie et peut-être aussi parce qu'à cette époque il était sage.

— Mademoiselle...

Marion ne bouge pas. Elle le voit monter sur l'estrade avec ses culottes courtes et ses genoux toujours en sang. Il tend la main, M. Jacotin lui remet un livre de la Bibliothèque verte, *L'Âne et les deux jeunes filles*. Faute d'enfants, l'école a été fermée en 1970.

« Les gens ne font plus d'enfants, s'est lamentée Reine Rodelot en touillant nerveusement son café qui éclaboussait la table. Ils n'ont plus le temps, les femmes travaillent en ville… C'est ça la jeunesse d'aujourd'hui. »

La jeunesse d'aujourd'hui n'est pas très différente de celle d'il y a quarante ou cinquante ans. Enfin, si, un peu, pense Marion, en tout cas elle ne fait ni plus ni moins d'enfants. En 1959, à Charmes, une seule naissance a été enregistrée, le 4 juillet. C'était un garçon.

70

Le père Léon est assis sur le banc au bout du jardin de Gus Léman, les doigts croisés sur le pommeau d'une canne en bois, le menton sur les mains. Il regarde l'horizon, sans faire le moindre mouvement.

Les effluves de la maison incendiée sont encore très présents et l'air est empuanti de relents de charbon de bois mouillé, de métaux qui commencent déjà à rouiller. Le pire est peut-être l'odeur des matelas calcinés et des vieux tissus réduits en cendres.

— On voit le mont Blanc aujourd'hui ? demande Marion en s'asseyant près de lui.

Le vieillard ne bronche pas.

— Je savais que vous alliez revenir, dit-il après une bonne minute de silence.

— Vous aussi ? Décidément…

— Comme je sais que vous êtes déjà venue…

Bien que le ton du vieux reste neutre, presque bienveillant, Marion interprète cette phrase comme une mise en cause et elle s'empresse de changer de sujet :

— Monsieur Léon, vous avez toujours vécu ici, n'est-ce pas ?

— Oui, répond-il, je suis né dans cette maison, je m'y suis marié, mon fils y est né…

— C'était votre seul fils, Jean ?

— Eh oui ! La Jeanne, ma femme, a eu toutes les misères du monde pour l'avoir. Après lui, fini, avait dit le docteur, le moule était cassé. Ah ! nom de Dieu !

— Il avait l'âge de Gus ?

— Un an de moins. Mais ils sont partis le même jour au service. Mon Jean s'est laissé entraîner par l'autre, il a devancé l'appel. Et voilà.

— Je suis désolée.

— Oh ! c'est vieux tout ça… Pourtant, on n'oublie pas. Un enfant reste un enfant. Il aurait soixante ans, maintenant.

— Et la fiancée de Gus ? Claire…

— Une gentille fille. Mon Jean, il aurait bien aimé lui faire un brin de cour, mais elle ne voyait que l'autre, bien sûr. C'était un charmeur, le Gustave. En attendant, il lui a planté un polichinelle dans le tiroir et adieu… Elle l'a plus revu et elle a préféré mourir.

260

— Excusez-moi, murmure Marion, je n'ai pas compris...

— Mais si, vous avez compris : la Claire, elle était enceinte, elle avait honte à cause de ses parents qui avaient des principes. Quand elle a fini par admettre que le petit vaurien l'avait laissée tomber pour de bon, elle s'est ouvert les veines.

— Seigneur ! s'exclame Marion, atterrée. Et le bébé ?

— Il est mort aussi. Qu'est-ce que vous croyez ?

— Elle était enceinte de combien ?

— Elle a attendu le dernier moment... La mère Blanc m'a raconté un jour que Claire lui avait écrit, au Gus, une lettre dans laquelle elle lui annonçait la naissance imminente. Le salaud ! Il a jamais répondu, elle a pas supporté, faut croire...

Il laisse son regard errer au loin et Marion songe à la lettre de Claire qu'elle a enfouie dans son sac sans l'ouvrir.

— Et c'est pas tout, enchaîne le père Léon, impitoyable. Comme le baron et la baronne n'avaient jamais travaillé et que c'est la petite Claire qui faisait bouillir la marmite, ils ont préféré en finir aussi. Ils se sont empoisonnés.

— Pas possible ! Vous êtes sûr ?

— Demandez aux gens si je mens ! À Marie Blanc, tiens, par exemple, c'est elle qui leur faisait la tambouille et le ménage. Le pire, c'est qu'ils avaient un petit.

Marion a l'impression de se trouver en plein cauchemar. La phrase de sa mère sur les paysans bourguignons lui revient en mémoire : « Quand la mule a rompu ses amarres, rien ne peut plus l'arrêter. » Elle a envie de crier : « Pitié ! Cessez le massacre ! » Mais le père Léon est intarissable :

— Le gosse avait vers les trois ans. Un petit retardataire, comme disait la baronne... Un attardé, oui. Forcément, ils sont tous plus ou moins cousins dans ces familles et ils se marient entre eux « pour protéger les lignées et le patrimoine », qu'il disait, le baron. Résultat : le petit Philippe, il lui manquait pas mal de morceaux... Il a été recueilli par les sœurs de l'Assistance, personne en voulait ici. Il faisait peur aux gens avec ses cris de bête et sa bave...

Marion est assommée par cette avalanche de révélations. Elle n'a même pas à poser de questions. Le père Léon ressemble à une bande magnétique autoreverse. Quand il s'interrompt, il repart aussitôt.

— Vous étiez déjà venue ici, attaque de nouveau le vieux sans reprendre son souffle.

Cette fois, Marion ne peut pas se dérober. Le vieux bonhomme ne lui laisse d'ailleurs pas le temps de l'envisager.

— Il y a trente ans, trente-deux peut-être. C'était en été. Je m'en souviens encore, on finissait les moissons et le houblon était presque mûr. La mère Léman avait eu sa première attaque et on a bien cru qu'elle allait pas s'en remettre. Le Gus a débarqué, dans une belle voiture grise flambant neuve, immatriculée en Suisse. Il y avait une femme avec lui, une belle femme brune. Et une fillette qui devait avoir six ou sept ans. Ils sont restés deux jours et la gamine était tout le temps fourrée sur la balançoire... J'entendais les anneaux grincer depuis chez moi.

Marion est violemment émue. Elle savait que cette maison lui était familière, et ce jardin, et la balançoire sous la charmille ! Que le vieux Léon en ait gardé un souvenir aussi précis l'épate, la perturbe aussi. Elle pressent qu'il a de bonnes raisons de garder ce souvenir aussi profondément fiché dans sa mémoire.

— Qu'est-ce qui s'est passé ? demande-t-elle sans hausser le ton.

— La mort de mon garçon était encore en moi comme une plaie à vif. J'arrivais à peine à dormir après tout ce temps. J'en voulais à Gus, je lui en voulais à mort. Pour plein de raisons : le décès de Claire, celui de mon Jean qui était parti se battre pour épater cette fille, la réussite de Gustave et cette belle femme qui était avec lui. Personne ne savait ici ce qu'il était devenu, de quoi était faite sa fortune. Je le détestais, je voulais qu'il crève. Mais j'avais pas le courage de le buter, j'ai jamais été courageux, mademoiselle, même pour me tuer. Pourtant, je vous prie de croire que j'y ai pensé plus d'une fois. Alors, je l'ai donné aux gendarmes.

— Quoi ? Vous l'avez…

— Oui.

— Mais pourquoi ? Je veux dire, qu'est-ce que vous saviez de lui ?

Le père Léon se fend d'un sourire malicieux.

— Mais rien. Je savais seulement qu'il intéressait du beau monde. Avant qu'il débarque dans sa limousine, j'avais reçu au moins trois visites de types un peu louches qui voulaient avoir de ses nouvelles. On cherche pas un honnête citoyen, je me suis dit…

— Et alors ?

— Il était plus mariole que les gendarmes, le Gus. Il avait un sixième sens ou bien il dormait jamais. En tout cas, il les a vus arriver, un matin vers cinq heures, de là où nous sommes... On a un panorama qui porte à plus de dix kilomètres ! Il a emballé la femme et la petite fille dans la bagnole et il ont taillé la route. Les gendarmes avaient encore leur vieille 403 break, il n'a eu aucun mal à les semer...

Marion se détend sur le banc. La tête rejetée en arrière, elle laisse affluer les images. Des mains l'empoignent sans douceur. Elle est ballottée contre le tissu soyeux de la robe de chambre de sa mère, qui la jette comme un paquet sur la banquette arrière. Elle se cogne contre la poignée de la portière et la peau de son crâne s'ouvre. Le sang coule sur sa joue, elle pleure. Une voix d'homme, apaisante. Le crissement des pneus, la voiture roule vite. Elle a mal au cœur.

— Vous savez à quoi je vous ai reconnue ? demande le père Léon, qui s'obstine à ne pas la regarder.

— Non, répond-elle dans un souffle.

Enfin, il bouge, déplie ses bras, étire jusqu'au visage de Marion une main aux ongles endeuillés, rongée et crevassée par une vie de labeur. Il pose son index sur le grain de beauté qui surmonte sa lèvre supérieure, à droite. Le vieux l'observe de ses yeux roublards.

— À ça ! On peut pas s'y tromper. Le Gus avait le même.

71

La maison de Marie Blanc est dans un état de délabrement avancé. Le toit est couvert de mousse, les gouttières pendent et le crépi part en lambeaux. La cour a fait place à un marécage nauséabond où s'ébattent des poules et des canards maculés de fiente. Visiblement, le lieu est désert. En scrutant à travers les carreaux opaques de crasse, Marion distingue avec peine un fourbi innommable : de la vaisselle posée à même le sol, des caisses empilées, des meubles croulant sous des tas d'objets impossibles à identifier, des bocaux alignés sur des étagères.

Elle frappe à la vitre sans espérer de réponse. Puis elle colle son visage contre les vitres pour essayer de voir un peu plus loin dans cet intérieur qui respire l'abandon. Accroché à un portemanteau surchargé, un blouson bleu et jaune de la poste. Marion se souvient de ce que lui a appris l'adjudant Chrétiennot : Marie Blanc est la mère de Pierre Blanc, le facteur, qui habite là. Comment un homme normalement constitué peut-il vivre dans un tel taudis ?

Un bruit provenant d'une annexe située légèrement en retrait de la maison attire l'attention de Marion, qui frissonne, saisie par la froideur morne des lieux. Le soleil a disparu, le temps fraîchit déjà. Elle se retourne, sur ses gardes, prête à fuir. Il lui semble percevoir un gémissement, un appel émis depuis la cabane. C'est faible et indistinct comme le roulement de gorge d'une poule surprise en plein sommeil ou d'une chatte en chaleur. Dans le bas de la porte de la cabane, une chatière s'agite en effet et un gros chat roux apparaît. À la vue de la visiteuse, son dos s'arrondit, ses poils se hérissent et sa queue s'étale en un volumineux panache. Un chat à moitié sauvage qui, ses gros yeux immenses et noirs fixés sur Marion, paraît sur le point de bondir. Face à face, ils s'observent sans aucune sympathie. La jeune femme n'ose pas tourner le dos pour prendre ses jambes à son cou. Un bruit dans la cabane, un objet que le matou aura sans doute déséquilibré, les fait sursauter tous les deux et l'animal choisit de s'enfuir, ventre à terre, après avoir poussé un cri terrible.

Marion est fascinée par cette cabane étrange. Elle meurt d'envie de s'en approcher et d'en pousser la porte. Mais une frayeur diffuse la retient, le sentiment irrationnel d'un danger aussi. « N'y va pas toute seule », s'intime-t-elle dans le fracas désordonné des battements de son cœur.

Quand elle se détourne de l'annexe, le chat est en train de disparaître au fond d'un verger à l'abandon et se retourne fréquemment vers elle, regrettant sans doute de ne pas lui avoir fait sentir la pointe de ses griffes. D'autres bruits inquiétants parviennent jusqu'aux oreilles de Marion. Cela ressemble à l'écho assourdi de quelqu'un qui bat un tapis. Elle capte un cri, comme un appel. Cela ne vient pas de la maison des Blanc mais d'en face, de l'autre côté du cimetière. Plantée au milieu du bourbier, elle tend l'oreille. Elle reste ainsi longtemps sans plus rien percevoir que le brassage trop rapide du sang contre ses tympans.

72

Le père Léon n'a pas quitté sa position de statue douloureuse et pensive. Il détecte un bruit de feuilles froissées, d'herbes qui se redressent, de graviers foulés par des pieds prudents. Il n'a pas besoin de demander qui est là derrière lui, il le devine.

— Pourquoi tu lui as dit ça ? articule une voix qu'il reconnaît.

— Dit quoi ? soupire le vieux, résigné.

— C'est pas sa fille ! C'est pas vrai !

Le vieillard perçoit la colère qui monte en l'autre comme un raz de marée. Il se dresse, fait face au regard dément.

— Si, c'est vrai, articule-t-il par pure bravade. Y a des signes qui ne trompent pas.

À tout hasard, il brandit sa canne, espérant faire reculer l'adversaire, qu'il sent prêt à l'assaillir. Celui-ci la saisit et l'arrache des mains du père Léon, qui, déséquilibré, tangue en poussant des cris d'orfraie. L'autre n'a plus qu'une idée en tête : le faire taire. Il abat de toutes ses forces la canne sur le crâne du vieillard, qui s'effondre en avortant d'un dernier cri. Le bâton n'a pas plié, il est en cornouiller, indestructible. Comme un fou, l'homme frappe, et frappe encore.

Le vieux ne bouge plus, du sang et de la cervelle se mélangent et glissent en rigole dans son cou. Ses yeux révulsés fixent le ciel où le crépuscule s'installe déjà.

Le bruit d'un moteur qui démarre fait revenir l'agresseur à lui. Hagard, il contemple le corps étendu. Sa main saigne un peu. Machinalement, il sort un mouchoir de sa poche et en entoure la plaie d'un mouvement rapide.

La voiture grise de Marion tourne le coin de la ruelle, s'immobilise au bord de la route principale, marque un temps d'arrêt. Promptement, il s'accroupit derrière le dernier althéa de la haie.

Le véhicule repart et s'éloigne, presque à regret.

73

La nuit est tombée depuis longtemps, et, allongée sur le canapé de Suzanne Renoir, Marion se demande combien de temps elle a dormi. Elle perçoit des bruits en provenance de la cuisine où Suzanne et Naïma se sont repliées pour la laisser se reposer avant qu'elle reprenne la route de Lyon.

Elle pense à Gilles qui doit être avec Nina sur le chemin du retour, peut-être même sont-ils déjà à la maison. Son cœur se serre. Il lui semble que quelque chose s'est cassé entre eux et elle s'interroge, oppressée et nauséeuse : comment va-t-elle négocier ce mauvais passage ? Au téléphone, Gilles a fait preuve d'une retenue excessive en lui annonçant qu'ils quitteraient Rouen vers seize heures et arriveraient à Lyon dans la soirée, sans même s'enquérir si elle serait là. Sa propre froideur n'a pas contribué à détendre l'atmosphère.

Elle s'étire sous la couverture légère et chaude comme une caresse, observe les ombres mouvantes de la lumière d'un réverbère de jardin jouant dans les feuilles d'un pommier aux branches torturées couvertes de fruits.

La porte s'entrouvre, Suzanne passe la tête.

— Tu es réveillée ? Il est presque vingt-trois heures... Je ne te chasse pas, mais si tu veux rentrer chez toi avant demain matin... Tu veux manger avant de partir ?

— Non, merci, dit Marion en s'étirant. Je vais y aller. Je te laisse Naïma encore un jour ou deux.

— Tu crois que, dans un jour ou deux, tout sera réglé ?

Marion s'assied dans la position du lotus et, les mains posées à plat sur les genoux, elle entreprend de lentes rotations de la tête, yeux fermés, en respirant avec application. Suzanne ne dit plus un mot et, quand elle rouvre les yeux, Marion surprend le regard brillant de la jeune femme.

— Tu es drôlement bien foutue, fait celle-ci avec admiration.

— C'est le sport ! s'exclame Marion, peu soucieuse de se donner en spectacle. Tu devrais en faire, ça canalise l'énergie, ça casse les nerfs, c'est parfait...

Elle enfile prestement son jean, remet ses mocassins et son blouson, dont elle tire la fermeture Éclair jusqu'au menton. D'un geste sec, elle allume une grosse lampe posée sur un guéridon, à côté du divan de velours rouge.

— Bon, grince Suzanne en clignant des yeux, je vois... Tu n'as pas répondu à ma question.

— Je ne sais pas, Suzanne, j'espère que oui.

— Vous êtes marrants, les flics. Vous ne savez jamais rien. Vous ne dites jamais rien.

— On ne dit que ce dont on est sûr. Je souhaite de tout cœur qu'on arrête très vite l'assassin de ton père.

— Et tu crois que c'est cette petite qui va le faire ?

— Non, elle, c'est pour ta protection qu'elle est là.

Un rire amer fuse de la gorge de Suzanne.

— Laisse-moi rire ! *Ils* ne feront qu'une bouchée de cette gamine. Et puis, d'abord, où sont-ils ? On ne les voit plus, on ne les entend plus.

— Ils sont là, la rassure Marion. Ils ont seulement écarté la surveillance.

— Qu'est-ce que tu veux dire ?

— Je suis intimement convaincue que Martinez a pour mission de déterminer si j'ai récupéré des preuves de vieilles affaires impliquant des personnalités en vue aujourd'hui, de me les reprendre et de les faire disparaître. Peut-être aussi de mettre la main sur un joli magot mystérieusement escamoté… Il s'est tout de suite montré à visage découvert. Or, c'est un homme qui sait travailler dans la clandestinité. Il agit sans doute sur commande, il cherche à découvrir ce que j'ai appris, et il n'a pas intérêt à me supprimer, du moins tant qu'il n'a pas trouvé. Et *je sais* qu'il n'a pas encore trouvé, même après la fouille approfondie de ma maison. Le fait que je ne le voie plus derrière moi signifie sans doute qu'il s'est placé à distance, mais pas qu'il a lâché prise.

— Pourquoi tu ne l'arrêtes pas ? Il t'agresse, sabote ta voiture, brûle ton héritage…

Marion marque un temps, fixe un point invisible, au-dessus de la tête de Suzanne.

— J'ai l'intuition que ce n'est pas lui. Ces gens ne font pas dans la dentelle, mais ils n'ont pas besoin d'user d'une telle violence pour arriver à leurs fins. Et puis certaines choses ne collent pas…

Elle se prend la tête entre les mains, appuie fortement ses paumes contre ses tempes.

— Tu penses à quoi ? demande Suzanne.

Marion se mord les lèvres, caresse machinalement le grain de beauté qui surplombe sa bouche.

— Le père Léon, un voisin de Gus Léman, m'a raconté une étrange histoire.

Dans la cuisine, Naïma remue des casseroles, fait couler de l'eau. Elle a mis la radio et Marion perçoit distinctement le carillon qui annonce le flash de vingt-trois heures.

— Gus avait une fiancée qui s'est suicidée avec le bébé qu'elle attendait. Ses parents n'ont pas supporté, ils se sont empoisonnés. En 1959.

— C'est horrible, murmure Suzanne.

Marion hoche la tête et se met à marcher de long en large :

— Ils ont laissé un orphelin. Un gamin qui avait trois ans à l'époque. Il paraît qu'il était du genre… inachevé… Un gosse difficile, autiste ou schizophrène.

— Il aurait dans les quarante ans ? rêve Suzanne, qui commence à voir où Marion veut en venir. Et tu penses que…

— Il aurait eu un paquet de bonnes raisons d'en vouloir à Gus, non ? Imagine une seconde… Toute sa vie, sa famille détruites à cause de lui ! Quand Gus Léman réapparaît, l'occasion est trop belle. Il l'a peut-être cherché longtemps, des années, qui sait ? Et, un jour, la Providence le lui ramène sur un plateau…

— Une vengeance ? Si longtemps après ?

— On a vu pire...

— Admettons. Il tue Léman, il incendie sa maison. Mais pourquoi s'en prendre à toi, à moi ?... Tu expliques ça comment, grand flic ?

Marion glisse un regard noir à Suzanne.

— N'empêche que j'aimerais bien savoir ce qu'il est devenu..., élude-t-elle.

Suzanne saute sur l'occasion :

— Tu veux que je m'en occupe ? Ça me distraira.

— Il faudrait trouver aussi qui s'est occupé de l'administration des biens, de la vente du parc du manoir pour la construction du lotissement, qui gère tout ça aujourd'hui.

Suzanne est excitée comme une enfant à qui on vient d'offrir une nouvelle Barbie.

— Ça, c'est dans mes cordes.

— Il y a peut-être des risques, objecte Marion. Ne la quittez pas d'une semelle, ajoute-t-elle à l'adresse de Naïma Meceri qui vient de s'encadrer dans la double porte du salon.

— J'ignore si une gamine sera à la hauteur, fait la jeune fille sur un ton acerbe.

— Ce n'est pas bien d'écouter aux portes, rétorque Suzanne avec un sourire ironique. Je disais ça pour rire. Vous êtes très bien. On s'y met dès demain, d'accord ?

— Patron, dit Meceri en ignorant Suzanne et ses caprices de petite-bourgeoise de province, comment il s'appelle, le type de Charmes dont vous parliez à l'instant ?

— Philippe des Aubrais de Chantegrive...

— Non, l'autre !

Marion la fixe longuement, déconnectée. Elle se souvient brusquement du point de départ de la discussion avec Suzanne.

— Le père Léon ?

— Germain Léon ! Voilà, c'est bien ça ! La radio vient d'en parler à l'instant.

Le sang reflue lentement des joues de Marion vers son ventre, qui se tord sous l'effet de l'angoisse.

— Qu'est-ce qu'ils ont dit ?

— On a découvert son corps en fin d'après-midi. Il a été tué dans son jardin. Battu à mort.

74

Il a repris son poste d'observation et attend, accroupi dans l'herbe de la prairie. Il attend patiemment son heure, sans se soucier de l'humidité qui rampe le long de ses jambes ni de ses intestins qui grondent sans relâche. Il résiste à l'envie de marcher pour faire circuler le sang et réveiller des sensations moins désagréables. Il s'interdit tout mouvement, de peur de se faire repérer par Marion.

La maison est éclairée comme si une fête se préparait et une voiture noire qu'il ne connaît pas est arrêtée devant le portail. Il n'en finit pas de se demander pourquoi, ce soir, Marion a rentré sa Peugeot au garage.

Une silhouette gracile surgit derrière la fenêtre de la cuisine. Il ne voit pas le visage de l'enfant à cause du contre-jour mais remarque les longs cheveux attachés qui sautent d'une épaule à l'autre. Une image le surprend. Une gamine de cet âge, dans un jardin. Il plaque les mains avec force sur ses oreilles pour échapper au grincement insupportable des anneaux de la balançoire.

La fillette a quitté la fenêtre. Elle apparaît à la porte d'entrée et s'avance en haut des marches qui plongent dans le jardin obscur, scrutant l'ombre avec anxiété. Elle appelle « Choupette » trois fois et, n'obtenant aucun succès, elle rentre en claquant la porte.

Il entend une voix d'homme puis, aussitôt après, le rire de la fillette. Il a une envie brutale de ce bonheur qu'il devine derrière les murs et dont il ne jouira jamais.

Une bouffée de haine fait éclater des gerbes rouges dans son cerveau fatigué par l'insomnie. Il pose les yeux sur ce qu'il a apporté avec lui et tâte au fond de sa poche l'objet qui va le délivrer de Marion.

Minuit sonne au clocher du village.

75

Marion a mis un certain temps avant de pouvoir joindre l'adjudant Chrétiennot, qui se trouvait toujours sur les lieux du meurtre.

— On n'est pas comme vous, dans la gendarmerie, on n'a pas tous des portables…, dit-il d'une voix qui semble lasse. Vous êtes revenue à Lyon ?

— Non, répond Marion, qui aimerait bien en savoir plus sur les circonstances de la mort du vieil homme dont, confusément, elle se sent responsable.

— Tant mieux. Vous éviterez un aller-retour.

— Vous allez m'interroger ? Encore ?

— Moi non, soupire le gendarme. Le procureur a décidé de saisir la section de recherches. Remarquez, c'est logique, ça commence à faire beaucoup pour la brigade...

En quelques mots, il résume pour Marion la fin « atroce » de Germain Léon.

— C'est très différent de l'autre meurtre, conclut l'adjudant. Mais il y a sûrement un rapport...

— Lequel ?

— Eh bien, c'est curieux... Vous n'êtes jamais très loin, commissaire. Juste après, ou juste avant. Si j'osais, je me ferais presque du souci pour la mère Blanc...

Marion lâche un petit rire forcé.

— J'espère que vous ne me soupçonnez pas, mon adjudant. Des témoins ?

— Non. La seule anomalie remarquée dans l'après-midi, c'est une voiture suspecte...

— Intéressant, murmure Marion, qui a peur de comprendre. Et c'est ?

— La vôtre, commissaire.

La voix de Quercy a un côté surréaliste au milieu de la nuit, et le directeur de la PJ est bien la dernière personne à laquelle Marion s'attendait.

Elle s'assied au bord du lit, les jambes flageolantes, le cœur en déroute, sans pouvoir se défendre d'un coup d'œil à sa montre. Il est une heure et demie du matin.

— Où est-ce que vous êtes en train de traîner vos guêtres ? fait-il sur un ton que Marion identifie aussitôt comme l'annonce d'un gros pépin.

Elle tente de surmonter sa panique en le provoquant :

— Je suis étonnée que vous ne le sachiez pas…

— Arrêtez de déconner trente secondes ! ordonne-t-il.

— Je suis encore à Dijon, dit-elle, la voix mal assurée. Je comptais rentrer…

Il ne lui laisse pas le temps d'achever :

— Rappliquez ! Vite.

76

Une heure trois quarts exactement s'est écoulée entre le moment où Marion a quitté la villa de Suzanne et celui où elle franchit le portail de l'hôpital Édouard-Herriot. Tout le long du chemin qu'elle a avalé au maximum de la puissance de la Peugeot – hélas, plus de première jeunesse –, elle s'est efforcée de garder la tête froide, partagée entre une formidable envie de meurtre et celle de se mettre des claques.

Elle fait une entrée fracassante dans le hall du service des urgences où squatte le noyau dur des habitués de la nuit et du dimanche réunis. Un trio de gardiens de la paix patiente, assis sur des chaises sans confort, l'un d'eux enchaîné à un homme ensanglanté qui les couvre d'injures.

— Madame ! s'écrie l'employé des admissions, alors que Marion se rue vers le fond du hall. Où allez-vous ? Attendez !

Le capitaine Capdevil l'intercepte au moment où l'agent hospitalier, aidé par un des gardiens de la paix, se met en travers de sa route.

— Foutez-moi la paix ! hurle-t-elle, au bord de la crise de nerfs.

— Ça va, ça va…, s'en mêle Capdevil, s'adressant au policier en tenue. Laisse-nous ! Je m'occupe d'elle.

— Où sont-ils ? halète Marion. Je veux les voir.

— Ils vont bien, ils vont bien, martèle Capdevil en essayant de maîtriser les nerfs de sa chef, dont il serre les bras de toutes ses forces.

— Mais lâchez-moi, vous me faites mal, merde !

— Calmez-vous, patron ! lui intime Capdevil. On vous regarde !

Gilles est assis dans un fauteuil, le dos à la fenêtre. Il se dresse à moitié quand Marion fait son entrée, livide, les lèvres serrées à éclater. Elle lui jette un long regard plein de colère, de haine et de désespoir. Il voudrait parler, expliquer, mais les mots demeurent coincés au fond de sa gorge et il se contente de lui adresser un demi-sourire crispé.

Marion n'ose pas tourner les yeux vers la forme mince allongée sur le lit. Le bruit saccadé de la pompe à oxygène emplit tout l'espace, couvrant jusqu'aux bruits, pourtant incessants, du pavillon des urgences. Le capitaine Capdevil est resté près de la porte.

Nina a les yeux clos et son visage mince et blanc porte des traînées noirâtres qui ont aussi maculé ses cheveux. Elle respire sous un masque à oxygène et elle paraît si menue et si vulnérable que des larmes montent aux yeux de Marion sans qu'elle puisse rien faire pour l'empêcher.

— Le salaud ! gronde-t-elle d'une voix rauque. Je vais le buter de mes mains.

— Edwige..., hasarde Gilles d'une voix encore étrangement cassée, il faut te calmer. Nina va bien, elle est tirée d'affaire, mais elle a besoin de repos.

— Laisse-moi tranquille ! Laisse-moi seule avec elle !

Elle a parlé avec agressivité et se rend compte aussitôt de son attitude injuste.

— S'il te plaît, implore-t-elle plus doucement.

Gilles se lève avec effort. Il semble avoir pris dix ans en quelques heures et c'est en titubant qu'il s'éloigne, pris en charge par Capdevil, qui le soutient pour quitter la chambre. Marion ne lui a pas accordé un regard. Elle s'assied près de sa fille, caresse les doigts fins noircis par la fumée, avec précaution, comme si elle en découvrait subitement la fragilité.

— Oh, Nina, murmure-t-elle au visage immobile, si tu savais comme je suis nulle ! Comme je m'en veux ! Je m'occupe mal de toi. Je ne suis jamais là quand il faut. Et qu'est-ce que je vais te promettre maintenant, hein, ma puce ? D'arrêter celui qui a failli te tuer et de le mettre en taule ? Et tu vas me croire ?

Nina dort d'un sommeil plat, sans rêves, mais elle est vivante et consciente, Marion s'en aperçoit à d'infimes signaux émis par son organisme. Ses paupières tremblent légèrement et, par moments, ses doigts sont agités de microspasmes.

— Tu aurais raison de douter de moi, parce que moi-même je doute… J'ai l'impression cette nuit d'être au fond d'un grand trou noir et de ne pas connaître les moyens d'en sortir. Il n'avait pas le droit de s'en prendre à toi !

Marion renifle, essaie de retenir les larmes qui commencent à rouler le long de son menton.

— Ma Nina, tu es la personne la plus importante de toute ma vie… Sans toi, je ne sais pas ce que je serais devenue… Je serais clocharde ou alcoolique, pire peut-être… J'ai promis de veiller sur toi, de t'aimer, et tout ce que je fais, c'est te mettre en danger ! Tu sais, chérie, tu disais l'autre jour que la vie est un enfer tranquille, ça m'avait fait rire, mais tu avais raison. Nina, dis-moi ce que je dois faire ! Quitter ce métier, t'emmener loin d'ici ? Ou te confier à des gens qui s'occuperont mieux de toi ? Est-ce que j'ai le droit d'avoir un enfant et de ne pas savoir le protéger ? Oh, ma puce ! C'est tellement difficile !

Elle pleure pour de bon à présent, seule avec son désespoir et sa fille. Elle songe qu'elle devrait remercier le ciel parce que toutes deux sont vivantes.

Vivantes, encore, mais pour combien de temps ?

La voix de Capdevil lui parvient, lointaine, improbable : « Que tombe sans vie celui qui croit aux fantômes… »

77

Les hommes en blanc ont investi les lieux du sinistre et cette scène évoque pour Marion un spectacle qui lui paraît remonter à un temps immémorial. La différence est que celui-ci lui bloque la respiration, provoquant une douleur qui irradie jusqu'à son bras gauche et son dos. Elle se demande combien de temps on peut vivre sans dormir.

— Nous avons repéré quatre départs de feu, explique un des techniciens de la PTS, spécialiste des incendies. Un ici...

Il montre la porte du garage devant laquelle la carcasse de la voiture de Gilles lâche encore quelques molles fumerolles.

— C'est le plus important des foyers, poursuit le TSC car il a découvert de la matière à l'intérieur. Vous aviez beaucoup de choses inflammables, là-dedans ?

« Les cartons ! » songe Marion.

Des tas de paperasses sèches comme de l'étoupe.

— Pas mal, oui, dit-elle en maudissant silencieusement cet héritage de malheur...

— Ensuite, le feu a gagné la cage d'escalier, puis l'entrée, rejoignant un deuxième foyer allumé devant la porte principale. Quand les carreaux de la fenêtre ont éclaté, l'appel d'air a embrasé l'escalier qui mène à l'étage. Où se trouvaient votre... fiancé et votre fille.

Gilles, épuisé par le long trajet aller-retour en Normandie et les contrariétés successives – la dernière étant l'annonce tardive de Marion de passer une autre nuit à Dijon et la dispute qui en avait découlé –, s'était écroulé après avoir pris un léger somnifère. Nina, dans la chambre du fond, dormait comme dorment les enfants ou les adultes sous sédatifs. C'est l'explosion du réservoir de la Renault qui a réveillé Gilles. Les flammes n'avaient pas encore attaqué le couloir, mais une épaisse fumée en interdisait l'accès, envahissant la chambre de Nina dont la porte était restée ouverte.

— Ça ne peut pas être un accident, conclut l'homme, comme si Marion, qui contemple, légèrement hébétée, l'étendue des dégâts, pouvait encore en douter.

La maison est partiellement détruite. La cuisine est un champ de ruines calcinées, le garage lui-même est dévasté. Les cartons et leur contenu sont partis en fumée. La partie arrière qui donne sur les prairies est moins abîmée, mais les trombes d'eau déversées par les pompiers rendent illusoire l'espoir de sauver quoi que ce soit. Marion, sonnée, a du mal à admettre qu'elle n'a plus rien.

Capdevil se tient un peu en retrait, il observe les faits et gestes des TSC et des enquêteurs qui ont commencé leur difficile travail de collecte des indices. La maison étant située au bout d'une route qui ne mène nulle part et totalement isolée, il n'y a pas de témoins, même si les flammes, hautes comme les tours de Notre-Dame de Fourvière, étaient visibles à plus de dix kilomètres à la ronde.

Quelques hommes ont entrepris de ratisser les environs en décrivant autour de la maison des cercles de plus en plus larges. Capdevil les rattrape alors qu'ils disparaissent derrière les buissons alignés le long d'une clôture électrifiée. À peine les a-t-il rejoints que l'un d'entre eux pousse une exclamation en plongeant derrière un pied de houx sauvage.

Marion, du fond de son hébétude, a entendu, elle aussi, le cri de l'officier. Elle se retourne pour apercevoir Capdevil, qui lui fait de grands gestes, à une vingtaine de mètres.

Les hommes ont pris les précautions d'usage pour tirer à l'air libre l'objet caché sous les arbustes. Ils ont aussitôt délimité et interdit la zone afin de protéger les traces encore bien visibles dans les herbes drues. Le bidon en plastique de couleur jaune est fermé par un bouchon noir. Il en émane une odeur d'essence. Sur son flanc s'étale le nom d'une marque d'huile pour moteurs et une inscription en petits caractères.

Marion se penche pour lire et sursaute.

— Qu'est-ce qu'il y a ? s'inquiète Capdevil. Ça va ?

Elle fait oui de la tête et montre du doigt les mots gravés en relief sur le bidon : « GARAGE MIGNOT, PLACE DE LA POSTE, MIRABEL, CÔTE-D'OR ».

Le capitaine voudrait en savoir plus, mais Marion a déjà tourné les talons.

78

Paul Quercy plonge les mains dans ses poches et remue fébrilement sa ferraille.

— Arrêtez ça ! s'écrie Marion. Cette manie est insupportable.

C'est la première fois qu'elle se permet de lui en faire la remarque. Il en paraît surpris et contrarié, mais il retire aussitôt les mains de ses poches.

Il est arrivé sur les lieux de l'incendie sans prévenir et Marion n'a pas eu besoin de parler. Elle s'est contentée de montrer les ruines de sa maison d'un geste ample.

— Je sais, marmonne-t-il, je suis déjà venu cette nuit, juste après les pompiers.

— Qui vous a prévenu ? demande Marion, hostile.

— La permanence. Ils sont en liaison...

— Avec la salle de commandement des pompiers, je sais...

— J'oubliais que vous savez tout... J'ai pris des nouvelles de Nina et de votre... fiancé. Tout va bien.

— Tout va bien ! explose Marion. Tout va bien ! Mais écoutez-le ! Nina a failli mourir asphyxiée. Mon fiancé, comme vous dites, l'a sauvée de justesse et lui, il est dans un triste état. Il va leur falloir des semaines pour récupérer. Ils ne sont pas morts en effet, mais je n'ai plus de maison. Nina et moi sommes à la rue. Ce sont vos amis qui ont fait ça ?

Marion a haussé le ton progressivement. Les hommes en blanc suspendent leurs gestes. Capdevil a cessé de fureter pour écouter. Quercy quitte son air de matamore.

— Je ne comprends pas cette insinuation, fait-il à voix basse.

Marion plonge la main dans le sac publicitaire de Sonia Bonte qui représente tout ce qu'elle possède. Elle en tire la photo prise sur une place ombragée de palmiers et l'agite sous le nez de Paul Quercy.

— Alors, lequel ? Bertrand Dunois, Marc Berthe, vous peut-être ? Ou des hommes de main… genre militaires un peu mercenaires ?

Quercy pâlit sous son hâle permanent.

— Taisez-vous, vous dites n'importe quoi !

— Je répète ma question : lequel de vos amis a essayé de tuer ma fille ?

Elle a hurlé dans le vent du matin empuanti par les relents du feu. Les larmes montent à ses yeux. Les hommes, à dix mètres d'eux, contemplent la scène, pétrifiés.

— Venez, dit Quercy en la prenant par le bras, ne restons pas là.

— On s'attend toujours à ce que le passé vous rattrape, mais, on a beau faire, on n'est jamais prêt.

Quercy a invité Marion à monter dans sa voiture de fonction et en a viré le chauffeur, qui est allé fumer une cigarette plus loin. L'intérieur sent le cuir et le tabac froid, et la jeune femme résiste avec peine à l'envie de s'allonger sur la banquette. Dormir, ne serait-ce qu'un quart d'heure.

— Vous ne voulez pas me répondre, dit-elle d'un ton las. C'est une question pourtant simple, non ?

Quercy déglutit et s'empare d'une boîte de cigarillos qu'il ouvre d'un coup d'ongle. Marion suit ses gestes tandis qu'il craque une allumette d'une main un peu tremblante.

— Gus Léman a été brûlé sur tout le corps à l'aide d'une saloperie de ce genre. Vous étiez au courant ?

284

— Non, réplique-t-il après avoir exhalé un épais nuage de fumée. Ce n'est pas moi, ni mes amis, comme vous dites. Pas plus qu'ils ne sont responsables de ce qui vous arrive.

— Comment en êtes-vous si sûr ? Je vous ai innocemment annoncé la mort de Gus Léman. Vous vous êtes empressé de les avertir que le vieux avait refait surface après plus de trente ans de silence radio. Vous avez tous paniqué parce que vous le pensiez mort. Mais, ce qui vous a le plus perturbé, c'est que ce soit moi qui vous l'apprenne. Et vous, patron, me connaissant, vous avez deviné que j'allais mettre mon nez dans vos vieilles combines. Découvrir ce qui se cachait derrière la mort de mon père. Comme vous ignoriez ce que j'avais entre les mains, vous m'avez fait suivre, vous avez fait intercepter mes communications...

Quercy interrompt tout mouvement, en oublie même de respirer. La fumée lui provoque une quinte de toux, il s'étrangle :

— Je vous demande pardon ? éructe-t-il hors d'haleine.

— Vous avez très bien entendu. Filature, espionnage, intimidation, menaces, tentative de meurtre... Ça me rappelle des méthodes que vous prétendez condamner, non ?

Elle le défie longuement. Il y a de la pitié et du mépris dans ses yeux noirs voilés comme ceux d'une vieille femme. Quercy prend son temps, cherche ses mots, avance vers elle une main qu'elle repousse avec violence.

— Je n'y suis pour rien, merde ! s'exclame-t-il. Et je connais mes amis, comme vous dites... Ils ne sont pas dans le coup.

— Vous savez que je suis sur écoute ?

Quercy hoche la tête.

— Vous ne fantasmez pas un peu, là ?

— Mais bien sûr. Je fantasme. Et Martinez, c'est quoi ? Un fantôme ?

Le chauffeur apparaît devant le véhicule, masquant un instant le tranquille paysage de la campagne sous un ciel maussade. D'un geste de la main, Paul Quercy lui signifie de s'éloigner.

— Pourquoi ne pas me parler franchement ? continue Marion. Pourquoi me laisser patauger dans une histoire où je risque ma peau ?

— Abandonnez tout ça, soupire Quercy après un silence prolongé. Il y a des choses dont on n'a plus envie de parler...

— Quand on a une carrière et des ambitions ? Conseiller à l'Intérieur...

— Arrêtez avec ça ! C'est ridicule.

Quercy s'agite de nouveau. Marion sourit sans joie.

— Vous voyez que j'ai raison.

— Mais bon Dieu ! Qu'est-ce que vous imaginez ? Qu'on accepte comme ça de tout perdre ?

Elle le regarde.

— Et moi, murmure-t-elle, je n'ai pas tout perdu, peut-être ?

Alpha 2 bourdonne au fond de sa poche. Elle s'en empare fébrilement et se fige en reconnaissant la voix de Sonia Bonte. D'un coup d'œil, elle surprend la curiosité sur le visage de Quercy, qui relique le téléphone, et elle décide de sortir de la voiture.

— Allô ? fait-elle d'une voix atone en s'éloignant de quelques pas sur le chemin...

— Je viens de recevoir un troisième corps…, annonce la légiste qui adopte un ton professionnel sous lequel transparaît cependant comme un intérêt amical. Il a un rapport avec les deux autres ?

— Oui, enfin, je présume que oui… C'est un voisin de M. Léman. Il a été tué juste après que je me suis entretenue avec lui.

— Eh bien, dites-moi, il ne fait pas bon vous fréquenter, commissaire Marion… J'ai des choses pour vous.

— Ah ?

— Par quoi je commence ? L'analyse de ces traces luisantes relevées autour des blessures du sieur Renoir ?

— Si vous voulez, ânonne Marion, qui s'attend au pire.

— On y trouve de l'alcool iodé, du camphre, de l'arnica, plusieurs résidus végétaux. Des inflorescences macérées dans la mixture. Camomille, oignon de lys, millepertuis, etc.

Marion écoute et son cerveau, pourtant en déconfiture, se met à fonctionner à toute vitesse. Ce que Sonia Bonte décrit, c'est…

— Exactement la même chose qu'on a extraite du mouchoir en papier, confirme la légiste. Vous appelez ça comment, déjà ?

— Le baume de la mère Blanc…

— Ah oui ! C'est une composition artisanale, inconnue au Vidal… L'instrument qui a servi à assommer M. Renoir avait probablement été utilisé aussi chez M. Léman. Vous ne croyez pas ?

— Peut-être, admet Marion. Cela signifierait que c'est la même personne qui a tué dans les deux cas ?

— Ah mais, dites donc, je ne sais pas répondre à ça. C'est vous, le flic !

— Il y a autre chose ?

— Oui, dit la légiste avec calme, et je crains que cela ne vous fasse pas plaisir.

Marion ferme les yeux brièvement. Elle revoit la petite pièce dépouillée où Sonia Bonte lui a prélevé un peu de salive afin d'en extraire son ADN. Officieusement et en dehors de toute procédure légale. Elle entend la voix de la praticienne, lointaine :

— Il n'y a aucun doute. M. Léman est bien votre père génétique.

Quercy n'a pas quitté la voiture de service. Il suit des yeux Marion qui fait les cent pas, cramponnée à son téléphone. Il la connaît bien et il sait qu'elle n'est ni parano ni fabulatrice. Elle est le meilleur flic qu'il ait jamais formé et il l'aime, à sa manière emportée. Et, quand bien même elle serait atteinte de maladie mentale, les ruines encore fumantes de sa maison attestent qu'elle est réellement en danger et qu'il doit la protéger. Il se demande également si quelque chose dans le comportement de ses « amis » ne lui a pas échappé.

Il se saisit du téléphone de bord d'une main sûre, passe quelques coups de fil brefs.

Puis il voit Marion tituber sur la route et se précipite à son secours.

79

Capdevil a été ferme : pas question de laisser le volant à sa chef qu'il redoute de voir à tout moment s'effondrer comme une masse. Il l'a emmenée encore une fois chez lui, rue de la Barre, prendre un petit déjeuner et une douche. Elle est restée longtemps sous le jet brûlant, mais, il a eu beau faire, elle a catégoriquement refusé de se reposer. Pendant qu'elle prenait son café, il est allé au Printemps lui acheter de quoi se changer. « Taille 38, a-t-elle précisé, 38-40 pour les slips. Prenez ce que vous voulez, ça m'est égal. »

Capdevil déteste par-dessus tout piloter une voiture. Il conduit comme une enclume, martyrisant les vitesses et la direction à coups de volant maladroits qui obligent Marion à se cramponner.

— Il faut admettre que la conclusion de votre légiste est troublante, fait-il en traversant le pont de la Guillotière.

— Oui, dit-elle en forçant sa voix pour couvrir les ronflements de l'embrayage. Passez donc la troisième, capitaine !

— Ah ! pardon… Pourraient pas nous mettre des boîtes automatiques, non ? bougonne-t-il. Si c'est le même homme qui a tué Léman et le notaire, ça pourrait être le commandant Martinez ou quelqu'un de la clique de Quercy ?

— En effet. Imaginons qu'ils aient repéré la présence de Gus à Charmes. Grâce aux gendarmes ou aux voisins. Au facteur, par exemple, qui est un observateur idéal et fréquente les pandores. Martinez et sa bande viennent rendre visite à Gus, le torturent pour le contraindre à avouer ce qu'il a fait du fric des braquages et des preuves qu'il a peut-être gardées des implications de Dunois, Berthe et...

— Quercy... Ça tourne au vinaigre, ils le tuent, enchaîne Capdevil, qui suit le raisonnement de Marion et en oublie de s'arrêter au feu rouge.

— Capitaine ! s'écrie Marion en serrant les fesses. Vous voulez nous tuer, ou quoi ?

— Et ensuite, continue l'officier, imperturbable, comme Léman n'a rien dit, ils s'attaquent au notaire, car ils sont convaincus qu'il sait quelque chose. Ils le tuent à son tour.

— C'est ça qui cloche. Ils n'ont pas obtenu de résultats non plus avec le notaire, puisqu'ils s'en sont pris à l'étude, à moi, à Suzanne. Et avec quelle violence ! Ils n'avaient aucun intérêt à nous éliminer, surtout de cette manière... compulsive.

— Pour brouiller les pistes ?

— C'est bien compliqué pour quelqu'un de... binaire, comme Martinez... Et pourquoi les incendies ? Et l'assassinat du père Léon ? C'est incohérent. Martinez est un exécutant sans foi ni loi, mais il ne peut pas être aussi dispersé, maladroit, se livrer à des actes aussi graves sans raison...

Marion se concentre sur ces accumulations d'énigmes qu'elle pourrait comparer à la traversée d'un désert. Elle aperçoit le but à atteindre, il paraît tout près, là, à portée de main, juste derrière la dune. Mais, quand elle la franchit, un nouveau parcours d'obstacles se présente. Le terminus est toujours aussi loin.

Elle regarde la pendule de bord, tandis que Capdevil s'enfonce dans de petites rues à sens unique, un raccourci pour rejoindre l'hôpital, prétend-il.

Il est presque midi. Marion se demande ce que fiche Suzanne.

— J'attends des nouvelles de votre château, duchesse ! annonce Capdevil sur un ton léger destiné à la dérider. Le service des monuments historiques et sites classés de Dijon planche dessus... J'ai eu le conservateur en personne. Heureusement que j'avais une photo à lui faxer car, même avec ça, il ne reconnaît pas l'endroit.

Finalement, Marion n'y tient plus et compose de mémoire le numéro du portable qu'elle a fait acheter à Suzanne Renoir. C'est Naïma Meceri qui répond.

— Ah ! Patron ! Ça va ?

— Comme ça... Et vous ?

— Je flippe comme une bête ! Elle est pas un peu jetée, votre copine ?

— Meceri, je vous en prie !

— Elle m'a dit un truc qui me fait flipper à mort, à propos de M. Léman et de son père. Il paraît qu'ils étaient bidasses ensemble en Algérie et qu'ils faisaient partie des sections spéciales de l'armée...

Marion soupire. Pourquoi Suzanne est-elle allée débiter ces horreurs à Naïma ?

— Elle m'a raconté ça pendant des heures cette nuit, elle a sifflé une bouteille entière de cognac. J'avais l'impression qu'elle voulait que je pardonne à son père à travers elle...

— C'est possible, balbutie Marion. Où est-elle ?

— Elle téléphone. Je vous la passe.

Marion entend le bruit des pas de Meceri qui claquent sur un sol dur. Elle imagine la jeune fille passant d'une pièce à l'autre. La voix de Suzanne :

— Edwige ? Dis donc, tu ne perds pas de temps... Remarque, moi non plus !

Elle a surmonté sa cuite de la nuit et elle a la même intonation que Sonia Bonte. Elle s'en défend, mais elle jubile. Elle aussi a trouvé des « choses ».

— Pas de chance pour ta théorie, lance-t-elle, énigmatique. Le manoir de Chantegrive a été administré pendant dix ans par un lointain cousin du baron, qui avait hérité de la tutelle sur l'enfant après le décès des parents. Puis le château a été vendu à une SCI qui a commercialisé le parc et envisage de restaurer le manoir pour en faire un ensemble de logements de luxe. Ils n'ont pas encore reçu les autorisations et les permis de construire, mais…

— Le gosse ? la presse Marion.

— Philippe des Aubrais de Chantegrive est mort à vingt ans, en 1975.

80

Marion digère sa déconvenue en écoutant distraitement le bavardage de Suzanne qui lui donne tous les détails qu'elle a pu récolter sur la vie du jeune Philippe.

— C'était un grand délirant, commente la notaire. Même avec le secours de l'éducation spécialisée, il n'aurait pas été capable de vivre en autonomie, ne serait-ce que partielle. Il paraît qu'il mangeait ses excréments, tu te rends compte ?

Capdevil, qui capte la conversation grâce au haut-parleur, a un sursaut horrifié. Ils sont arrêtés le long de la rampe d'accès au pavillon des urgences de l'hôpital et guettent le départ d'une voiture de police pour prendre sa place. Marion hausse les épaules et interrompt Suzanne qui continue à détailler tous les mauvais penchants de feu le baronnet de Chantegrive.

— Attends ! s'écrie la notaire, alors que Marion lui annonce qu'elle va raccrocher. Je me suis permis, bien que tu ne me l'aies pas demandé, de faire une autre recherche pour toi...

Marion se redresse, sur le qui-vive, tandis que Capdevil entame sa manœuvre pour se garer. Elle craint, après ce que lui a dit Meceri, une nouvelle initiative maladroite.

— C'est ta charmante collaboratrice qui en a eu l'idée, pour tout dire. J'ai interrogé la maison de retraite de Lux. Ils n'ont pas de pensionnaire du nom de Blanc. Pendant qu'on y était, on a répertorié et interrogé les autres établissements de la région. Mme Marie Blanc n'est nulle part.

Marion se transporte en pensée dans la cour marécageuse. Elle se souvient de son malaise et des bruits insolites qu'elle a attribués à la présence de l'affreux matou roux. Une sensation désagréable la saisit.

— Repasse-moi la petite, demande-t-elle à Suzanne.

— Oui, patron ?

— Meceri, dit-elle d'une voix tendue. Appelez les gendarmes de Mirabel. Dites-leur que vous travaillez avec moi. Il faut qu'ils aillent voir chez la mère Blanc.

81

Il fait gris tout à coup. Le soleil, après une apparition furtive, s'est caché sous une couche de coton noir. Un gardien de la paix est assis devant la porte de la chambre où se repose Nina et, quand Marion s'en étonne, il avoue ne pas savoir qui a donné cette consigne.

Nina est seule dans la pièce triste et froide avec son éclairage au néon et son lit en inox haut sur pattes. Elle est réveillée et libérée de son masque à oxygène, mais toujours sous perfusion. À l'entrée de sa mère, elle jette un coup d'œil rapide dans sa direction, puis se détourne en fixant la fenêtre.

— Bonjour, ma puce, dit Marion très doucement en se penchant sur elle pour lui baiser le front. Comment tu te sens ?

Nina ne répond pas. Ses lèvres se pincent et, au tremblement qui les agite soudain, Marion comprend qu'elle est sur le point de fondre en larmes.

— Nina... mon amour... qu'est-ce qu'il y a ? Tu m'en veux toujours ? Écoute... J'ai eu tort, je le reconnais, je n'aurais pas dû te laisser partir, j'aurais dû rester avec toi pour te protéger. Je...

— Tu dis toujours ça ! s'exclame la petite avec des trémolos dans la voix. Mais, chaque fois, c'est pareil. Tu préfères ton travail, c'est tout. T'as qu'à le dire, à la fin !

— Nina, cette fois, c'est différent. Je n'ai pas choisi...

— On t'a forcée ? Tu parles ! Tu vas encore me raconter des histoires, je t'écoute plus.

Marion s'attendait à une crise de Nina.

— Bon, comme tu veux, soupire-t-elle, la gorge serrée. Mais c'est la vérité, j'ai été embarquée dans une histoire malgré moi. Je t'expliquerai tout quand tu iras mieux.

Elle s'efforce de présenter un visage serein, mais elle se sent comme Nina : près de craquer.

— Et on va aller où, hein, maintenant qu'on n'a plus de maison ? Toutes mes affaires, mes jouets, mes livres, mes habits, mon doudou…

Nina crie et pleure en même temps. Marion ressent sa détresse, qui ajoute à la sienne. Elle s'assied au bord du lit et prend la fillette dans ses bras. Celle-ci se cabre, cherche à éloigner sa mère.

— Et Choupette ! Tu l'as retrouvée ?

Marion a complètement oublié la lapine naine, et à l'heure qu'il est, elle ne donne pas cher de sa peau. Elle se mord les lèvres, au sang.

— Elle est morte…, s'effondre Nina. Elle était dans le jardin, hier soir, je suis sûre qu'elle a été écrasée. J'en suis sûre ! Oh, maman… Mais pourquoi on nous a fait ça ?

Ses pleurs redoublent, elle hoquette et se met à tousser, les poumons et les bronches encore irrités par les émanations de l'incendie. Marion l'attire à elle et, là, la petite se laisse faire.

— Je vais aller chercher Choupette, mon amour… Ne t'en fais pas, c'est malin, ces petits animaux. À tous les coups, elle s'est fourrée dans un trou, bien à l'abri. Elle attend le moment propice pour sortir. Je vais la trouver, je te le jure.

Nina se détend petit à petit. Elle s'essuie le visage avec le drap de l'hôpital et se mouche dedans.

— Et mes affaires ?

— Ce ne sont que des objets, Nina, tu en auras d'autres. On va louer une nouvelle maison, un grand appartement en ville…

— Et le cheval ? Comment je vais faire ?

— On habitera à la campagne, dans ce cas… Ce ne sont pas les maisons qui manquent.

— Et Gilles ? Il va partir ?

Marion serre la petite contre elle et demeure silencieuse. Que répondre ?

En arrivant, elle a croisé son « fiancé » qui sortait d'une pièce voisine pour se rendre au service de radiologie et y subir un examen approfondi de ses poumons. Elle a eu pitié de son air exténué et la légère voussure de son dos, à laquelle elle n'avait jusque-là pas prêté attention, lui a sauté aux yeux. Il l'a regardée longuement, planté dans le couloir, dans une robe de chambre grise de l'hôpital. Elle n'a rien pu lui dire. Il a sauvé la vie de Nina, il était à ses côtés quand elle était en danger, alors que c'était sa place à elle, sa mère. Inexplicablement, elle en éprouve une sorte de rancune. Elle a eu envie de lui avouer que le problème est en elle, pas en lui ni dans leur relation, mais comment le faire en présence des deux infirmières qui doivent l'escorter jusqu'à la salle de radio et du gardien qui surveille Nina ? Elle s'est détournée sans un mot.

— Maman ! Réponds-moi !

— Je ne sais pas, mon bébé. On ne peut pas parler de ça maintenant, pas ici. Toi, qu'est-ce que tu voudrais ?

— J'en sais rien. Je crois que je serais mieux avec mamy, non ?

Marion suspend tout mouvement et, de nouveau, la pince installée autour de son sternum se
resserre.

— Comment ça, avec mamy ?

— Je veux dire, le temps qu'on cherche une
solution.

Marion ferme les yeux brièvement. Sa tête
tourne, son cœur s'affole. Nina a traduit son souhait de voir Gilles retourner dans ses montagnes.
À tout jamais.

— Ninette chérie… dis-moi pourquoi tu m'en
voulais autant, vendredi et tout le week-end ?
Pourquoi tu refusais de répondre au téléphone ?
C'est parce que je t'ai laissée avec Gilles ? Parce
que tu pensais que je t'abandonnais ?

Nina repousse sa mère et repose sa tête sur
l'oreiller avec un soupir. Ses joues sont pâles, ses
yeux cernés, et ses cheveux pendent en longues
mèches pas très nettes.

— Oui, un peu, dit-elle, boudeuse. Mais pas
seulement.

— Pourquoi, alors ?

— Parce que tu as abandonné Jérôme Talon.

— Mais je ne l'ai pas abandonné !

— Si, c'est lui qui me l'a dit. Je l'ai entendu dans
ma tête.

— Mais il n'était pas seul. Tu étais là, il y avait
Gilles, Lisette, Capdevil. Naïma Meceri lui a souvent rendu visite aussi….

— C'est toi qui comptes le plus pour lui.

Par un de ces étranges concours de circonstances, précisément à cet instant, Capdevil entrouvre la porte et, se penchant à l'intérieur, fait un
petit geste de la main à Nina et un signe de tête à

Marion. Il a l'air tendu et Marion a la brusque intuition qu'il se produit des choses graves.

— Le médecin qui s'occupe de Talon m'a demandé de vous appeler. De toute urgence…

— Qu'est-ce qui se passe ?

— J'en sais rien. L'interne a appelé le service, on lui a dit que vous étiez là. Il a fait transmettre le message par le gardien.

— C'est une initiative de Quercy, le gardien ? demande Marion en fonçant droit devant elle.

— Oui. Vous aviez raison, il n'a pas la conscience tranquille, le patron.

82

Marion a vu tant de morts qu'elle ne pourrait en citer le nombre de mémoire. Talon est dans la même position que la dernière fois qu'elle l'a vu et il lui semble que cela remonte au déluge. Il est immobile, les bras le long du corps sur le drap blanc, et le moniteur d'assistance cardio-respiratoire est éteint.

L'interne boutonneux est accompagné d'un autre médecin plus âgé et, penchés en avant de chaque côté du lit de l'officier, tous deux se parlent comme s'ils se trouvaient autour d'une tasse de thé. Le vieux se permet même un petit rire excité et Marion a une envie folle de le gifler. L'interne se redresse et, en se déplaçant, découvre le visage de Talon.

Marion a vu des morts par dizaines, mais elle n'en a encore jamais croisé au regard si brillant.

Un moment, elle pense qu'elle va s'évanouir tant le choc est violent. Elle cherche de l'aide auprès de Capdevil, mais il est aussi tétanisé qu'elle. Les deux médecins remuent les lèvres sans qu'elle saisisse un mot de ce qu'ils disent. Puis Talon cligne des yeux et elle se précipite sur lui. Elle le touche, il est chaud, il sourit vaguement. Elle s'abat presque sur lui.

— Oh là ! Du calme, madame ! la douche l'interne. Il a survécu, je ne sais pas comment, à croire qu'on a une bonne constitution chez les flics, mais, si vous le maltraitez, je ne donne pas cher de sa peau. Ne restez pas trop longtemps, on va le changer de secteur et il ne faut pas le fatiguer.

Elle pleure et elle rit en même temps, et Talon aimerait bien en faire autant. Mais il est immobilisé sur son lit par des sangles, tout mouvement incontrôlé pouvant lui être fatal. Il est un peu hébété aussi. Après une semaine d'inconscience, il paraît avoir du mal à situer l'endroit où il est et à comprendre ce qui lui est arrivé. Il a reconnu ses collègues, c'est déjà ça.

Capdevil s'est esquivé en disant qu'il allait annoncer la bonne nouvelle au service et chercher Nina.

— Vous nous avez fait tellement peur ! dit Marion, qui ne sait plus où elle en est.

La résurrection de l'officier relègue très loin la somme de catastrophes qu'elle vient de subir.

Talon ferme à demi les paupières afin de se concentrer sur ses souvenirs les plus proches. Il s'exprime avec difficulté, ses neurones se remettent en marche paresseusement.

— Je vous entendais…, bredouille-t-il. Vous m'engueuliez, je crois… Je ne comprenais pas tout… Seulement, que vous m'avez traité de « sale con »… J'essayais de vous répondre, mais je retombais toujours dans une sorte de trou. J'ai entendu Nina aussi. Elle était ici avec vous, n'est-ce pas ?…

Marion sourit, les larmes de nouveau piquent ses yeux. Elle n'a pas le courage de lui énumérer tous les gens qui sont venus. Lui n'a entendu que Nina qui, de tous, était celle qui croyait le plus aux vertus des mots pour le sortir du coma.

— Je me disais que je devais me réveiller, qu'elle avait besoin de moi…

— C'est tout à fait ça, Talon. Nina vous considère comme un grand frère.

— Vous lui direz…

— N'ayez crainte… Et puis vous le lui direz vous-même.

Elle n'ose pas lui annoncer que Nina est là, tout près. Il ne faut pas l'inquiéter encore ni le replonger trop vite dans la brutalité du monde. Il remue les doigts et Marion les saisit. Il veut serrer sa main, mais il est trop faible. Même sa voix a un étrange son nasillard quand il reprend la parole :

— J'ai rêvé que vous me tutoyiez et que vous m'appeliez Jérôme.

— Et alors ?

— Je n'aimerais pas.

Marion, prête, dans l'euphorie, à proposer à son lieutenant de la tutoyer aussi, ravale ses mots. Elle sait que c'est dans l'ordre des choses et dans le caractère de Talon ; pourtant, elle en éprouve une vague déception et lui retire sa main en douceur.

— Je suis arrivé ici comment ? J'ai eu un accident ?

— Pas vraiment, non, murmure Marion. Enfin, pas un accident comme vous l'imaginez.

Il tourne la tête doucement, et ce mouvement lui est douloureux. Il tente de scruter le regard de Marion. Elle baisse les paupières.

— On vous a tiré dessus, dit-elle, tandis qu'il fait un visible effort de mémoire.

— Le type ! s'agite soudain l'officier en roulant des yeux effarés. J'ai tiré sur un type ! Est-ce que je l'ai… tué ?

Marion hésite. Elle pose sur le bras de Talon une main fraîche et apaisante, elle lui parle de la balle qui squatte son dos afin qu'il se tienne tranquille.

— Vous avez toujours été bon tireur, Talon…

— C'était qui ?

— Un avocat du milieu marseillais. Une vérole. Bon débarras.

— Ouais, chuchote le lieutenant, un peu plus pâle. Je suis dans la merde, n'est-ce pas ?

83

Nina est entrée dans la chambre sans bruit et Marion, à qui elle a demandé de rester en retrait, l'observe depuis la porte. La fillette a encore la démarche hésitante et, immobilisée au milieu de la pièce, elle tangue un peu sur ses mollets minces et bronzés qui dépassent de sa chemise de nuit. Marion n'aperçoit que son dos, mais elle devine son émotion à la vue de Talon qui semble somnoler et lui offre un spectacle identique à celui des jours précédents. Subrepticement, Nina se tourne vers sa mère pour quêter une explication et celle-ci lui adresse un signe rassurant, l'encourageant à poursuivre sa route.

— Nina ! fait la voix incertaine de Talon. Je ne rêve pas, cette fois, c'est bien toi...

La petite hésite une fraction de seconde, les yeux écarquillés, puis se remet en marche. Elle franchit en deux enjambées l'espace qui la sépare de Talon, puis s'arrête tout contre le lit, intimidée.

— Ça va ? demande l'officier, qui essaie d'attraper la main de la fillette. Tu ne me dis rien...

— Ben... comme t'es plus dans le coma, j'ai plus grand-chose à te dire.

— Ah bon...

Nina l'observe, le détaille de la tête aux pieds. On l'a libéré de ses entraves, mais il garde une immobilité de statue.

— Tu ne peux vraiment pas bouger ? demande Nina d'une voix rauque.

— Non... enfin, je ne sais pas, je n'ai pas essayé. Il ne faut pas, c'est le médecin qui l'a dit. À cause de la balle.

Nina fronce ses délicats sourcils et rejette en arrière ses cheveux qui sentent la fumée. Elle médite un moment, puis :

— Tu sais, la balle, je l'ai vue. Elle est pas très grosse. C'est comme une bille, une toute petite bille. Je me demande bien comment une si petite bille pourrait t'empêcher de marcher. J'ai dit au docteur qu'il vaudrait mieux l'enlever.

— Et qu'est-ce qu'il a dit ?

— Il m'a promis d'essayer.

Un silence lourd de sous-entendus s'installe. Nina tient la main de Talon qui lui sourit toutes les deux secondes comme s'il s'agissait d'une première rencontre. Ils sont bien loin du reste du monde. Puis Talon semble se rendre compte d'une anomalie.

— Mais tu es en chemise de nuit ! s'exclame-t-il.

Nina est prise de court. Elle baisse les yeux sur son accoutrement de malade comme si elle venait elle aussi d'en prendre conscience. Elle est sur le point de répondre quand elle se souvient juste à temps des recommandations de sa mère : ne pas inquiéter Talon ni le perturber prématurément.

— Ah oui ! s'écrie-t-elle, c'est Marion. Elle était tellement pressée de venir te voir qu'elle m'a même pas laissé le temps de m'habiller.

Talon s'agite légèrement, roule des yeux étonnés, fixe la pendule accrochée au mur.

— Pourquoi, tu dormais ?

— Oui...

— Au milieu de l'après-midi ! Dis donc, tu l'aimes, ton lit !

Le visage de Nina se crispe. L'image de son lit en pin garni d'oreillers et d'une couette en dentelle et petits cœurs roses partis en fumée lui envoie une flèche douloureuse au creux de la gorge. Elle déglutit, et les larmes montent à ses yeux.

— Qu'est-ce qu'il y a ? murmure l'officier, se méprenant sur l'émotion de l'enfant. Tu ne vas pas pleurer, Nina, pas maintenant. Regarde ! Tout va bien, je ne suis pas mort.

La petite s'effondre contre lui et libère le gros chagrin qu'elle retient depuis des jours. Elle s'épanche bruyamment, lâchant d'un coup sa peur, sa rancœur, sa peine. Talon caresse ses mèches blondes, son cou menu, en laissant glisser ses propres larmes jusque dans son cou sans chercher à les retenir. Les sanglots de la fillette s'apaisent progressivement.

— Tu pousseras mon fauteuil roulant ? demande Talon en se forçant à l'humour.

— C'est pas drôle, hoquette Nina.

— Mais si, ma puce. Il ne faut pas dramatiser… La vie n'est pas…

— D'abord, renifle Nina, il y en a des électriques maintenant, des fauteuils. Mais, si tu veux, j'irai avec toi au supermarché faire les courses. Comme je serai plus grande que toi, c'est moi qui attraperai les trucs en hauteur. Pareil pour ouvrir les fenêtres, tout ça.

— Tu ne pourras pas être là tout le temps avec moi. Il faudra bien que je me débrouille.

Nina réfléchit, s'abîme dans la douloureuse question soulevée par son ami. D'un coup d'œil, elle cherche de nouveau du secours auprès de sa mère. Comme si elle redoutait d'avoir à y répondre, Marion s'est éclipsée.

84

Capdevil s'est acquitté de sa mission avec quelques difficultés. Les consignes de Marion étaient très précises, de même que la description de l'objectif. Il a mis un certain temps à trouver, mais quand il voit s'arrêter la Peugeot devant le domicile de Lisette Lemaire, la grand-mère de Nina, il sait que Marion va être contente de lui.

Elle descend de la voiture. L'homme qu'il a vu au chevet de la petite à l'hôpital – le capitaine en déduit qu'il s'agit du « fiancé », bien que Marion n'ait pas jugé utile de faire les présentations – est assis à l'avant et Nina à l'arrière. Capdevil marche à leur rencontre, son « objectif » dans les mains.

— Ça m'a donné un mal de chien, grince-t-il entre ses dents, j'ai dû faire toutes les animaleries du département. La couleur de la robe, c'est la bonne ?

Marion sourit malgré elle de l'air emprunté du capitaine.

— Bravo, dit-elle, émue, vous êtes formidable. Mais elle me paraît un peu plus grosse…

— Forcément, c'est un mâle. Je n'ai pas pu faire mieux.

Nina a rejoint sa mère tout en lançant un coup d'œil hostile à Capdevil, qui est, des équipiers de Marion, celui qu'elle connaît le moins. Elle ne voit pas immédiatement ce qu'il porte devant lui comme un de ces objets précieux auxquels il consacre sa vie. Puis elle s'aperçoit que l'objet bouge.

— Choupette ! s'écrie Nina.

85

Il est assis dans l'ombre bienveillante de la voiture. Il est à bout de forces, épuisé par tous ces allers-retours, tous ces kilomètres et ces attentes interminables. Il allume un cigarillo pour tempérer sa fébrilité. Il sait qu'elle est là et qu'elle va sortir. Il ignore à quelle heure et il en a assez, mais il attend.

Il se prend à somnoler, et le cigare lui tombe des mains. Il se brûle en le ramassant et jure dans le noir car, aussitôt, il sent le sang suinter de ses phalanges à vif. La douleur le fait grimacer. À tâtons, il saisit dans sa poche le petit pot de verre et l'ouvre. Il s'enduit la main avec une assurance qui dénote un long usage et, instantanément, c'est le soulagement. L'odeur du baume envahit l'habitacle et, au lieu de l'incommoder, le rassure.

Des portières claquent non loin de lui, et il relève la tête. Son cœur se met à cogner comme une horloge déréglée : trois policiers en uniforme descendent de voiture. Ils se dirigent vers l'entrée de la résidence où une seule fenêtre est encore éclairée au deuxième étage.

Doucement, sans à-coups, il écrase le cigare dans le cendrier et se glisse entre le siège et le volant.

Se fondre, disparaître, se faire oublier, c'est encore ce qu'il fait le mieux.

Il entend les pas des policiers qui reviennent dans la rue. Ils marchent lentement et s'arrêtent souvent. Il ne les aperçoit pas, pourtant il se doute qu'ils examinent les véhicules en stationnement.

Ils ont des lampes. Il n'a pas vu de chien, mais qui sait ?

Les pas se rapprochent. Son cœur s'affole et il a du mal à rester immobile. Il se ratatine un peu plus, jusqu'à se plaquer contre le siège, à se confondre avec le tapis de sol, ce que lui permet sa corpulence modeste.

Ils sont tout près à présent. Ils vont le découvrir, et c'en sera fini de tous ses rêves. Il ira croupir dans une prison. Pendant ce temps, elle...

Fébrilement, il compose le 17 sur son portable. Une voix féminine et impersonnelle répond aussitôt et sa peur doit s'exprimer avec conviction, car la fille annonce qu'elle va envoyer une patrouille.

Une voiture, deux peut-être avant qu'ils arrivent jusqu'à lui. Affolé, il s'applique à respirer doucement. Dieu merci, il ne fait pas froid dehors, car la buée aurait trahi sa présence depuis longtemps. L'éclair d'une torche emplit l'habitacle de sa voiture et il se dit qu'il est fichu. Fait comme un rat.

Puis la voix métallique d'un opérateur radio résonne du côté de la voiture de police. Quelqu'un, le conducteur certainement, répond et, tout de suite après, sa voix explose dans la nuit :

— Les gars ! Y a des mecs en train de casser à deux rues d'ici. On va voir. On finira après.

Des pas précipités. Les faisceaux des lampes s'éteignent, les portières claquent et la voiture s'éloigne. Merci, mon Dieu...

Il ne doit pas rester dans cette voiture. Les flics vont revenir et recommencer leur manège. Debout sur le trottoir, plus épuisé que s'il avait couru un marathon, il hésite, cherche une planque.

Près de la Peugeot de Marion, un gros conteneur à ordures attend sur le trottoir. Par bonheur, il est vide. Il s'y installe, indifférent à l'odeur de soue.

86

Il y a dix minutes que les chiens de garde dépêchés par Quercy sont partis. Nina est couchée dans la chambre de Lisette, qui a étalé un matelas à côté du lit de la fillette afin de surveiller son sommeil. Marion aurait préféré que la petite dorme cette nuit encore à l'hôpital, mais, son état ayant été jugé satisfaisant, les médecins l'ont gentiment poussée dehors.

Gilles a déplié le canapé du salon et s'y est allongé. Il a suggéré de passer la nuit à l'hôtel, ce que Marion, pas encore tout à fait sûre qu'aucun autre danger ne les menace, a refusé. Elle tourne en rond et se demande comment elle va faire pour aller s'étendre près de lui et lui laisser faire les gestes de l'amour.

— Il faut qu'on parle, Marion, dit Gilles d'une voix étranglée.

— Pas ce soir... Je n'en ai pas la force, excuse-moi...

Elle est recrue de fatigue et en proie à des vertiges depuis le milieu de l'après-midi.

— Viens te coucher, alors !

Elle regarde le grand corps étendu et les yeux bruns qui suivent chacun de ses mouvements. « Je ne peux pas, pense-t-elle dans sa détresse, je ne peux pas… » Elle meurt d'envie de lui dire que c'est elle qui va sortir, aller dormir ailleurs, à l'hôtel ou chez Capdevil, qui lui a proposé ses services en bon soldat, bien que sans enthousiasme.

Alpha 2 se met à sonner, la sauvant in extremis d'un inévitable désastre.

— C'est pas vrai, gronde Gilles, lugubre. Ça ne s'arrête donc jamais ? Le jour, la nuit…

Naïma Meceri a la voix claire, elle. Elle a repris du poil de la bête, loin de Quercy et de l'IGPN.

— Vous aviez raison, patron…

— À propos de quoi ?

Gilles se retourne contre le mur. Ostensiblement, il a éteint la lampe de chevet. Marion quitte la pièce, traverse la minuscule entrée et sort en tirant doucement la porte derrière elle.

87

La soirée est tiède et sans un souffle d'air. Marion respire un grand coup, la poitrine libérée comme par miracle du malaise que Gilles envenime malgré lui avec son allure de chien battu. Elle marche dans la petite voie déserte où le stationnement n'est autorisé que d'un côté. Tout en écoutant Meceri, elle scrute la rue et se demande où sont passés la voiture de patrouille et son équipage censés surveiller les abords toute la nuit, selon les exigences, un peu tardives mais généreuses, de Quercy.

— La mère Blanc était enfermée dans la cabane avec le chat. On ne sait pas depuis combien de temps, mais elle était couverte de vermine. Des puces, des poux et même des tiques collés dans les cheveux. Au début, elle pouvait se déplacer, semble-t-il, elle avait de la nourriture et de l'eau. Mais elle a dû tomber et s'est cassé le col du fémur.

— Oh, Seigneur ! murmure Marion.

— Ça fait au moins deux jours qu'elle partage la gamelle avec le chat et, comme elle ne pouvait pas aller aux chiottes...

— Je vois, frémit Marion. Et son fils ?

— Introuvable. Un des gendarmes de Chrétiennot qui est pote avec lui dit qu'il est parti en vacances. Tout est à l'abandon, la mère, le chat, les poules...

— Ça mérite la taule, gronde Marion. Où est-elle, à présent ?

— Hôpital du Bocage.

— Il faut que quelqu'un reste avec elle.

— D'accord. Et qu'est-ce que je fais de Suzanne ?

— Où est-elle ?

— Dans son pieu. Pas seule. Ce soir, après l'épisode de la mère Blanc, elle a piqué sa crise, elle est allée au Rayon de lune... J'ai patienté dehors. Je sais que je ne dois pas la quitter, mais y a des limites.

— C'est elle qui n'est pas raisonnable.

— Oh ! pour ça... je dirais qu'elle est...

— Stop, Meceri ! À plus tard...

— Attendez, patron ! Je vous ai pas tout dit. Pendant que j'étais dans les environs de Mirabel avec les gendarmes, je suis allée traîner du côté du garage Mignot. J'ai raconté que je voulais des pièces et des plaques pour une vieille voiture. Avec mon look, c'est passé comme une lettre à la poste... Bref, il y a un champ d'épaves qui appartient à Mignot à un kilomètre après la sortie de Mirabel. C'est plein de bagnoles en attente de réparation et de motos. On entre là-dedans comme dans un moulin.

— On ira voir de plus près demain.

— Alors, vous revenez demain ? Et votre fille ? Votre maison ?

— Ma fille est sous bonne garde et ma maison ne risque plus rien, c'est une affaire d'assurance à présent. Je veux en finir avec tout ça. Je veux savoir.

— La solution est ici ?

— Évidemment.

Pas à pas, Marion s'est rapprochée de sa voiture. Elle s'y appuie pour écouter la fin du compte rendu de Meceri : les obsèques de Me Renoir qui auront lieu le surlendemain et l'autopsie du père Léon qui n'a rien appris qu'on ne sache déjà. Le vieillard a été battu avec sa propre canne et avec une férocité qui dépasse l'entendement.

Un conteneur à ordures marron et vert est calé contre la grille d'une maison située en retrait de la rue. Marion le fixe sans le voir, fait demi-tour. C'est en se retournant qu'elle renifle l'odeur. Forte, piquante. Incomparable.

Elle se fige, souffle bloqué, en regardant autour d'elle.

La rue est vide et pourtant, elle en est sûre, quelque chose ne va pas. Au moment où elle s'engage pour traverser, la sensation brutale d'un danger imminent la cloue au sol, en plein milieu de la chaussée. Une ombre se déplace sur son flanc gauche, l'odeur du baume de la mère Blanc se fait plus forte. Le cœur en débandade, Marion ne distingue pas ce qui la menace, mais elle le sent et prend conscience, affolée, qu'elle a laissé son arme chez Lisette. Elle est à la merci de l'inconnu.

Il est là, tout près, et il va la tuer.

Elle contracte ses muscles, prête à s'élancer. Sans un bruit, à peine un froissement, l'ombre surgit. Marion émet un cri étouffé. Il a bondi sur elle dans son dos et bloque son cou avec son avant-bras en tirant le haut de son corps en arrière. En collant ses genoux aux siens, il la pousse en avant pour la déséquilibrer. Elle se débat, résiste, cherche une contre-attaque. Avec toute l'énergie dont elle est capable, elle rameute les souvenirs de ce que ses profs successifs lui ont enseigné. Au moment où elle part en avant, au lieu de lutter, elle cède brusquement à la pression, entraînant avec elle son adversaire dont elle perçoit la surprise. Elle sent ses mains proches de son visage et l'odeur qui en émane lui soulève le cœur. Elle devine sa tête qui touche presque la sienne et sa bouche qui effleure son oreille, comme s'il avait quelque secret à lui chuchoter. Elle se rappelle un coup de karatéka, le *tetsui* ou coup de marteau. Elle serre le poing, lève son bras libre, le gauche, et l'abat de toutes ses forces sur l'oreille qu'elle devine à quelques centimètres de son visage. Ce n'est pas son bras le plus fort, elle a manqué de puissance, mais le coup a atteint sa cible. L'autre se cabre en criant et relâche sensiblement sa prise. Aussitôt, il revient à la charge et exécute un grand moulinet devant le visage de la jeune femme, qui s'est redressée pour faire face. Une lame longue, fine et recourbée, lance un éclat bref. Le cuir du blouson de Marion produit un son de pneu qui crève en se déchirant, juste au-dessus de la poche.

Elle ne distingue pas le visage de l'homme sous le passe-montagne dont il s'est affublé, mais elle est sûre d'une chose : vu sa taille et sa corpulence, ce n'est pas Martinez. Ce constat, instantanément, la panique.

Une demi-seconde d'aphasie, et l'adversaire repart à l'assaut. Marion esquive mais la lame, plus rapide, fend sa manche au-dessus du coude. Une sensation de brûlure sur son bras, la tiédeur de son sang qui coule sur son coude. Elle se plie en deux, ramasse ses forces. Les jambes de l'homme sont à portée de ses pieds, elle peut même, si elle y met toute sa hargne, l'atteindre au plexus. Elle abaisse encore son centre de gravité, arme son *mawachi geri*. Elle a malheureusement oublié sa hanche traumatisée, et la douleur aiguë qui vrille sa chair fait foirer son coup de pied, qui n'atteint que le genou de son agresseur. Un autre éclair de la lame à hauteur de son cou. Marion se jette sur le côté avec l'énergie du désespoir, plonge en avant. Cette fois, c'est sa cuisse blessée qui éclate sous le coup de couteau. Son jean craque, et la sensation atroce de son muscle qui s'ouvre comme une boîte de pâté la fait trébucher.

Elle a envie de hurler : « Mais où sont les voisins ? N'y a-t-il personne dans cette putain de rue ? »

Et les flics de Quercy ? Où sont-ils passés ?

Elle ne peut freiner sa chute et s'effondre en avant, la tête la première. Son crâne produit un son mat en touchant l'asphalte, et elle se dit qu'elle va mourir là, comme un chien écrasé. Le film de sa vie défile à toute allure. Une image de Nina, un sourire fragile ouvert sur de petites dents en désordre.

Un bloc de béton s'abat sur son dos, l'odeur se glisse en elle. Les sons se tordent, s'amenuisent. Elle s'enfonce dans le noir.

88

Gilles n'a pas pu s'endormir. Il a entendu la porte se fermer et les pas de Marion décroître dans l'escalier. Il s'est assis dans le noir et a tenté de mettre de l'ordre dans ses pensées dispersées. Marion est la femme de sa vie. Pourquoi ne peut-il le lui dire simplement ? Pourquoi a-t-il le sentiment, ce soir, qu'elle ne veut personne à ses côtés ? Quel poids traîne-t-elle ainsi, d'homme en homme, de fiasco sentimental en histoire d'amour ratée ?

Les yeux clos, il laisse les souvenirs monter à l'abordage. Marion court sur un pont, sa foulée est rapide et ample. Il se dit qu'il n'a encore jamais vu une femme aussi belle courir aussi bien. Son allure est racée, sa silhouette ferme et souple. Ses cheveux blonds flottent derrière elle. Elle poursuit un homme dont le véhicule vient d'emplâtrer la glissière de sécurité de l'autoroute. Juste derrière, un véhicule surmonté d'un gyrophare bleu, portières béantes, a stoppé à son tour. Il devine qu'il y a des voyous et des policiers, il ne sait pas très bien qui est qui. Il assiste au spectacle du haut de la nacelle d'où il commande les derniers fignolages du chantier. Un gigantesque ouvrage d'art, trois kilomètres d'autoroute suspendue au-dessus de la vallée et supportée par des piliers qui ressemblent à d'interminables jambes fuselées. De loin, quand on aborde la dernière courbe, la scène est grandiose. Mètre par mètre, Marion gagne du terrain. L'homme s'essouffle devant elle, se retourne de plus en plus fréquemment pour mesurer ce qui les sépare encore. Il est cinq heures du matin, la route est sèche, la circulation clairsemée. Soudain, l'homme traqué s'immobilise et, sans que rien l'ait laissé prévoir, il enjambe la glissière centrale. Gilles se dresse dans sa nacelle. Il hurle « Nooooon !!!! » alors que l'homme disparaît, avalé par le vide. De son poste, il voit la femme piler, tétanisée par son cri, au moment même où elle va escalader la rampe de métal à son tour. Elle s'arrête, les deux mains sur la glissière, presque à califourchon déjà. Horrifiée, elle se penche au-dessus du trou, bientôt rejointe par deux policiers identifiables aux armes qu'ils portent à bout de bras. L'homme qu'ils poursuivaient s'est écrasé soixante mètres plus bas. À une fraction de seconde près, Marion le rejoignait.

« Heureusement que vous avez crié, a-t-elle dit à Gilles après l'audition au cours de laquelle il a raconté la scène et décrit la conception du pont autoroutier.

— Les deux rampes ne sont pas solidaires. Il y a entre elles un intervalle de cinquante centimètres, a-t-il expliqué, captivé par les yeux noirs de la commissaire dont il est déjà amoureux. Cette astuce permet de conserver l'autonomie et la souplesse des éléments… Un pont, c'est un édifice qui bouge, mademoiselle… »

Elle ne lui a dédié qu'un regard professionnel. Il se sentait transparent, gauche et pataud. Elle était lumineuse, brillante, et, quand elle a quitté Annecy, il s'est trouvé minable, indigne d'elle. Mais amputé.

Une semaine après, c'est elle qui est revenue. Seule.

« Je n'ai pas tout compris à votre histoire de pont… »

Elle souriait, son regard pétillait. Même dans la nuit, quand il l'a emmenée sur le pont pour une « reconstitution » privée. Ils se sont embrassés, et lui en a été chamboulé comme un collégien.

Gilles se dresse tout à coup. Un cri le ramène dans la salle à manger de Lisette. Il s'est laissé emporter par son rêve et il ne sait plus s'il a imaginé ce râle de souffrance ou s'il l'a réellement entendu. Dans la rue, sous la fenêtre, d'autres bruits insolites se succèdent. Cela ressemble à un échange de coups, aux éructations de deux adversaires qui s'empoignent avec violence. À la brusque pensée que Marion est sortie, il bondit jusqu'à la fenêtre, et ce qu'il aperçoit lui glace le sang. Il fait très sombre dans la petite rue mal éclairée, mais il ne peut pas se tromper. Il ne songe même pas à appeler le 17. Il a la vision brève de Marion posant son arme sur le buffet de Lisette. Il attrape le Smith & Wesson et, sans même vérifier qu'il est chargé, sort en trombe. Il n'a pas pris le temps de s'habiller, la rue l'accueille en tee-shirt et caleçon. Comme dans un cauchemar, il distingue vaguement un homme s'acharnant sur Marion à terre. Il s'élance, révulsé d'horreur, paniqué aussi. L'arme brandie au-dessus de la tête, il crie : « Stop ! Mains en l'air ! » Il ignore si c'est la bonne méthode ou une grossière erreur, il répète bêtement ce qu'il a entendu dans les films.

L'autre se fige, se relève, prêt à affronter ce nouvel adversaire. Quand il voit l'arme, il ne demande pas son reste. Il détale. Gilles arme le chien, aligne l'homme, comme au stand. Il est hors de lui, il n'ose pas baisser les yeux sur Marion, inerte au sol. L'agresseur file droit devant lui, il va tourner le coin de la rue et disparaître.

— Stop ! hurle Gilles. Fumier ! Arrête-toi ou je tire !

Derrière lui, des pneus crissent, un deux tons scande sa haine, un gyrophare bleu éclaire la scène par intermittence. Deux policiers se précipitent sur lui et le désarment, tandis qu'une femme en uniforme se rue vers Marion. Gilles hurle que ce n'est pas lui l'assassin, mais les flics restent sourds aux cris de cet énergumène à moitié vêtu et, par sécurité, le menottent.

Au bout de la rue, l'homme s'est envolé, happé par la nuit. Seule son odeur flotte dans l'air telle une provocation.

89

— Tu m'as sauvé la vie deux fois. Et celle de Nina. Je ne pourrai jamais l'oublier. Mais ce que tu as fait est inadmissible.

L'infirmière qui fait les pansements de Marion poursuit son travail sans lever la tête. Pourtant, la tension entre cette jeune femme au corps martyrisé et le grand gaillard qui veille sur elle autant qu'une poule sur ses œufs est palpable, explosive.

— Je te demande pardon ? souffle Gilles.

— Tu n'as pas répondu au téléphone.

La cuisse droite de Marion disparaît sous un pansement mince qui dissimule trente points de suture. C'est la blessure la plus sérieuse. Son bras n'a subi qu'une estafilade superficielle. En revanche, son corps et son visage ne sont que plaies et bosses. Sa lèvre supérieure est enflée et son œil gauche s'orne d'un coquard violacé. L'infirmière aimerait bien entendre la suite de l'histoire, mais elle a fini son travail.

— Ne bougez pas, dit-elle à Marion, je vous envoie le médecin.

— Enfin, Edwige, proteste Gilles une fois qu'elle est sortie, tu ne vas pas me reprocher cette… bêtise jusqu'à la nuit des temps… Je t'ai expliqué les raisons, on en a parlé, tu m'as engueulé. Je m'en veux et je ne recommencerai plus. Qu'est-ce qu'il faut que je fasse de plus ?

— Rien. Je n'aurai plus jamais confiance en toi.

— Mais c'est injuste ! Tu es injuste ! J'ai péché par faiblesse. J'ai cru que Nina m'accepterait mieux si je me pliais à son désir. Elle était très mal, tu sais…

— Je sais.

— Elle crevait de trouille à cause de Talon et elle t'en voulait. J'ai cru bien faire. J'ai cru que couper le contact avec toi l'aiderait à voir clair.

— Oui, Gilles, je sais tout ça.

— Eh bien, alors ?

— C'est comme ça. Je suis comme ça. Tu n'as pas répondu au téléphone et je ne peux plus avoir confiance. Jamais.

Il a renoncé à la convaincre et à poursuivre une discussion inutile. L'attente se prolonge, et elle finit par manifester des signes d'impatience.

— Reste tranquille, dit Gilles sur ce ton paternel qu'elle juge insupportable.

Son visage se ferme, elle se déplie avec précaution et entreprend de descendre de la table de soins. Gilles se dresse, s'interpose :

— Mais où vas-tu encore ? On t'a dit que le médecin…

— Excuse-moi, mais je n'ai pas le temps d'attendre. Je ne suis pas malade, ce ne sont pas ces quelques bobos qui vont m'empêcher de retrouver ce salaud et de l'arrêter avant qu'il nous tue tous.

— Tu ne peux pas, Marion, sois raisonnable. Il y a d'autres flics que toi. Laisse-les faire, pour une fois…

Elle interrompt sa descente à la deuxième marche de l'escabeau escamotable et le fixe avec acuité.

— Tu vois que tu essaies de m'empêcher…, dit-elle doucement. Gilles, reprend-elle après un silence, ne te vexe pas pour ce que je vais te dire, mais je ne crois pas pouvoir faire ma vie normalement, ni avec toi ni avec personne. Je suis incapable de me décider, de me fixer. C'est comme ça, je suis handicapée.

Il émet un petit rire amer.

— Pourquoi tourner autour du pot si tu veux me quitter ?

Marion a très mal à la jambe et, une fois qu'elle est debout, son équilibre lui semble déjà moins garanti. Elle s'avance en boitant jusqu'au milieu de la pièce, cherche un endroit pour s'asseoir, mais Gilles occupe le seul siège de la salle de soins. Finalement, elle revient à la table et s'y adosse.

— Ma mère a vécu avec deux hommes, lance-t-elle d'une voix un peu éraillée à cause de ses cordes vocales malmenées au cours de l'agression. Pas l'un après l'autre ou l'un à l'insu de l'autre. Ensemble. Elle a vraiment partagé la vie de Gus Léman et de Félix Marion quand celui-ci est venu s'installer avec eux à Paris. J'ignore pourquoi elle a fini par épouser Félix alors que j'étais déjà née, ni pourquoi c'est lui qui m'a reconnue. C'est un mystère que je ne résoudrai sans doute jamais. Car mon vrai père, le donneur génétique, c'est l'autre.

— Tu veux dire… ?

Elle se force à un sourire qui ressemble à une grimace.

— Gus Léman. C'est lui mon père biologique. La voilà, la raison de cet héritage. Lui, il le savait que j'étais sa fille, ma mère aussi. Félix, peut-être pas.

Elle voit Gilles ouvrir des yeux incrédules et se préparer à faire une remarque. Elle le devance :

— Et ne me fais aucune objection, cela a été scientifiquement prouvé.

Elle s'abîme dans ses réflexions, et Gilles se tait, à court de mots. Elle secoue la tête lentement comme si elle avait du mal à croire à tout cela et relève sur lui un regard fiévreux.

— Je ne sais plus où j'en suis. J'ai adoré un père qui n'était pas le mien tout en se comportant exactement comme s'il l'était. Je le vénère depuis mon plus jeune âge. J'en ai fait un héros. J'ai vraisemblablement choisi le métier de flic par amour pour lui, pour me sentir plus proche de lui et parce qu'il me manquait terriblement. À présent, on me dit qu'il était un voyou... J'ai à peine connu mon père biologique qui, lui, était un vrai truand, un grand, un de ceux que je rêve tous les jours d'expédier au trou. Quercy m'a prise sous son aile, il a été mon modèle, mon père spirituel. S'évertuant, d'une certaine manière, à remplacer les deux autres. Et voilà que, lui non plus, je ne sais plus qui il est, ce qu'il cherche, pourquoi il ment...

— Marion...

Elle néglige l'interruption de Gilles, croise ses bras nus comme pour se protéger d'un danger.

— Et ma mère ! Ma mère qui s'est partagée entre deux hommes et ne m'en a jamais dit un mot.

— Mets-toi à sa place, objecte Gilles. Ce n'est pas une situation très avouable à un enfant...

— Sans blague ? Tu ne vas pas la plaindre, en plus ? Sans entrer dans les détails scabreux, elle aurait pu me dire quelques mots de cette tranche de vie à trois. Après la mort de Félix, elle a continué à voir Gus, j'en ai de vagues souvenirs, ils m'ont même emmenée à Charmes, une fois.

Quand j'ai grandi, elle aurait pu me parler, m'expliquer… Elle est morte avec ses secrets.

Marion s'interrompt, effleure de son regard noir un peu flou celui de Gilles.

— Comment veux-tu que je gère ma propre vie ? Je finis par douter de tout, surtout de moi… Le pire, c'est que j'aurais pu, si j'avais eu des enfants, leur transmettre le gène pourri de Léman sans le savoir. Et toi, tu me parles de vie de famille ?

— Et Nina ? murmure Gilles, perturbé. Tu penses à Nina ?

Elle a un rire amer.

— Évidemment que j'y pense ! Je ne pense qu'à ça ! Je n'arrête pas de me dire que je ne suis pas la mère qu'il lui faut.

— Bien sûr que si ! Ta fuite en avant, c'est ta propre histoire dont tu essaies de te débarrasser. Mais, pour Nina, c'est l'amour qui compte…

— Ça ne suffit pas toujours, tu le sais bien. Nina a besoin d'un modèle qui lui viendrait d'une femme normale. Je ne suis pas ce modèle, Gilles.

Elle s'est remise debout et cherche des yeux ce qui reste de ses vêtements. Le tas informe qui gît au pied d'une chaise est inutilisable. Le blouson est entaillé à plusieurs endroits, le jean en lambeaux, le tee-shirt maculé de sang.

— Tu peux me trouver quelque chose à me mettre sur le dos ?

Gilles contemple cette femme en morceaux avec tendresse et une infinie tristesse. Il se lève et s'exécute sans un mot. La terre entière ne pourrait pas l'empêcher de suivre sa route. Encore moins de retourner là-bas.

90

L'interne acnéique, présent chaque fois qu'un membre de la PJ est au tapis, a réussi à la coincer au moment où elle s'esquivait, vêtue d'une tenue blanche d'infirmière, pantalon et veste à manches courtes, chaussures de cuir à semelles de crêpe.

— Ça vous va bien, apprécie-t-il sans rire. Vous comptiez vous éclipser dans cet accoutrement ?

— Je le rendrai, fait Marion avec aplomb, soyez rassuré... Je sors, j'ai du boulot.

— Une minute ! Je vous fais une ordonnance pour les soins et je vous prescris un arrêt de travail d'un mois. Vous êtes dans un état pitoyable, il faut vous reposer.

— Plus tard, oui.

— Vous refusez ? C'est à ne pas croire ! Un mois de vacances, d'habitude les gens sautent dessus. Vous êtes tous comme ça dans la police ?

— Comment, comme ça ?

— Je ne sais pas... Bizarres... Les morts ressuscitent, les blessés volent des vêtements pour s'enfuir. Vous êtes nombreux dans votre commissariat ?

Marion se mord les lèvres pour ne pas pouffer. Le médecin griffonne des signes inintelligibles sur un bloc.

— À propos de votre... officier, fait-il sans lever les yeux. On s'était un tout petit peu trompés...

Elle n'a plus envie de rire tout à coup. L'interne avec son détachement de carabin est en train de la préparer à une mauvaise nouvelle.

— Trompés ? bafouille-t-elle. Comment ça, trompés ? Vous voulez dire qu'il ne va pas s'en tirer ?

— Ah, ça, je l'ignore. Je n'ai pas consulté les tarots ni le marc de café. Je vous parle de la balle dans sa colonne vertébrale. D'après la radio et le scanner d'hier soir, le bout de plomb s'est déplacé d'un millimètre cinq.

Marion se sent pâlir. Elle ne comprend pas où le médecin veut en venir.

— C'est grave ? Ça veut dire qu'il risque d'y rester ou d'être infirme pour de bon ?

L'autre relève enfin le menton et tend son ordonnance à Marion, qui la prend machinalement. Le sourire du médecin le fait ressembler à une grenouille atteinte de la varicelle.

— Au contraire, si tout se passe bien, il va courir comme un lapin. On va le réopérer tout à l'heure.

— Quoi ? Tout à... Et la balle ?

— Mais on va l'extraire, la balle, évidemment.

91

Capdevil conduit toujours aussi mal, mais il fait attention car il ne supporterait pas de malmener Marion, qui semble s'être endormie, agrippée à la ceinture de sécurité. La pluie s'est mise à tomber, et dépasser le cortège de camions relève des compétences d'un pilote de rallye.

Le capitaine est allé chercher sa supérieure au domicile de Lisette Lemaire vers onze heures pour l'amener chez Quercy. La commissaire n'a fait aucun commentaire en sortant du bureau de son directeur. Elle a seulement invité Capdevil à la suivre comme son ombre et a coupé court à ses protestations en affirmant que c'était une exigence du patron. Avant d'ajouter que l'entretien avait été tendu et que Quercy trompe son malaise en renforçant à outrance la garde autour de ses proches : une dizaine de policiers vont se relayer pour escorter Lisette, Gilles et Nina dans le plus infime de leurs déplacements. Quant à Marion, c'est une protection du GIPN qu'il entendait lui affecter. La tractation a été laborieuse, mais elle a eu gain de cause.

Fier qu'elle ait préféré sa compagnie à celle des gros bras du groupe d'intervention, Capdevil n'est toutefois pas très rassuré. Il a vérifié son arme de service et l'a nettoyée, chose qu'il n'avait pas faite depuis des lustres. Puis il a sorti de l'armurerie un fusil à pompe et une réserve de munitions qu'il a rangées dans le coffre de la Peugeot.

— Prenez des Brenneck, a conseillé Marion, c'est mieux pour les bêtes féroces… Dernière ligne droite, a-t-elle dit en montant dans la voiture après une virée au centre commercial de La Part-Dieu pour s'acheter quelques vêtements.

Le capitaine ne sait pas ce que cachent ces trois mots sibyllins.

— À votre avis, Capdevil…, fait la voix claire et nette de Marion.

— Oui, patron, bredouille l'officier, qui la croyait dans les vapes.

— Les motifs récurrents du passage à l'acte criminel sont toujours les mêmes, n'est-ce pas ?

— L'argent, l'amour, le sexe…

— Vous me parlez des objets, Capdevil… On tue pourquoi, exactement ? Par vengeance, par

325

jalousie, par convoitise... Celui qui a tué Gus Léman et qui veut me tuer aussi obéit au même motif... Je suis convaincue qu'il a un point commun avec nous...

— Nous ?

Elle soupire :

— Je vais vous dire un secret.

— C'est incroyable ! Il n'y a qu'à vous qu'un truc pareil peut arriver...

— Je ne suis pas née sous une bonne étoile...

— Au contraire ! Il y a tellement de gens à qui il n'arrive jamais rien... Je vous envie, tiens !

Ils se sont arrêtés pour faire le plein dans une station où Marion, depuis une dizaine de jours qu'elle va et vient entre Lyon et Dijon, commence à avoir ses habitudes. Ils ont avalé un café insipide et un sandwich pire encore et c'est en sortant que Capdevil a noté la présence d'une voiture bleue qui les colle depuis la sortie de Lyon. Il n'en a encore rien dit à Marion, il veut d'abord être sûr qu'elle est bien là pour eux.

En cours de route, Marion lui a confié que, malgré ses manifestations de bonne volonté, elle préférait ne pas faire confiance à Quercy et continuer à considérer les anciens compagnons ou complices de Gus Léman comme des adversaires puissants, des ennemis potentiels.

Elle a donc éteint son téléphone mobile personnel et Alpha 2, ce qui rend leur repérage aléatoire et devrait obliger ses persécuteurs à se découvrir. Pour les mêmes raisons, elle s'interdit d'appeler tous les numéros qui lui sont familiers. Traduction : la guerre est déclarée.

Capdevil remarque qu'elle regarde fréquemment le rétroviseur extérieur. Dans le rétro central, il repère la voiture bleue.

— Votre agresseur, hier soir, il se déplaçait comment ?

— Il est parti à pied, mais je suppose qu'il avait une voiture garée pas loin de chez Lisette. La permanence a fait examiner et identifier les véhicules qui se trouvaient dans la rue. Il y en a un qui a été volé à Lyon avant-hier. Il est entre les mains de l'IJ, qui travaillait dessus quand nous sommes partis.

— Quelle couleur, la voiture ? s'enquiert l'officier.

— Si vous pensez que c'est la Fiat bleue qui nous escorte depuis Lyon, vous faites erreur, mon vieux. Je vous dis que celle de cette nuit…

— Ça va ! J'ai compris.

Il la trouve agaçante avec cette manie de donner les réponses avant qu'on ait seulement posé la question. Il se tait, concentré sur le dépassement d'un énorme bahut qui projette autour de lui des murailles d'eau de pluie.

La Fiat bleue a repris sa filature à bonne distance, mais sans chercher à se cacher. À première vue, il y a deux personnes à bord.

Marion s'éclaircit la voix.

— L'enfant que Claire des Aubrais de Chantegrive, alias Claire Arthur, attendait, me chiffonne, dit-elle, songeuse. Dans sa dernière lettre à Gus Léman, elle lui annonçait la venue imminente du bébé en l'avertissant que, s'il ne réagissait pas avant la date prévue pour l'accouchement, le 1er juillet, elle se tuerait. Léman n'a jamais ouvert cette lettre.

— Mais vous, oui.

— En effet, avoue Marion. Cette nuit, à l'hôpital. Je m'étais juré de ne pas le faire, mais j'avais besoin de savoir. Et puis je cherche tout ce qui peut m'aider à comprendre ce qui m'arrive.

— Qu'est-ce qu'elle dit d'autre, cette lettre, qui pourrait vous concerner aujourd'hui ?

— Elle n'était pas sotte, Claire. Elle savait que la maladie de Gus était transmissible. Elle évoquait avec une certaine amertume sa crainte que son enfant en soit atteint aussi et en faisait une sorte de preuve de la paternité de Léman.

— Pourquoi, il émettait des doutes ?

Marion hausse les épaules, ce qui lui arrache une grimace de douleur. Elle tâte à travers le pansement l'estafilade de son bras qui l'élance par vagues. Capdevil s'inquiète, mais elle le rassure d'un geste : elle en a pour quelques jours à digérer ses bobos. Un mois, a dit l'interne.

— Possible, en effet. C'est un truc que les hommes font facilement en pareille circonstance… C'est lâche, mais quand un homme est amoureux d'une autre…

— Je suis sûr que vous avez une idée derrière la tête… Allez-y, balancez !

Les faubourgs de Dijon apparaissent après les vignobles de la Côte-d'Or. La pluie a cessé et les vignes lustrées par l'eau reflètent la lumière du soleil qui apparaît par instants derrière des nuages de plus en plus pâles. Gevrey-Chambertin, Marsannay-la-Côte, Chenôve… De l'autre côté de la ville, Suzanne, chez elle, et Naïma, au chevet de la mère Blanc, attendent l'arrivée de Marion. Elles ne connaissent pas encore les événements de la nuit, la jeune femme leur a seulement donné rendez-vous dans un restaurant de la rue Vannerie, dans le quartier médiéval.

— Imaginez que ce gamin soit né... Qu'il ait vécu...

— Oh là là ! gémit Capdevil. C'est *Les Misérables*, votre histoire !

— Oui, c'est un peu gros... Mais Claire a pu vouloir se tuer sans sacrifier l'enfant avec elle. Supposez qu'elle ait accouché sous X..., à Dijon par exemple.

— Pourquoi, à Dijon ?

— Parce que c'est la grande ville la plus proche de Charmes et qu'une ville c'est plus anonyme qu'un village de cent habitants.

— OK... Ensuite ?

— L'enfant est recueilli par l'Aide sociale à l'enfance. Il est placé, adopté même. Un jour, il découvre l'identité de sa mère et son histoire...

Capdevil rêvasse en longeant l'ancien hôpital qui précède les jardins de l'Arquebuse. Il passe sous le pont de chemin de fer, remonte l'avenue, tourne à droite. L'église Saint-Bénigne apparaît au bout d'une voie ombragée.

— Vous savez où vous allez ? s'inquiète Marion.

Il sursaute. Il s'est mis un instant dans la tête et le cœur de cet enfant doublement abandonné par sa mère, renié par son père qui ne lui a transmis qu'une sale maladie pour solde de tout compte.

— Où je vais ? Mais... Ah oui... rue Vannerie, pourquoi ?

— Vous savez où c'est ?

— Bien sûr, j'ai eu une petite amie dijonnaise, il y a quelques années... Vous croyez qu'il aurait pu

329

faire une enquête aussi poussée, votre petit bâtard ?

— Ce n'est pas très sorcier... Et il n'y a pas plus acharnés et efficaces que les enfants abandonnés, croyez-moi. C'est une constante. Ils ne baissent jamais les bras tant qu'ils n'ont pas retrouvé leur mère ou leur père biologique. Surtout leur mère... Je ne connais pas d'exception à ce principe.

— Vous allez me dire ce qu'il faut faire, patron, soupire Capdevil.

— Oui. Consulter le registre des naissances de Dijon, dans les jours, les semaines même, qui précèdent la mort de Claire... S'il existe, cet enfant, on aurait au moins son nom.

Capdevil regarde Marion à la dérobée. Il a compris : cette mission est pour lui.

92

La Direction régionale des affaires culturelles de Bourgogne occupe un immeuble du XVIe siècle dans un des quartiers les plus anciens de Dijon. Le service des monuments historiques est installé au premier étage et n'est ouvert que jusqu'à midi. Il est midi quinze.

— Merde ! s'oublie Marion.

Capdevil sourit vaguement en enfonçant le bouton d'une sonnette en cuivre qui aurait bien besoin d'être astiquée. La porte s'ouvre un instant plus tard sur un quinquagénaire aux cheveux grisonnants, grand et sec, qui porte des lunettes d'écaille aussi larges que des hublots.

— Je vous attendais, dit l'homme, que l'officier vient de saluer d'un respectueux « Monsieur le conservateur ». Votre affaire m'a donné du fil à retordre, poursuit-il en les précédant le long d'un couloir dont les murs disparaissent derrière des étagères croulant sous la paperasse. Il y a plusieurs dizaines de ces châteaux dans la région et beaucoup se ressemblent. Qui plus est, le modèle de la photo est approximativement reproduit. On ne peut pas dire que les proportions y aient été respectées…

Il se dirige vers une table sur laquelle est ouvert un ouvrage d'une taille impressionnante. La photo transmise par Capdevil est posée à côté.

— J'ai eu d'autant plus de mal à le trouver qu'il ne figure pas au répertoire des monuments classés. J'ignore pourquoi, car il le mérite largement. Mais c'est ainsi, nos administrations ont de ces bizarreries…, ajoute-t-il en fronçant les sourcils à l'adresse de Marion comme si elle pouvait être responsable de cette situation.

Le château représenté par la photo du livre est sensiblement différent de ce que Marion a pu voir sur la peinture naïve de Claire Arthur. Il n'est pas, contrairement à ce que pressentait Capdevil, perché sur un promontoire et, selon la légende, il n'a pas plus de deux siècles.

— Il a été construit selon un modèle du XIIe siècle, explique le conservateur, et agrémenté par ses occupants successifs. Les premiers étaient les Saint-Léger, une vieille famille bourguignonne anoblie par Louis XV qui a donné son nom au village et, bien entendu, au château. Ils ont conservé la demeure longtemps, bien qu'elle soit restée inoccupée, semble-t-il, au moins cinquante ans. Aujourd'hui, je ne sais pas ce qu'il en est mais je pense que vous allez le découvrir.

Marion regarde Capdevil, qui note l'adresse. Saint-Léger, Côte-d'Or...

— C'est aux confins nord-est du département, précise le conservateur, à la limite de la Haute-Saône.

— Vous avez une carte de la région ?

L'homme les guide dans une autre pièce placardée de cartes représentant tous les départements de la région Bourgogne Franche-Comté. Le conservateur pose un doigt effilé muni d'un ongle incroyablement long sur un point situé au nord-est de la Côte-d'Or. Le château de Saint-Léger est à une vingtaine de kilomètres de Charmes, à vol d'oiseau. Marion n'est pas surprise. C'est une distance que l'on peut facilement parcourir à vélo.

Ils remercient le conservateur, qui leur a préparé une copie de la photo du livre et le résumé de ce qu'il vient de leur expliquer sur la bâtisse et son histoire. Lorsqu'ils atteignent le seuil de la pièce, l'homme les retient.

— C'est curieux comme ce château, subitement, suscite d'intérêt...

Marion s'arrête pile, alertée par un mauvais pressentiment.

— Je vous demande pardon ?

— Ce matin, à l'ouverture, quelqu'un est venu. Il m'a posé les mêmes questions que vous, mais, lui, il avait le tableau.

— Le tableau ?

— Oui, l'original que vous avez photographié.

— Vous lui avez donné toutes ces indications ?

— Évidemment.

— Qui était-ce ?

— Il s'est présenté comme commandant de gendarmerie. Il avait une carte tricolore. Un drôle de type.

Marion et Capdevil échangent un regard consterné. Celui du conservateur va de l'un à l'autre, décontenancé. Il ne comprend pas pourquoi, alors qu'il vient de leur sacrifier la moitié de son temps de repas, ces deux policiers le remercient du bout des lèvres avant de s'enfuir comme des voleurs.

93

— L'enfoiré ! ne décolère pas Marion. Mais qu'est-ce qu'il espère découvrir là-bas ?

— La même chose que vous, je suppose, décrète Naïma Meceri, laconique.

— Ça me paraît évident, renchérit Suzanne. C'est quoi, ce château, tu crois ?

Les deux femmes font face à Marion, attablées à L'Escargot, un petit restaurant local installé dans une cave voûtée. Suzanne a revêtu un ensemble pantalon gris et Meceri est, comme toujours, en jean et tee-shirt blanc. Elles paraissent en excellents termes, et Naïma a retrouvé la forme depuis qu'elle sait Talon hors de danger et qu'elle a une chance de prouver que ce n'est pas elle qui lui a tiré dessus.

Marion grignote une des petites gougères au fromage qu'on leur a servies pour accompagner leur kir. Avant de répondre à Suzanne, elle englobe d'un regard circulaire la salle de restaurant quasiment vide.

— Je n'en ai pas la moindre idée ! répond-elle en fronçant les sourcils. Martinez détient probablement des informations que je n'ai pas. Pour moi, c'est une piste comme une autre et, à la vérité, je n'en ai pas tant que ça.

— Tu penses qu'il y a un rapport entre tous ces morts et ce château ?

— Peut-être pas. Tout ce que je peux dire, c'est que ce tableau fait partie de ce que Gus m'a généreusement légué…

— Il faudrait que vous arriviez là-bas avant l'enfoiré, signale Meceri avec un regard farouche.

— À mon avis, il est trop tard, il y est déjà…

— Comment vous a-t-il prise de vitesse ?

— Il a fouillé chez moi et il a activé ses neurones…

— Il n'est pas si borné que ça, tu vois, commente Suzanne avec une grimace. Tu vas aller dans ce château, tu es sûre ? Et si c'était un traquenard ? N'y va pas seule, tu ne sais pas ce qui t'attend.

Marion hausse les épaules.

— Ce n'est pas ce godelureau qui m'effraie…

— Il n'est peut-être pas seul. Tu n'es pas de taille, regarde-toi !

Elle désigne l'œil bleu de Marion, qui écarte les craintes de la notaire d'un geste blasé. Suzanne boit une gorgée de son blanc-cassis.

— Et moi, qu'est-ce que je fais ?

— Tu n'as aucune démarche à effectuer pour ton père ?

Suzanne a un sourire triste.

— Non. Josée s'est occupée de tout. Il me manque. Je ne supporte pas son absence, tu sais. Je voudrais que...

Elle avale cul sec son kir, fait signe au serveur d'en apporter un autre. Ses yeux sont humides quand elle revient à Marion et à Naïma, qui la lorgne avec réprobation.

— Je voudrais que cette histoire s'arrête et, en même temps, j'ai tellement peur de me retrouver seule. Tu sais comment je vis ?

Marion hausse les épaules pour signifier qu'une solitude en vaut une autre. Puis, devant l'air désemparé de son amie, elle pose sa main sur la paume fine et diaphane de la notaire.

— Il faut que je m'occupe, conclut Suzanne, qui s'empresse de serrer les doigts de Marion.

— Marie Blanc..., dit celle-ci en retirant sa main en douceur.

Naïma Meceri s'agite.

— Je me suis arrangée avec les collègues du poste de l'hôpital... Ils surveillent mamy le temps que...

— Ça va, Meceri, pas de stress. Je voulais seulement dire à Suzanne que, puisqu'elle veut se rendre utile, elle n'a qu'à essayer de faire parler Marie Blanc.

Elle se tourne vers Suzanne.

— Je vais t'expliquer.

94

Au moment où on leur apporte le dessert, une tourte aux pommes et aux pruneaux flambée au marc de Bourgogne, Capdevil fait son apparition. Suzanne, qui ne le connaît pas encore, a un mouvement de recul lorsqu'il se laisse choir sur la banquette à côté d'elle. Marion les présente. Le capitaine a l'air épuisé et affamé. Comme il louche avec insistance sur la part de gâteau que sa patronne n'a pas encore touchée, elle la pousse devant lui et lui verse un verre de vin en essayant de déchiffrer son expression.

Il enfourne une grosse bouchée de gâteau en prenant un chemin de traverse :

— Pendant que j'y étais, je suis allé jusqu'aux archives départementales, c'est juste à côté.

Il désigne la rue à l'aide de sa petite cuiller.

— Je connais l'endroit par cœur, ma petite amie faisait des recherches sur sa famille, elle m'y traînait toutes les semaines, ça durait des heures... Bref, j'ai regardé ce qu'il y avait à propos de Saint-Léger. Visez-moi ça !

Il fouille sa poche en mastiquant avec avidité, au risque de s'étouffer. Marion lui sert un verre d'eau tandis qu'il déplie une pile de feuillets photocopiés.

— C'est l'historique et les plans du château... Amusant, non ? La construction a démarré en 1750 sur les ruines d'une abbaye. Le conservateur de la DRAC n'en a pas parlé, mais c'est un fait. Tenez ! Là, ce sont les tracés des fondations sur lesquelles il a été érigé...

De la pointe d'un couteau, il suit un circuit étrange matérialisé en pointillé sur le plan et qui fait penser à des galeries souterraines.

— C'était quelque chose d'assez répandu, les souterrains, du temps des abbés et des moines, surtout les plus austères qui les utilisaient pour garder des contacts avec le monde extérieur en sauvant les apparences. Rencontrer des filles, faire des boums avec les bonnes sœurs des couvents voisins. Je plaisante... Ils ont eu de multiples autres fonctions et moi, ces trucs mystérieux, j'adore. Avec un peu de chance, ces souterrains existent encore, conclut-il en rêvant de découvertes extraordinaires.

Marion feuillette les documents rapidement. Elle les repose sur la table : ce n'est pas, à l'évidence, ce qui l'intéresse pour l'instant. Capdevil s'en aperçoit, déçu qu'elle ne vibre pas comme lui pour les chefs-d'œuvre oubliés.

Il secoue la tête en finissant goulûment le gâteau.

— J'ai fait chou blanc à l'état civil, fait-il, la bouche pleine. Aucune naissance sous X... à Dijon dans la période du 1er juillet 1959. Je suis remonté trois mois en arrière pour assurer le coup et aussi loin après, malgré l'improbabilité... Bref, rien. Elle n'a pas accouché non plus sous son nom, j'ai vérifié à tout hasard. C'est pas la bonne piste, patron.

Marion fait signe au serveur d'apporter l'addition et se lève sous les regards interrogateurs de ses trois compagnons. Si ce n'est la bonne piste, elle n'a plus qu'une chose à faire : retourner au point de départ.

95

En passant devant les ruines calcinées de la maison de Gus, Marion note la seconde bande jaune installée autour du banc qui surplombe la plaine. Elle marque un temps d'arrêt à la vue du site désolé où elle a bien du mal désormais à imaginer Nina faisant grincer les anneaux de la balançoire.

Son cœur se serre à la pensée du père Léon qui a payé de sa vie ses confidences, mais elle a beau revenir sur tout ce qu'il lui a dit, elle ne trouve pas d'explication et embraye lentement en direction de la maison d'en face.

La cour de la ferme de la mère Blanc est toujours aussi calamiteuse, mais les animaux ont reçu des soins. Les mangeoires sont pleines de grain et l'eau de leurs gamelles a été changée. Pourtant, la maison et la cabane semblent toujours aussi désertes. Le cimetière, dont on aperçoit les tombes par-delà le mur de pierre, ajoute à l'aspect sinistre des lieux. Malgré le soleil et la douceur de l'air, Marion se sent oppressée.

En pénétrant plus avant dans la cour, elle se demande ce qu'elle est venue chercher là, au milieu de ce bourbier qui pue la crotte et l'eau croupie.

96

Capdevil est resté à Mirabel et, en dépit de ses protestations, Marion a eu le dernier mot : elle est partie seule en le chargeant d'une mission importante et en promettant de revenir le prendre dans une heure.

Le garage Mignot est animé des bruits habituels en ces lieux. Capdevil déteste les odeurs d'huile de moteur, les rugissements des embrayages à l'essai, les niaiseries débitées par la radio du matin au soir, les échanges stupides des mécanos qui vivent en vase clos toute la journée et ne savent plus de quoi parler.

Roger Mignot, le patron, n'aime pas trop les visites impromptues, surtout quand elles sont accompagnées de l'exhibition d'une carte tricolore. Il répond aux questions de bonne grâce, toutefois, car il estime n'avoir rien à se reprocher. Cependant, l'expérience lui a appris que, quand les flics débarquent, ils finissent toujours par trouver quelque chose. Il se demande, vaguement inquiet, pourquoi ce ne sont pas les gendarmes qui sont venus et à quoi riment les questions de cet officier de police qui n'a pas l'air de savoir ce qu'il cherche. Au moment où Jo, le plus ancien de ses ouvriers, passe à proximité, il lui fait un signe de connivence. Jo comprend au quart de tour, il connaît son patron par cœur. Discrètement, il se dirige vers le fond du garage et s'empare du téléphone.

Mignot n'y met pas de mauvaise volonté, mais il n'a rien à dire d'intéressant au capitaine Capdevil. Il est conscient que le champ où il stocke les véhicules à réparer et les épaves est mal protégé, que la clôture en est symbolique et que nombre de ses amis – et sûrement pas que ses amis – viennent y dénicher des pièces pour bricoler leurs voitures. Il a également vendu de nombreuses motos, des rouges, des blanches, des vertes, depuis sept ans qu'il est concessionnaire Yamaha. Il est d'accord pour montrer ses livres de comptes, mais, auparavant, il doit ranger une voiture qui gêne l'entrée du garage et crée de l'irritation chez les employés et les rares clients. C'est une vieille Renault blanche, banale, passe-partout, immatriculée 21.

Capdevil le regarde ouvrir la portière et s'asseoir derrière le volant. Le garagiste lance le moteur, qui produit un sifflement strident, insupportable. Le capitaine grimace, mais, ce qui le frappe le plus, c'est l'odeur déplaisante qui s'échappe de l'habitacle. Mignot râle :

— La courroie est bonne à changer, bordel ! Ah, il me la copiera ! Et qu'est-ce qui pue comme ça, là-dedans ? Va falloir passer la bagnole au nettoyage, merde alors !

Le capitaine Capdevil, tel un fox-terrier qui, sous le vent, a reniflé un lapin, est immédiatement en alerte. Des propos de Marion lui reviennent en mémoire. Elle lui a décrit cette odeur, il l'a reniflée sur elle, sur ses vêtements, cette nuit, ce matin. Elle est forte, entêtante, inoubliable. Il fait le tour du véhicule, ouvre la portière côté passager. Il scrute l'habitacle, lentement. Puis il manipule la boîte à gants et, instantanément, l'odeur s'intensifie. Le garagiste le regarde faire, médusé. Un petit pot de verre dont le couvercle est encore maculé d'un gel visqueux est posé sur les documents de bord. Fouillant une de ses immenses poches d'un geste vif, l'officier en extrait un sachet de plastique qu'il ouvre. À l'aide d'un stylo, il fait basculer le pot à l'intérieur de la pochette sans y poser les doigts.

Saisi, Roger Mignot a quitté la place du conducteur, comme si le siège allait le brûler.

— Qu'est-ce qu'il y a ? souffle-t-il. Ça veut dire quoi, ça ?

Capdevil se penche, examine tout, le regard acéré. Il sent, il sait qu'il tient quelque chose. Il n'y a rien dans l'habitacle, rien d'autre que ce pot de verre.

— Le coffre ! ordonne-t-il.

Le garagiste s'exécute, le visage couvert de sueur. Les ouvriers sont sortis de dessous les voitures, leur baratin insipide a cessé. Mignot ouvre le coffre d'une main tremblante, et Capdevil découvre un bric-à-brac impressionnant. Il y a un sac de voyage, des cordes, des vêtements en vrac, des bidons jaunes avec des bouchons noirs et le nom du garage inscrit dessus.

— À qui appartient cette voiture ? demande l'officier, plus tendu qu'une peau de tambour.

Le garagiste est de plus en plus éberlué.

— Mais à moi… Pourquoi ? C'est un véhicule de prêt, s'empresse-t-il d'ajouter. Pour les bons clients. Il est rentré cet après-midi… Qu'est-ce que… ?

— Qui ?

— Un bon client, répète Mignot, qui en avait besoin pour un déplacement. Il l'a rapportée il y a une heure parce que la courroie sifflait comme une Cocotte-minute…

Un véhicule stoppe devant la porte, masquant d'un coup la lumière du jour. Des portières claquent, des voix se font entendre. Du coin de l'œil, Capdevil distingue les uniformes bleus des gendarmes. D'habitude, il ne les supporte guère, et aujourd'hui encore moins. Roger Mignot en profite pour ne pas répondre à la question pourtant précise de l'officier. La tension déjà vive monte d'un cran.

— Qui ? aboie Capdevil en serrant de toutes ses forces le bras maigre du garagiste.

— Pierre Blanc, dit l'homme d'une voix sans timbre.

Capdevil ne connaît pas Pierre Blanc. Il se souvient seulement que c'est un nom qu'il a entendu dans la bouche de Marion. Brutalement, son estomac se contracte.

97

Marion arrive à la porte de la cabane où la mère Blanc, nourrie à la pâtée pour chat, croupissait au milieu de ses excréments. Sa jambe la fait souffrir, son bras blessé s'ankylose et son cœur cogne fort dans sa poitrine. Elle s'aperçoit que la porte n'est pas fermée et, du bout du pied, elle la repousse pour l'entrouvrir un peu plus. Ses gestes sont prudents, ses sens en alerte.

L'odeur à laquelle elle est désormais habituée l'assaille et, en un éclair, elle se dit que venir ici est la plus mauvaise idée qu'elle a eue depuis le début de cette affaire.

Dans l'entrebâillement de la porte elle distingue un amoncellement d'objets, des outils, des bottes de paille, des sacs de nourriture pour volaille, une vieille machine agricole qui servait autrefois, avant la mécanisation à outrance, à séparer les grains de leur enveloppe. Tout est déglingué, couvert de poussière et de toiles d'araignée. Marion avance d'un pas, franchit le seuil. Elle découvre une pièce assez vaste, basse de plafond, grise de crasse. Posée sur sa béquille au milieu de l'amoncellement hétéroclite, une Yamaha blanche au réservoir décoré de bandes vertes attend son conducteur. Sans demander son reste, Marion fait demi-tour.

Alors qu'elle court vers sa voiture en pataugeant dans les flaques nauséabondes, il lui semble entendre bouger derrière elle. Des bruits de pas, un souffle rauque. Elle extrait son arme de l'étui de ceinture sans oser faire face. Elle ouvre la portière, se jette dans sa voiture, appuie sur la commande de fermeture centralisée et démarre sans trembler, poussée par la volonté forcenée de s'enfuir. Alors seulement, elle ose regarder la cour. Le gros chat roux, de la boue jusqu'aux oreilles, la fixe de ses yeux pleins de haine.

98

— Qu'est-ce que vous cherchez ?

L'adjudant Chrétiennot toise Capdevil d'un regard hostile. Il en a assez de ces flics de Lyon, de

Marion et de ses hommes qui, à présent, viennent piétiner ses plates-bandes. Que vient-il faire ici, celui-là, avec sa drôle d'allure et ses poches déformées par Dieu sait quels objets tordus ? Il retourne entre ses doigts la carte professionnelle que l'officier lui a présentée, comme s'il n'était pas complètement convaincu de son authenticité.

— La commissaire Marion est allée à Charmes, dit le capitaine d'une voix altérée par l'angoisse. Emmenez-moi là-bas… Elle est en danger.

— Je vous ai posé une question, monsieur !

— Écoutez, s'échauffe Capdevil, je suis à pied, ma chef est à Charmes, je ne sais pas où, mais elle court un grand danger, et si vous ne faites pas quelque chose tout de suite, je vous promets que vous allez me le payer !

Il est rouge de colère et Chrétiennot n'en revient pas. Derrière lui, le garagiste Mignot répète aux deux gendarmes qui l'accompagnent ce qu'il a raconté à Capdevil un instant plus tôt : Pierre Blanc est rentré cet après-midi avec la voiture de prêt et il est allé chez lui, à Charmes, avec sa moto. Une Yamaha vert et blanc qu'il a achetée récemment. Une occasion exceptionnelle, une première main… L'adjudant se bloque soudain, et une impression extrêmement désagréable lui hérisse les poils des bras. Il fixe Capdevil, qui trépigne sur place.

— Qu'est-ce qui vous fait penser qu'elle est en danger ?

— Ça !

D'un doigt qui tremble, il montre le coffre et les bidons jaunes.

— C'est pas moi qui ai mis tout ce bordel dans le coffre ! s'empresse de préciser le garagiste.

Capdevil ignore l'interruption.

— Un récipient identique a été trouvé hier matin sur les lieux de l'incendie de la maison du commissaire Marion.

— L'incendie... du... de la... Oh ! merde..., bafouille Chrétiennot. Je l'ignorais, excusez-moi... Mais vous êtes sûr qu'il y a un rapport avec le contenu de ce coffre ? C'est un peu gros, non ?

— Gros ? s'insurge Capdevil. Vous n'avez jamais vu ça au cours de vos enquêtes ? Un incendiaire qui oublie un bidon sur les lieux de son forfait ?

Chrétiennot regarde tour à tour Capdevil et Mignot.

— Alors, demande-t-il au garagiste qui se recroqueville, qu'est-ce que tu as à dire, Roger ?

— Mais rien, enfin ! J'ai prêté cette bagnole à Blanc, il l'a rapportée à cause de la courroie. Il devait la reprendre ce soir, c'est tout ce que je sais...

— C'est à lui, ce merdier dans le coffre ?

Mignot écarte les bras, dépassé.

— Oui, non, j'en sais rien. C'est une caisse que je prête aux clients. Elle roule tous les jours, je regarde jamais le coffre, moi !

Capdevil ne tient plus en place. Il a envie de cogner sur quelqu'un pour se faire entendre. Il craint que le dialogue de sourds ne dure des heures. Il prend l'adjudant par le bras, l'entraîne et le force à se pencher sur le coffre béant. Il extrait du bric-à-brac un sac de femme en cuir marron, avec des anses qui permettent de le porter sur le dos. L'une d'entre elles a été arrachée. Chrétiennot fronce les sourcils, incrédule.

— Qu'est-ce que... ?

— C'est le sac de Marion. Ça vous rappelle quelque chose ?

Les couleurs se retirent du visage du gendarme. Il se demande combien de temps il a perdu en palabres inutiles et se précipite vers son fourgon.

99

Il s'est ramassé sur lui-même et s'apprête à bondir, ses muscles bandés à lui faire mal. Elle est apparue dans son champ de vision avec son œil au beurre noir et son pansement au bras. Il a entendu le bruit de sa respiration et détesté le regard aigu qu'elle a posé sur la moto. Il a ressenti sa surprise intense, sa peur ensuite, son souffle qui s'accélérait. Il a levé lentement son fusil. Cette fois, il ne la ratera pas. Elle n'aura pas le temps de comprendre.

Pourquoi recule-t-elle précipitamment ? Il a envie de crier : « Reviens, attends, ne pars pas... » Une petite voix sortie de son enfance répète : « Joue avec moi ! Pourquoi tu ne veux pas jouer avec moi ? » Et l'autre, en écho : « Tu es sale, tu sens mauvais, va-t'en ! »

À présent, il ne la voit plus. Il se demande ce qu'elle est en train de fabriquer, quand le moteur de la Peugeot déchire le silence.

— Bordel de Dieu ! jure-t-il en se redressant brusquement.

Son coude heurte le bord d'un vieux placard vermoulu. Le sang coule. Nouvelles bordées d'insultes. Depuis quelques jours, ses plaies se multiplient, la maladie le ronge plus que jamais. Et, comme si cela ne suffisait pas, le coup qu'il a reçu à la tête, juste au-dessus de l'oreille, crée dans sa boîte crânienne des élancements insupportables.

Il entend la voiture qui s'éloigne. Elle va tourner le coin de la ruelle. Il bondit sur la moto.

100

— Je peux téléphoner ?

— Ma foi...

Mme Rodelot regarde Marion avec méfiance. Les allées et venues de cette femme policier ne lui disent rien qui vaille. Chaque fois qu'elle est apparue au village, c'était juste avant une catastrophe. Et là, avec son visage à moitié tuméfié, elle est encore plus inquiétante que d'habitude. Elle brûle d'envie d'apprendre comment la jeune femme a récolté ce magnifique coquard, mais elle n'ose pas le lui demander. Elle désigne le téléphone posé sur la commode de la salle à manger dont l'unique fenêtre donne sur la cour sombre. Marion compose un numéro et réclame un verre d'eau. De la cuisine, Mme Rodelot remarque sa voix haletante et ses regards fréquents vers la porte.

— Restez auprès d'elle, ne la laissez pas sans surveillance... Elle s'est réveillée ? Bon... j'arrive. Faites gaffe, *il* risque de débarquer aussi...

Reine Rodelot voudrait bien savoir de qui elle parle, bien qu'elle en ait une petite idée. À présent, la commissaire consulte l'annuaire, compose un autre numéro. Est-ce qu'elle a l'intention de payer les communications, au moins ?

— Bonjour, dit Marion, je cherche un officier de police… Il doit être chez vous… Ah ? Il est reparti… Avec… – bref coup d'œil à Mme Rodelot –, merci.

Marion réfléchit un instant, puis :

— Vous connaissez le numéro de la gendarmerie ?

— Ben, le 17… Ça marche ici aussi, vous savez !

Reine Rodelot a repris son air revêche. Mais Marion ne s'en aperçoit pas, toute à ses préoccupations. Et, apparemment, elle n'a pas plus de succès avec les gendarmes à propos de cet officier.

— Dites-lui de m'appeler, c'est urgent… Merci, murmure Marion en se laissant tomber sur une chaise après avoir reposé le téléphone et sifflé son verre d'eau d'un trait.

— Vous n'avez donc plus votre… portable ? s'enquiert Mme Rodelot avec un demi-sourire contraint.

— Si, si. Mais je ne peux pas m'en servir… Dites-moi une chose, madame Rodelot.

— Encore des questions ? marmonne la vieille femme en torturant la ceinture de son inévitable robe grise à fleurs mauves. C'est toujours la Claire qui vous travaille ?

— Oui, répond Marion, surprise. Est-ce qu'elle est morte ici ? À Charmes ?

La femme hésite imperceptiblement :

— Non…

— Où, alors ?

Marion sait qu'elle touche au but, qu'à force de patience elle finira par lever le voile.

— À Saint-Léger…

— Pardon ? sursaute-t-elle.

— Au château de Saint-Léger… Elle l'a retrouvée dans la chambre des maîtres, sur le lit…

— *Elle ?*

— Marie Blanc. La Claire était partie depuis le matin, en vélo. Dans son état, je vous demande un peu… Vers quatre heures, comme elle ne revenait pas, Marie Blanc a décidé d'aller là-bas.

— En voiture ?

La mère Rodelot a un mouvement des épaules et Marion la voit sourire franchement pour la première fois.

— En voiture ! Pensez donc ! Elle a jamais conduit, la Marie… Non, elle a pris le bus. Il passait à cinq heures, tous les après-midi, à cette époque-là. Il s'arrêtait là-bas devant.

D'un coup de menton vague, elle désigne la place et attend docilement la question suivante.

— Comment pouvait-elle être sûre qu'elle était là-bas ?

— Elle le savait, fait la femme en prenant son air buté. C'est comme ça. Quand elle est arrivée, c'était trop tard. La Claire s'était vidée de son sang comme un poulet. Marie Blanc a téléphoné ici pour que je prévienne le baron et la baronne. Je tenais la cabine publique, les gens n'avaient pas le téléphone en ce temps-là. C'est Louis, mon mari, qui est allé chercher la petite avec la camionnette. Il est mort voilà dix ans maintenant, pauvre de lui.

Elle se tait un instant, recueillie et lointaine. Soupire :

— Mon Louis est allé la chercher parce que le baron voulait qu'on croie qu'elle était morte ici.

— Pourquoi ?

— Ma foi… C'était son idée, c'est tout.

— Vous l'avez vue ?

— Qui, la Claire ? Bien sûr. C'est moi qui lui ai fait la toilette des morts et qui l'ai habillée avec Marie Blanc.

Marion sent de nouveau les battements de son cœur s'accélérer. Elle se penche en avant. Elle a envie de prendre entre les siennes les mains de Reine Rodelot qui s'agitent comme des oiseaux apeurés. De les serrer ; de lui ordonner de dire la vérité.

— Est-ce que… ?

La vieille femme se détourne brusquement. Elle connaît la question que Marion a sur les lèvres, elle la redoute. Marion lit dans ses yeux fuyants qu'elle détient la réponse.

— Est-ce qu'elle était encore enceinte, à ce moment-là ?

Reine Rodelot hésite, regarde la porte, puis Marion, entre crainte et supplication. Elle ouvre la bouche. Marion devine ses mots : « Je n'aurai pas d'ennuis, au moins ? »

Un bruit dans la salle de café toute proche, une voix d'homme demande s'il y a quelqu'un. La femme referme la bouche, secoue la tête comme si elle sortait d'un cauchemar.

— Oui, naturellement.

101

Capdevil et les gendarmes ont investi la maison de Marie Blanc et visité la cabane. Dépité, le capitaine tourne sur lui-même comme un derviche.

— Mais où est-ce qu'elle est passée ? râle-t-il.

— En tout cas, elle n'est pas ici, constate Chrétiennot.

— Elle est venue, regardez les traces de roues...

Il y en a plusieurs qui s'entrecroisent dans la boue de la cour, ainsi que le fait observer l'adjudant qui commence à perdre patience. Le petit gendarme râblé et moustachu revient près des deux hommes. C'est le copain de Pierre Blanc, il a l'air sûr de lui, presque fanfaron. Il refuse de croire que son ami ait pu faire ce que prétend ce flic qui ne connaît pas les gens d'ici. Et pourquoi, grand Dieu, le facteur de Charmes aurait-il agressé la commissaire ? Pourquoi serait-il allé jusqu'à Lyon mettre le feu à sa maison ? Cela n'a aucun sens. Pierre Blanc est le plus doux et le plus tranquille des hommes. Un célibataire tout dévoué à sa vieille mère, membre du club de boules de Mirabel. Il ne connaît même pas Marion.

— Il a quand même enfermé sa mère dans la cabane avec le chat, s'insurge Capdevil... Il est parti se balader, il vous a menti en affirmant qu'elle était en maison de retraite... Un bon petit gars, en effet !

— On voit que vous ne connaissez pas la vieille, réplique le gendarme moustachu, elle n'en faisait qu'à sa tête, une vraie bourrique...

— Pierre Blanc s'expliquera sur ces faits, l'interrompt Chrétiennot, dès qu'on lui aura mis la main dessus. S'il est responsable des sévices subis par Marie Blanc, il sera poursuivi.

Quand Capdevil évoque les morts – Gus, le notaire, le père Léon –, le petit gendarme moustachu manque de s'étrangler et Chrétiennot est obligé de s'en mêler pour éviter qu'ils n'en viennent aux mains.

Il leur reste la cabane à visiter. La porte est grande ouverte, l'endroit sinistre.

— Vous voyez ! Sa moto n'est pas là ! triomphe le copain du facteur. Je suis certain qu'il est allé voir sa mère à l'hôpital. Tout simplement.

— Mon adjudant, s'écrie un de ses hommes demeurés près du fourgon, la brigade vient de passer un message radio !… La commissaire Marion a demandé qu'on la rappelle. C'est urgent.

Capdevil se remet à errer à la recherche d'un téléphone. Les gendarmes n'en ont pas et lui, à cet instant, s'en veut de son animosité envers les portables.

— On va l'appeler du café, décrète Chrétiennot.

Les deux hommes repartent en courant vers la camionnette bleue. La boue de la cour gicle sous leurs pieds. Capdevil s'essouffle en se disant qu'il a passé l'âge des jeux de piste.

102

— Elle est partie il y a bien une demi-heure, affirme Reine Rodelot.

Capdevil ne comprend plus rien, mais il doit se rendre à l'évidence : Marion l'a planté là sans se préoccuper de lui. Elle lui a fait dire de la rappeler d'urgence, mais aucun de ses portables ne répond. À présent, il est plus mécontent qu'inquiet et il se demande si elle n'est pas devenue folle, tout simplement.

— Où est-elle allée ? interroge-t-il, les mains sur les hanches.

— À Dijon, je crois. J'ai cru saisir qu'elle avait dans l'idée de se rendre à l'hôpital.

Capdevil se retourne du côté de l'adjudant Chrétiennot. Quand il croise le regard du gendarme, il devine à son air fermé qu'il va devoir se débrouiller s'il veut rejoindre sa commissaire.

103

Marie Blanc n'est plus qu'un petit tas informe et rabougri relié à la vie par une perfusion qui se vide lentement dans son bras en produisant des bulles minuscules. Son visage exsangue a perdu ses joues et ses lèvres, avalées par une bouche sans dents. Ses cheveux réunis en chignon sont luisants de crasse. Sous la peau de sa main abandonnée sur le drap brodé au nom de l'hôpital, une grosse veine tortueuse palpite à peine.

— Elle est consciente, mais elle n'a pas remué un cil depuis le début de l'après-midi. On s'est relayées, votre amie et moi, pour la faire émerger, rien à faire. Le corps médical affirme qu'elle est au bout du rouleau.

— Laissez-moi seule avec elle, dit Marion à Naïma Meceri. Et surveillez les abords. Son fils pourrait bien se pointer… Où est Suzanne ?

Meceri ébauche un sourire de mépris.

— Je crois qu'elle a flashé sur Sonia Bonte, la légiste… Je pige pas…

— Quoi ?

— Les lesbiennes.

— Soyez indulgente, jeune fille, gronde Marion. Elle fanfaronne, mais elle en bave plus que vous ne l'imaginez.

Marion se penche sur la vieille femme dont l'haleine sent vaguement le moisi. « La mort a-t-elle ce parfum douceâtre ? » se demande-t-elle en posant ses doigts sur la main décharnée. Elle la caresse doucement, sans pression, seulement pour laisser le contact se faire, sa bienveillance pénétrer la vieille dame.

— Marie, murmure Marion très près du visage de la femme, vous me connaissez… Je suis la fille de Gus. Vous vous souvenez de Gus ? Et de Claire ?

La femme, les yeux clos, ne réagit pas. Pourtant, la peau usée de sa main frémit imperceptiblement.

— Je sais ce que vous avez fait, Marie, le jour où Claire est morte… Vous voulez que je vous raconte ?

354

Illusion ou réalité ? Le souffle de la vieille s'accélère. Marion poursuit, impitoyable :

— Claire a accouché chez vous... J'ai cru que c'était arrivé à Dijon, mais je me suis trompée. Votre maison était plus tranquille et comme vous viviez seule... Elle a mis son enfant au monde juste en face de chez Gus... Quelle ironie... C'est vous qui avez donné les premiers soins à ce bébé dont Claire ne voulait pas s'occuper. Il lui rappelait trop le désastre de sa vie, et sa décision était prise : elle voulait mourir. Ni vous ni personne ne pouviez empêcher ça. Elle s'est terrée quelques jours, chez vous, puis elle s'est décidée. Le jour où elle est partie pour Saint-Léger, vous saviez parfaitement où elle se rendait et ce qu'elle y ferait. Vous lui avez laissé le temps nécessaire et vous êtes allée la chercher. Où était le bébé pendant ce temps ? Caché dans votre maison ? Vous avez enterré Claire et, quelques jours après, le 4 juillet pour être précis, vous avez déclaré la naissance de *votre* enfant. J'ai du mal à croire que personne ne se soit inquiété de cela, mais vous êtes forts, à Charmes, pour garder les secrets. Le fils de Claire est devenu le vôtre. Pierre Blanc.

Cette fois, les doigts de Marie Blanc se crispent nettement. Ses paupières frémissent. Marion attend une réaction plus éloquente. Comme rien ne vient, elle décide d'enfoncer le clou :

— Je ne me trompe pas, Marie. Reine Rodelot m'a tout raconté. La toilette de Claire qu'elle a faite avec vous, l'habillage... Elle lui a mis la robe de ses fiançailles, une robe de jeune fille en tissu vichy rose, bien serrée à la taille, et des gants, assez longs pour cacher les entailles de ses poignets... Vous ne pouvez pas dire le contraire, puisque vous y étiez, Marie, que Claire n'était plus enceinte quand elle a été enterrée. Vous êtes au bout de votre vie, vous ne pouvez pas partir avec ce secret sur la conscience... Qu'allez-vous dire à Jésus, là-haut ?

La mère Blanc remue faiblement les doigts, agitation spasmodique qui dénonce le combat qu'elle livre avec elle-même. « Il faut en finir », songe Marion, à bout de patience.

— Vous savez ce que Pierre est devenu, madame Blanc... Un criminel. C'est à cause de toutes ces choses que vous n'avez pas dites. Si vous ne parlez pas, les gendarmes vont l'attraper, le mettre en prison... le tuer peut-être.

Un vague gémissement, Marie Blanc bouge la tête. Ses yeux s'ouvrent, immenses, fiévreux. Marion ne saurait dire si elle y lit de la haine ou une supplique. La vieille balbutie à travers ses gencives nues :

— Lui faites pas de mal...

— C'est promis..., chuchote Marion comme si elle lui livrait, elle aussi, un secret. Jamais personne ne lui fera du mal. Personne ne saura rien de tout cela, jamais, je vous le jure. Il restera Pierre Blanc, votre fils. L'enfant que vous avez élevé et aimé. Dites-moi, Marie, que j'ai raison et je vous laisse tranquille...

— Pourquoi ? bafouille Marie Blanc.

— Pourquoi je veux savoir ?

La vieille abaisse les paupières. Elle semble épuisée. De l'autre côté du miroir, déjà. Marion cherche ses mots, plus remuée qu'elle ne le voudrait.

— C'est compliqué... Je crois que Pierre pense que je lui ai volé quelque chose. Vous savez quoi, Marie ?

Le regard hagard de la vieille se promène un instant sur le visage de Marion comme pour y déceler d'improbables preuves et la justification des secrets qu'elle va lui livrer.

— Écoute, murmure-t-elle. Le petit, il est pas né chez moi...

— Mais..., proteste Marion, ébranlée, où alors ?

— À Saint-Léger. Au château.

Marion s'est penchée encore un peu plus. Marie lui a raconté une histoire incroyable, puis elle s'est tue, à bout de forces, comme avalée par l'oreiller.

Il est probable que ce sont les derniers mots de cette modeste créature entraînée, malgré elle, dans une épopée qui ne pouvait que mal se finir.

Doucement, Marion se lève. Sa tête tourne, elle titube légèrement. Elle quitte à reculons la vieille femme immobile, tellement ratatinée qu'elle pourrait tenir dans un panier.

De l'autre côté de la porte, Meceri attend en sirotant un café. Suzanne est debout en face d'elle, le dos appuyé au mur, les traits tirés.

Meceri se lève, alarmée par l'air de Marion.

— On dirait que vous avez vu un fantôme...

— Plusieurs, Meceri, plusieurs.

— Tu seras là demain, n'est-ce pas ?...

Suzanne craque. Marion ne sait pas où elle sera demain, mais elle promet à son amie de l'accompagner pour mettre son père en terre.

— Tiens, lance la notaire en lui tendant une enveloppe cachetée. Sonia Bonte a essayé de te joindre... C'est quoi, cette manie de couper ton téléphone ?

— Je vais le rebrancher, promet Marion qui n'est pas sûre d'obtempérer.

Elle prend la lettre que la légiste lui a transmise, la fourre dans sa poche.

— Tu ne l'ouvres pas ?

— Plus tard.

Pourquoi ouvrir une lettre dont elle connaît déjà le contenu ?

Il est dix-huit heures. Dehors, il fait encore grand jour et l'hôpital connaît l'agitation de l'heure des repas. Marion sait que Capdevil ne va pas tarder à rappliquer et elle ne veut pas l'attendre.

— Restez encore un peu, dit-elle à Meceri. Disons jusqu'à vingt heures. Ensuite, vous pourrez sortir. Elle est mourante, de toute façon.

— Où allez-vous ? demande Naïma Meceri sur un ton soupçonneux.

— Une petite visite en ville, ment Marion. On se retrouve dans la soirée chez Suzanne, avec Capdevil.

Elle sait que Meceri ne la laisserait jamais partir seule là où elle projette de se rendre. Elle ne peut pas lui expliquer davantage que le dénouement de l'histoire est imminent, qu'il se situe à Saint-Léger et qu'elle y a rendez-vous avec Pierre Blanc. Le fils de Gus et de Claire. Son frère.

104

Le soleil n'en finit pas de se coucher, mais l'ombre s'installe déjà sur la forêt. Le toit de la bâtisse est fait de tuiles vernissées disposées en losange qui luisent sous les derniers rayons, éclaboussant le crépuscule d'une féerie de couleurs. Marion vient de le découvrir au bout de l'allée de platanes et elle demeure bouche bée, incrédule. Ce qu'elle a devant les yeux n'a rien à voir avec l'édifice dont elle a vu la photo dans le gros livre de la DRAC.

Le château a été entièrement rénové, sa façade de pierre décapée. Les annexes, disposées de part et d'autre du bâtiment principal, en sont plus éloignées que la perspective du cliché ne le laissait supposer. Les portes ont été repeintes en rouge foncé et, d'où elle se tient, Marion perçoit distinctement les piaffements de chevaux et quelques hennissements énervés entrecoupés d'appels au calme proférés par une voix d'homme. C'est le seul signe de vie perceptible par-delà la grille monumentale qui ferme l'accès au parc impeccablement tenu. Au milieu de la pelouse centrale, un jet d'eau projette dans le couchant des gerbes de pluie qui retombent dans un bassin recouvert de plantes aquatiques et bordé d'arbustes aux couleurs d'automne.

Tout le long du chemin, Marion s'est demandé comment elle allait s'introduire dans ce château et ce qu'elle allait y découvrir qui valait tant de souffrances et de morts. Elle s'est préparée à affronter le commandant Martinez ou Pierre Blanc. Ou les deux à la fois dans une association encore indéterminée. À aucun moment elle n'a envisagé que la demeure pouvait être occupée et aussi bien protégée, comme en témoigne le système de vidéosurveillance qu'elle vient de repérer. Deux caméras

sont installées de part et d'autre de l'accès principal et un interphone discrètement intégré dans un
des piliers.

Marion hésite. Que va-t-elle dire aux occupants ?
« Je viens voir la maison où s'est tuée une jeune fille
qui était amoureuse de mon père… Son fils est né
ici… Vous ne l'auriez pas vu, par hasard ? »

— Madame ! Qui êtes-vous ? Que voulez-vous ?

Marion fait un bond en arrière. La voix qui sort
de l'interphone est masculine, avec un fort accent
d'Afrique du Nord.

— Bonjour, monsieur, dit-elle d'une voix incertaine. Je voudrais…

— Avancez d'un mètre et faites un pas de côté,
sur votre droite. Je ne vous distingue pas très bien.

Au même instant, un homme émerge des
communs et se dirige vers elle. D'autres mouvements naissent du côté gauche du château, mais
Marion ne peut pas discerner de quoi il retourne.
Elle a l'impression que ce sont des chiens et elle
cherche à comprendre pourquoi ils n'aboient pas.

— Bon, murmure-t-elle en s'exécutant de mauvaise grâce. Dans quoi j'ai mis les pieds, moi ?

— Vous me voyez mieux, là ? fait-elle à voix
haute sur un ton qu'elle tente de rendre détaché.

À l'autre bout de l'interphone, le silence per-
siste. L'homme qui est sorti des écuries est à présent à moins de vingt mètres de la grille. Elle
l'examine du coin de l'œil, sur ses gardes. C'est un
Maghrébin, maigre et droit, avec d'abondants cheveux blancs et une moustache poivre et sel.

— Quel est votre nom ? s'interroge enfin la voix
dans l'interphone.

— Écoutez, monsieur, proteste-t-elle. Je ne veux pas vous déranger…

— Votre nom, s'il vous plaît, répète la voix avec une douceur insistante.

— Marion. Je m'appelle Marion.

— C'est votre prénom…

— Non, Marion, c'est mon nom.

— Votre prénom ?

Elle commence à trouver la plaisanterie détestable. L'homme aux cheveux blancs s'est arrêté de l'autre côté du portail hérissé de pointes acérées et la dévisage d'un œil perçant. Quand Marion croise son regard, elle en a froid dans le dos. Elle est sur le point de battre en retraite, quand le visage de son vis-à-vis change du tout au tout, en proie à une émotion intense. De dur et tranchant, il devient doux, et Marion, stupéfaite, surprend dans son regard une lueur qui ressemble à du respect affectueux. Il s'approche de l'interphone sans la quitter des yeux.

— Tu peux ouvrir, Ali, c'est bon…

— Je m'appelle Hassan, dit l'homme en réglant son pas sur le sien. Je suis heureux de vous voir.

Il a un accent rocailleux et une voix grave, mais il s'exprime dans un français parfait.

Des aboiements furieux explosent lorsqu'ils longent le bâtiment. Marion a un mouvement de recul. Hassan fait un geste apaisant.

— Ne craignez rien. Ils sont enfermés.

Au jugé, il doit bien y avoir quatre ou cinq chiens et, au timbre de leurs voix, ce ne sont pas des caniches. Il est trop tard pour reculer. Un escalier de pierre à double révolution, une large porte pleine et vraisemblablement blindée ; une main invisible actionne la poignée et le battant s'ouvre, dévoilant un hall dallé de pierres de Bourgogne, usées et patinées par les siècles. Un piano à queue blanc en occupe le centre et un somptueux lustre de cristal s'y reflète de toutes ses pampilles.

Un petit homme d'une soixantaine d'années, aussi maigre que le premier, se fige dans un salut cérémonieux en examinant Marion avec déférence. Elle imagine une fraction de seconde que ces hommes ont identifié sa fonction ou que, d'une manière ou d'une autre, ils la connaissent. Peut-être même s'attendaient-ils à sa visite.

— Bienvenue à Saint-Léger, fait le dénommé Ali en s'inclinant. Vous êtes chez vous, madame.

Marion est de plus en plus ébahie et en vient à penser qu'ils en font un peu trop. Les deux hommes sont dans l'expectative, Hassan sur le pas de la porte, Ali en face d'elle, aussi raide qu'un légionnaire au garde-à-vous. Elle a le sentiment qu'ils attendent des ordres. Elle s'adresse à Ali.

— Vous êtes le propriétaire de ce château ?

Elle perçoit nettement dans son dos le sursaut de surprise de Hassan, tandis que le visage d'Ali se fend d'un sourire furtif, comme si elle se moquait de lui. Il fait non de la tête.

— Puis-je voir le propriétaire, dans ce cas ? Ou l'occupant en titre ?

Pas de réaction, mais toujours ce demi-sourire sur les lèvres d'Ali.

— Vous me comprenez ? fait-elle en haussant le ton. J'aurais des questions à poser à…

Elle s'interrompt brusquement, de nouveau en alerte. Elle capte le regard furtif d'Ali qui se pose sur une belle commode tombeau en bois fruitier rehaussée de marqueterie et ornée de poignées de bronze. Sur le meuble, un cadre en argent avec une photo. Ali la fixe brièvement avant de revenir à Marion. Il semble décontenancé. Retour sur le cadre argenté. Marion suit son mouvement. Elle n'en croit pas ses yeux.

Elle a vingt ans de moins qu'aujourd'hui, mais il n'y a aucun doute. Sur la photo, c'est elle.

Hassan s'est esquivé, Marion est restée seule avec Ali. Elle n'ose plus regarder autour d'elle. Elle ne sait plus si elle est éveillée ou plongée dans un mauvais rêve.

— Me Renoir m'avait prévenu que vous alliez venir, dit l'homme. Je vous attendais la semaine dernière.

Marion se souvient de Suzanne affirmant que son père préparait un voyage. À l'évidence, Me Renoir avait l'intention de traiter la succession de Gus Léman, alias Arthur Clair, ici, à Saint-Léger. Tout aussitôt, un soupçon l'assaille :

— Dites-moi, monsieur...

— Appelez-moi Ali, s'il vous plaît, madame...

— Euh... Ali, si vous voulez... J'ai peur de ne pas tout saisir. Le propriétaire de cette demeure, c'est M. Léman, n'est-ce pas ?

Ali se ferme.

— Je ne connais pas de M. Léman. Le propriétaire de cette maison, c'est Mme Edwige Marion. C'est comme ça depuis plus de vingt ans.

— C'est une blague ?

— Pas du tout, madame, assure Ali, imperturbable.

Marion ressent un léger vertige.

— Mais voyons… vous n'êtes pas tout seuls ici ? Il y a bien quelqu'un qui s'occupe de ce château ?

— Vous faites allusion à M. Arthur Clair, je suppose… En effet, il vivait ici, mais il n'était que le gérant de vos biens, madame.

— Il y a longtemps que vous vivez là ?

— Je vous l'ai dit, un peu plus de vingt ans. Le temps de remettre le château en état… M. Clair avait dit qu'un jour il partirait et que vous arriveriez juste après. Il est parti voilà deux mois et je me demandais si vous viendriez vraiment.

— Seigneur ! murmure Marion, atterrée.

Dans le salon, un feu de cheminée est allumé. De même que le hall et un fumoir que Marion vient de traverser, cette pièce a des proportions agréables. Le mobilier est de bon goût. Sur un guéridon Louis XV en bois de rose, des verres et un seau à glace voisinent avec une bouteille de cognac.

En enfilade apparaît la salle à manger où un couvert est mis sur la table ovale recouverte d'une nappe blanche bordée de dentelle et monogrammée. Les lettres se détachent en relief, et Marion n'a pas besoin de s'approcher pour deviner que ce sont ses propres initiales. La vaisselle est en faïence bleu et blanc, les couverts en argent. Captivée, Marion regarde les meubles, les bibelots, les tableaux, les tissus, avec l'impression qu'elle aurait pu choisir elle-même le moindre d'entre eux si elle avait été en mesure de le faire. Les matières, les couleurs, la mise en scène sont exactement à son goût. Un feu joyeux réchauffe l'atmosphère, mais ce qui lui saute aux yeux, c'est le tableau au-dessus de la cheminée. Une huile qui la représente en pied et en grand uniforme de commissaire avec son écharpe tricolore et son épée. Elle a un souvenir précis de la photo dont le peintre s'est inspiré : elle a été prise dans la cour de Saint-Cyr-au-Mont-d'Or, le jour de la sortie de sa promotion. Elle a beau chercher, elle n'a pas le souvenir de celui qui tenait l'appareil, mais il avait bien fixé la fierté qu'elle éprouvait ce jour-là.

Du fond de sa stupeur, elle perçoit la voix d'Ali :

— M. Arthur dînait là tous les soirs, en face de vous. Parfois, il vous parlait. Voulez-vous dîner, madame ?

— Pas maintenant, s'entend-elle répondre comme dans un rêve. On peut poursuivre la visite ?

La cuisine est spacieuse, avec des carreaux anciens au sol et, sur les murs, des céramiques de Valenciennes bleu et blanc. Un piano de cuisson en fonte occupe tout l'espace sous la cheminée où sont accrochées des casseroles en cuivre, des moules à gâteaux et une collection invraisemblable d'ustensiles comme Marion aime à en chiner dans les brocantes. Sur le feu, une cocotte laisse échapper un fumet qui lui rappelle qu'elle n'a presque rien mangé de la journée.

— Un sauté de veau aux carottes, commente Ali, qui a suivi son regard.

Le plat qu'elle préfère. Sidérée, elle se demande d'où ces hommes tiennent autant d'informations sur son compte et surtout comment ils ont deviné qu'elle viendrait aujourd'hui. À moins qu'ils ne confectionnent le même sauté de veau tous les jours depuis deux mois...

— Je vous montre l'étage ? demande Ali de sa voix polie.

— Écoutez, monsieur… Ali, fait Marion, qui a du mal à ne pas céder au charme de l'endroit, avant de continuer, je voudrais que vous me donniez quelques précisions sur M. Arthur Clair.

— C'est-à-dire ?

— Comment vous l'avez connu, où il a vécu, ce qu'il a fait avant de venir ici…

— Il a laissé tout un tas de papiers à votre intention là-haut, élude Ali. M. Clair m'avait donné l'ordre de ne les remette qu'à vous, en main propre.

Des bruits résonnent à l'extérieur, une cavalcade, l'aboiement des chiens. Ali se fige, les yeux vers le parc et la porte-fenêtre de la cuisine vers laquelle Hassan se précipite. L'homme aux cheveux neigeux frappe au carreau, l'air inquiet. Ali marche rapidement jusqu'à lui, ouvre la fenêtre. Ils échangent quelques mots brusques auxquels Marion ne comprend rien. Derrière Hassan, un jeune homme à la peau sombre tient en laisse deux dobermans muselés. Les chiens tirent comme des fous sur leurs colliers en se dressant sur leurs pattes arrière et en poussant des cris. Ali donne un ordre d'une voix sèche et referme la fenêtre.

— Que se passe-t-il ? s'inquiète Marion.

— Rien, je pense. Les hommes sont nerveux et les chiens aussi. Le temps est à l'orage…

— Ne mentez pas, Ali ! Il y a quelqu'un dehors ?

Il répugne à l'admettre ; pourtant, il n'ose pas mentir à celle qu'il considère depuis vingt ans comme la maîtresse des lieux.

— Hassan a cru voir quelqu'un, en effet. Mais il s'est trompé, personne ne peut entrer ici sans qu'on s'en aperçoive.

Marion est sortie brutalement de son conte de fées. La princesse redevient souillon. Encore une minute et elle oubliait définitivement l'existence de Martinez et de Pierre Blanc. Elle se tourne vers le parc sur lequel la nuit s'installe.

— Vous êtes sûr ? Vous n'avez pas vu un homme aujourd'hui ? demande-t-elle à Ali, qui la précède dans le salon. Un homme brun avec des yeux bleus ?

— Il nous a rendu visite, dit Ali tranquillement.

— Et alors ?

— Il est reparti.

Marion stoppe devant le guéridon Louis XV et se sert un cognac, qu'elle avale d'un trait. Dieu sait pourquoi, la façon qu'a le gardien de ne pas commenter la visite de Martinez lui fait craindre le pire pour le gendarme. Elle insiste :

— Comment ça s'est passé ?

— Il voulait entrer et il n'y avait aucune raison pour qu'on le lui permette. Il n'avait pas de pièce de justice.

— Il a dit pourquoi il venait ?

— Il n'a pas été très poli, élude Ali. Il n'avait rien à faire ici. C'est une propriété privée.

Un bruit claque quelque part dans le château. Cela ressemble au choc d'une porte refermée avec violence. Plus rien ne filtre de l'extérieur. Marion a tendu l'oreille.

— Vous avez entendu ?

— Soyez tranquille, la rassure Ali, il ne peut rien arriver. Nous veillons sur votre sécurité. Et l'homme dont vous avez parlé ne reviendra pas.

Pourquoi Marion décèle-t-elle une menace dans cette affirmation ? Par réflexe, elle tâte son arme planquée sous sa veste en jean et songe furtivement que Capdevil ou Meceri n'auraient pas été de trop à ses côtés. Elle éprouve soudain l'urgence de connaître l'histoire secrète de Gus. Elle repose la bouteille de cognac dont elle a bu une autre gorgée pour se donner du courage. Elle fait face à Ali :

— Montrez-moi ces papiers.

105

La pièce où l'a conduite le gardien est un grand bureau confortable pourvu de baies vitrées qui ouvrent sur un balcon. La vue sur le jardin et le parc qui se confond au loin avec la forêt est saisissante. Cheminée, feu de bois, parquet doré, sobriété, la pièce est superbe.

— C'était le bureau de M. Clair ? demande Marion d'une voix légèrement enrouée.

— Oh non, madame, c'est *votre* bureau. La pièce à côté, c'est votre chambre. M. Clair dormait avec nous, à l'étage au-dessus…

Sous-entendu, l'étage des domestiques. Marion se découvre avec stupeur la maîtresse de gens dont elle ne soupçonnait même pas l'existence.

Ali a sorti de sa poche une petite clé plate aux dents carrées reliée à une chaîne dorée. Il se dirige vers un meuble dont le devant en loupe d'orme dissimule un petit coffre-fort.

— Je suis le seul à en connaître la combinaison, dit-il. M. Clair avait confiance en moi. Je vais ouvrir le coffre et, ensuite, vous choisirez une nouvelle série de chiffres que vous garderez pour vous…

La molette tourne et la tête de Marion aussi. La situation est surréaliste, incroyable. Une fois la porte du coffre ouverte, Ali pivote vers elle et lui tend la clé.

Un autre choc identique au premier retentit quelque part, dans le château ou juste devant. Cette fois-ci, Marion jurerait que ce n'est pas une porte, mais le claquement étouffé d'une détonation.

— Je vais aller voir ce que c'est que ces bruits dehors, décide Ali, tendu. Je n'entends plus les chiens, c'est bizarre. Ne bougez pas d'ici, madame. Je reviens.

— Je vais avec vous.

— S'il vous plaît, non ! C'est mon travail.

Dans le coffre, il y a des bijoux, beaucoup de bijoux. Les plus beaux qu'elle ait jamais vus. Le cœur battant, elle ouvre les écrins un à un. À première vue, il y en a pour une fortune et elle n'a pas besoin de s'interroger longuement sur leur origine. Les mots froids de la main courante relatant le braquage d'une nuit de Saint-Sylvestre passent devant ses yeux. Elle frémit sans pouvoir se retenir.

Le fameux dossier qui a fait courir tant de monde et expédié trois personnes au tombeau est là, serré dans une pochette reliée en cuir pleine fleur. Les initiales E.M. y sont gravées à l'or fin.

Le premier document qu'il contient est une enveloppe rectangulaire cachetée et scellée à la cire. Malgré le contexte incroyable, Marion sourit devant ce cérémonial suranné, peaufiné jusque dans les moindres détails. « À Edwige Marion... À n'ouvrir que par elle-même et après ma mort. Signé Arthur Clair. »

Marion détaille le papier, l'écriture fine et penchée qu'elle reconnaît. Il n'y a aucun doute : c'est bien la patte de Gus Léman. Elle n'ose pas toucher à l'enveloppe, encore moins l'ouvrir. Céder à la curiosité reviendrait à accepter ces cadeaux, à se rendre complice des voleurs.

Sous l'enveloppe, plusieurs documents. Les premiers sont deux titres de propriété établis par l'étude de Me Renoir, signés du notaire en personne. Les actes stipulent que la dénommée Edwige Marion devient propriétaire d'un appartement sis 26, boulevard Richard-Lenoir à Paris et d'un domaine comprenant maison d'habitation et dépendances, plus un parc et une forêt attenants pour une surface de quatorze hectares, sis à Saint-Léger, Côte-d'Or. Le vendeur est un certain Arthur Clair et, étant donné que l'acquéreur est mineur, les actes sont signés par sa mère, Agnès Moreau, épouse Marion.

Effarée, Marion parcourt les pièces notariées. Sa mère ! Sa mère, qui ne lui en a jamais dit un traître mot, était complice de toute cette histoire. Subitement, elle se demande ce qui serait arrivé si elle était encore en vie aujourd'hui. Comment justifierait-elle ces manigances, ces coups fourrés, ce silence coupable, assassin ? Pour ce qu'elle considère comme une lâcheté et une trahison, Marion lui en veut, terriblement.

Un subtil changement dans l'atmosphère de la chambre, un léger courant d'air qui effleure son cou la mettent en alerte. Elle n'a entendu ni bruits de pas dans le couloir ni claquement de pêne ou grincement de porte. Pourtant, il y a quelqu'un dans la pièce.

— C'est vous, Ali ? interroge-t-elle sans regarder derrière elle.

Un frôlement furtif, le courant d'air apporte jusqu'à elle la redoutable odeur, celle qu'elle avait, l'espace d'une demi-heure, reléguée au plus profond de sa conscience. Son corps meurtri se contracte douloureusement. Par réflexe, elle porte la main à son arme. Dans son dos, une culasse claque.

— Oubliez ça ! fait une voix, qu'elle identifie sans l'avoir jamais entendue. Sortez votre arme doucement et posez-la par terre. Sans vous retourner !

Évitant tout geste brusque, Marion s'exécute. Elle pose son Smith & Wesson 2 pouces par terre, à côté du siège où elle s'était assise pour lire. Elle a en ligne de mire le coffre-fort ouvert gorgé de pierres précieuses et se dit que le conte de fées est en train de tourner au vinaigre. Elle sent Pierre Blanc aussi tendu qu'elle mais poussé, en plus, par une sorte de désespérance. Il semble au bout du rouleau, prêt à tout.

— Poussez-le en arrière avec votre pied ! ordonne-t-il.

— Écoutez, Pierre... on peut parler...

— Taisez-vous ! Exécution !

D'un coup de talon, elle propulse le Smith & Wesson à deux mètres. Elle entend Pierre Blanc s'avancer et le ramasser. Vivement, elle en profite pour glisser sous sa chemise, à même la peau, la lettre de Gus.

Les pas de Blanc glissent sur le plancher, l'odeur du baume se rapproche. Marion prend une inspiration pour débloquer l'étau qui lui broie la poitrine. Elle se lève lentement pour lui faire face. Elle s'attend à un autre ordre ou à une balle dans le dos, mais il ne se passe rien. L'homme ne dit pas un mot. Il la laisse faire. Quand, enfin, elle le voit, c'est son regard qui la frappe en premier. Halluciné, il fixe le coffre.

C'est un petit bonhomme à qui on n'accorderait pas une seconde d'attention en le croisant dans la rue. D'ailleurs, elle doit s'avouer que chaque fois qu'elle l'a aperçu elle ne l'a pas vraiment regardé. Elle aurait été incapable de le décrire si on le lui avait demandé. Aussi sa tenue la laisse-t-elle pantoise. Il a revêtu une sorte de treillis militaire et sa taille mince est étranglée par un énorme ceinturon auquel sont accrochées deux armes automatiques, une petite mitraillette Uzi, trois grenades quadrillées, plus un boîtier qui ressemble à une télécommande de téléviseur. Blanc braque sur Marion un fusil à canon court qu'il tient d'une seule main, comme dans les westerns. Ses petits yeux verts rapprochés flambent. En un éclair, Marion a la vision de Gus Léman photographié à Paris. Pierre Blanc est son portrait craché, le grain de beauté au-dessus de la lèvre en moins.

— Où sont les hommes, les gardiens ? demande Marion d'une voix qu'elle espère ferme.

Il bombe le torse, redresse la tête.

— J'ai horreur qu'on se mette en travers de ma route…

— Comment êtes-vous entré dans la propriété ?

Pierre Blanc ricane. Sa bouche se tord vers la gauche.

— Écartez-vous de la table !

Marion fait deux pas de côté. Elle se maudit de n'avoir pas, comme elle l'avait promis à Suzanne, remis en marche les portables qui pèsent dans sa poche, inutiles et muets. Elle se maudit d'être venue seule à Saint-Léger et de n'en avoir rien dit aux autres. Pierre Blanc a dégommé Ali, Hassan et le jeune homme aux chiens. Elle est désormais seule avec lui.

« Seigneur, prie-t-elle en retrouvant des réflexes d'enfant, faites que Capdevil pense à venir jusqu'ici… »

À présent, Pierre Blanc paraît attiré par le dossier ouvert sur la table telle une phalène par la lumière.

« Parler, se dit Marion, garder le contact. Ne pas le laisser s'enfoncer dans son délire… »

— C'est ce dossier que tu cherchais, Pierre ? C'est pour ces quelques papiers que tu as tué tous ces gens ?

— Taisez-vous, intime l'homme déguisé en soldat dérisoire, et ne me tutoyez pas ! Nous n'avons rien en commun. Prenez ces papiers et lisez-les-moi !

Marion obtempère. Elle découvre, à la suite des deux titres de propriété, un document indiquant qu'elle était bien, par testament, désignée comme l'héritière de Gustave Léman et que l'exécuteur des dernières volontés de ce dernier était Me Renoir,

373

sans la complicité duquel rien n'aurait été possible. Cette lecture est une épreuve pire qu'elle n'aurait pu l'imaginer. Elle se sent coupable, comme si elle s'appropriait frauduleusement les biens d'un autre. La rage et les larmes qui brillent dans les yeux de Pierre Blanc lui donnent la chair de poule.

Il lui semble qu'il vacille légèrement. Il prend une profonde inspiration et hurle :

— Le salaud ! Le salaud !

— Qu'est-ce que vous voulez ? s'enquiert Marion, décontenancée par cette colère subite.

Elle l'a vu arriver, froid et déterminé ; à présent, il trépigne sur place. Elle insiste en montrant le coffre-fort béant :

— De l'argent ? Les bijoux ? Prenez-les, qu'on en finisse…

Hagard, Pierre Blanc saisit la télécommande accrochée à sa ceinture et la brandit devant lui.

— Je vais tout faire sauter.

106

Dans le salon de Suzanne Renoir, Capdevil tourne en rond.

— Mais où est-ce qu'elle est passée, nom de Dieu ? s'énerve-t-il.

Il a bien sa petite idée sur la question, mais il ne veut pas croire qu'elle ait pu faire « ça ».

C'est Meceri et Suzanne qui l'ont récupéré à Charmes après ses vaines tentatives pour entrer en contact avec la commissaire et le refus des gendarmes de Mirabel de le rapatrier à Dijon.

Plus de deux heures se sont écoulées ; Marion reste injoignable et introuvable.

Averti par quelque mystérieuse antenne, Quercy s'est manifesté il y a un quart d'heure. Capdevil n'a pas osé lui avouer qu'il avait perdu Marion. Il a prétendu qu'elle dormait sous somnifères, mais il sait que le directeur reviendra à la charge. Il a failli lui demander à quoi lui servaient les deux suiveurs dans la Fiat bleue, mais, là encore, il s'est abstenu. Comme il ne les a plus revus depuis leur arrivée à Dijon, il ne sait plus quoi penser.

— Arrête de me soûler, fait Meceri, à cran elle aussi. Assieds-toi ou sors prendre l'air. Ou alors, on va la chercher...

— Ah oui ? Et où ça ?

— À ton avis ?

Dans l'entrée, le téléphone sonne. Suzanne se lève en silence pour aller répondre. Elle en est à son troisième cognac et elle chancelle sur ses hauts talons.

— Pour vous, dit-elle à l'officier d'une voix un peu pâteuse.

L'adjudant Chrétiennot n'est pas de bonne humeur. Après avoir envoyé Capdevil sur les roses, il est repassé devant chez les Blanc et a subitement décidé, sans solliciter l'avis ni de sa hiérarchie ni du parquet, de fouiller complètement la maison.

— On a trouvé des armes, de la mèche lente, de la dynamite et même du plastic...

— Comment ça ? explose Capdevil, livide. Qu'est-ce que vous me chantez là ? Je croyais qu'il était facteur...

Chrétiennot est embarrassé.

— Il a été militaire. Dix ans. Il était artificier dans l'armée de terre... À cause de sa maladie qui avait pris de l'importance, il a été réformé. Il est entré à la poste au titre des emplois réservés.

Capdevil sent son estomac remonter dans sa gorge.

— Vous ne pouviez pas me dire ça plus tôt ?

Il n'écoute pas les protestations ni les excuses de l'adjudant qui se résument à une petite phrase qui revient comme une litanie : Pierre Blanc est un individu tellement insignifiant... En attendant, personne ne sait où il est. On ne l'a pas revu depuis son bref passage au garage Mignot. Même le gendarme qui le connaît intimement est inquiet.

— J'ai une idée de l'endroit où il peut être, dit le capitaine Capdevil en faisant un signe à Meceri, qui s'est approchée. Mon adjudant, pouvez-vous mobiliser quelques moyens lourds ?

107

Le château est plongé dans l'obscurité, mais le ciel est encore clair. À travers les fenêtres, la lune haute et brillante fait sortir de l'ombre les meubles et les beaux objets de la demeure.

Pierre Blanc se dirige avec aisance, se repérant parfois à la lueur d'une petite lampe qu'il a tirée de la poche latérale de son treillis. Marion a les mains liées dans le dos avec ses propres menottes et elle ne se sent pas très fière. Quand elle a compris que

Pierre Blanc allait l'entraîner hors de cette pièce qu'elle trouve, a posteriori, bien rassurante, elle a tenté un coup incertain et balancé une lampe en pâte de verre de Gallé au visage de l'homme. Il a esquivé d'un mouvement souple, fracassant au passage l'objet du canon de son fusil. Le geste stupide de Marion a échoué et énervé inutilement son geôlier, qui a décidé aussitôt de la conduire « ailleurs ».

Dans l'escalier, un corps est avachi à plat ventre en travers des marches. Une tache sombre s'étale autour de lui, imbibant lentement la pierre blonde. Marion s'arrête à côté. Elle identifie sans peine Ali, qui lui avait pourtant paru prudent et aguerri. Comment a-t-il pu se faire avoir aussi facilement ?

— Avancez ! ordonne Pierre Blanc.

Elle se demande à présent si elle ne s'est pas complètement trompée sur son compte en le prenant pour un Rambo d'opérette.

— Où m'emmenez-vous ?

Il émet un ricanement aigrelet.

— En enfer.

Ils ont traversé la cuisine, puis un grand cellier, et il a ouvert une porte qui dévoile une volée de marches conduisant à la cave. Les bouteilles s'y alignent impeccablement sur des étagères métalliques ornées d'étiquettes qui en indiquent les crus et les années. D'un coup de crosse rageur, Blanc fait exploser un magnum de Petrus dont le contenu gicle sur le sol, arrosant au passage le bas du jean de Marion. Excité par son geste idiot, le petit homme récidive, projetant sur son passage des geysers de vin rouge ou blanc, sans lâcher sa prisonnière qu'il pousse devant lui tel un bouclier.

Dans le fond, une porte dissimulée derrière un casier chargé de bouteilles de champagne pivote sur elle-même. Marion comprend en un éclair : Blanc l'entraîne dans les souterrains, ceux qui figurent sur les plans d'origine découverts par Capdevil et qu'elle a fourrés dans son sac à dos sans les regarder. Un peu tard, elle se reproche cette indifférence.

D'emblée, elle constate le bon état du boyau dans lequel ils se sont engagés. Des lumignons incrustés dans la pierre éclairent faiblement le parcours. Tout le long du mur court un câble de petit diamètre et, à l'aplomb d'un pilier de soutènement, un fagot de bâtonnets gros comme des cigares de Cuba est posé, à peine dissimulé. Marion s'affole. Elle n'a pas la moindre idée de ce que Blanc a dans la tête, mais elle a tout à coup conscience que sa menace de tout faire sauter n'était pas une bravade. Elle résiste à sa poussée, s'arrête.

— Pierre, qu'est-ce que vous allez faire ? Il faut qu'on parle.

La peur donne à sa voix une curieuse tonalité autoritaire. Blanc la toise, provocateur, triomphant.

— Parler ? Personne n'a jamais autant voulu parler avec moi, c'est marrant, ça ! Le paria, le malade qui pue… Le facteur qu'on regarde à peine. *Lui*, il a même seulement jamais voulu me regarder.

— Pourtant, tu lui ressembles, Pierre, dit Marion doucement. Tu es son fils.

Son cœur bat très fort, à tel point qu'il lui semble que les souterrains en amplifient l'écho, à l'infini.

— Il n'avait qu'une fille, murmure Pierre, ses petits yeux parcourant le visage de Marion. Il n'a su que me répéter ça : « Je n'ai qu'une fille. » On risquait pas de passer à côté, de rater la huitième merveille du monde. Mais, moi, je sais que c'est pas vrai. Vous n'êtes pas sa fille.

Entrer dans son jeu ou pas ? Il parle, c'est un début. Il accepte la familiarité de Marion, et le canon de son fusil s'est abaissé vers le sol. C'est quitte ou double à présent :

— Je ne suis pas sa fille, en effet, affirme Marion avec fermeté. Mon père s'appelait Félix Marion. Gus a tout inventé, je ne sais pas pourquoi. Toi, tu es son fils, j'en ai la preuve dans ma poche. Tu veux vérifier ?

Pierre Blanc baisse les yeux, fixe la poche que Marion lui désigne du menton. Elle frémit soudain à la pensée que la lettre de Sonia Bonte, qu'elle n'a pas voulu ouvrir, pourrait receler tout autre chose que ce qu'elle prétend. Il remarque son anxiété, pousse son avantage :

— Quelle preuve ? Une de vos inventions tordues ?

— La comparaison des empreintes génétiques. Les tiennes et celles de Gus.

— Ah, les empreintes ! hennit Pierre Blanc. Il n'avait pas besoin de ça, la vieille charogne ! Quand un père voit son fils, il le reconnaît. C'est le sang qui parle, c'est tout ! Y a pas besoin d'analyses, bordel ! Et ça, ça suffit pas ?

D'un geste grandiloquent, il tire avec violence sur les pressions qui ferment son treillis, sans lâcher son fusil. Son torse est nu sous la toile. Horrifiée, Marion assiste à un spectacle exceptionnel.

Les stigmates qu'elle a vus sur le corps de Gus ne sont rien à côté de ceux qui, en multiples cratères et boursouflures, déforment la peau du torse maigre de son fils. Certaines traces sont cicatrisées, mais il en reste qui suppurent et d'autres qui saignent de nouveau. Pierre Blanc relève ses manches, et Marion découvre ses mains avec leurs doigts à vif, les plaies de ses poignets et de ses coudes. Et partout, ne laissant pas le moindre centimètre carré de peau intacte, les mêmes bulles qui font penser à un flirt prolongé avec un chalumeau.

— C'est dégueulasse, hein ? crie le facteur. Aucune femme ne supporte ça, et, même si j'en avais trouvé une, jamais je n'aurais osé avoir un gosse, de peur de lui refiler cette saloperie... Et personne n'y échappe, c'est une hérédité fatale. C'est moi, l'héritier de cette vieille carne. Moi seul.

L'héritier ! Voilà donc ce qui tracassait Pierre Blanc.

— Écoute, dit-elle très vite, trop vite, je m'en fiche de cet héritage. Je ne veux rien. Je ferai en sorte que tout te revienne. Ce sera facile, il n'y aura qu'à produire les preuves génétiques. Je renoncerai à tout. Tu seras riche, tu vivras ici...

Elle dit n'importe quoi. Il ne sera jamais riche et, quand tout sera fini, il ne vivra pas ici mais au cimetière ou en prison. Pas dupe, Pierre Blanc rabat ses manches, referme son treillis. Son regard étincelle de nouveau, haineux et méprisant. Sans douceur, il pousse Marion en avant.

— Décidément, t'es aussi con que lui. Allez, avance !

108

— Mais qu'est-ce que tu fous ?

Naïma Meceri hésite. Marion lui a confié Suzanne, mais la notaire, avec deux cognacs de plus, est incapable de marcher seule.

— Putain, gronde la jeune fille, elle fait chier…

— Laisse-la ici ! Qu'est-ce que tu veux qu'il lui arrive ?

— La patronne m'a dit de ne pas la lâcher d'un pouce. J'obéis. Alors, aide-moi à la benner dans la voiture, au lieu de me regarder comme un gland.

— Oh, nom de Dieu, les bonnes femmes, vous faites chier ! s'oublie Capdevil. On va se pointer après la bataille, si ça continue.

109

En suivant le câble, relié tous les trois ou quatre mètres à un nouveau fagot composé d'une vingtaine de bâtons de dynamite, ils ont atteint une petite salle en rotonde ouvrant sur deux boyaux identiques à celui qu'ils viennent de quitter. Des piliers soutiennent la voûte, et il y a fort à parier qu'ils sont eux aussi lestés d'explosifs. Le câble couleur ficelle s'enfonce dans les galeries, de chaque côté. Blanc n'a pas lésiné sur les moyens, et Marion calcule que les charges qu'il a placées pourraient percer un tunnel sous les Alpes. Gus a conservé le souterrain en bon état pour des raisons qu'elle ne devine que trop. Mais comment Pierre a-t-il découvert ce dédale qu'il semble connaître comme sa poche ?

— Par là, fait Blanc en montrant le boyau de gauche, on va aux écuries. On prend des chevaux et on se tire. C'est ce qu'ils faisaient dans le temps à l'époque des invasions ou des guerres de Religion… (Il hausse les épaules.) Sauf que, moi, je monte pas à cheval, on m'a jamais appris… De ce côté-là, on sort au fond du parc. Le vieux, lui, il se serait barré par là. Il laissait toujours une bagnole sur le chemin, derrière la clôture. Au cas où.

Comment connaît-il tous ces détails ? Depuis combien de temps vient-il ici ? Comment a-t-il pu tromper la vigilance des gardiens ? Marion l'observe du coin de l'œil. Les menottes ne sont pas serrées à fond ; pourtant, l'ankylose la gagne. Ses poignets sont devenus insensibles, ses mains glacées, la douleur provoquée par ses ligaments distendus irradie jusqu'à ses épaules. Du côté de son bras blessé, les élancements sont insupportables.

— On s'arrête là, décrète le petit homme en détachant la télécommande de sa ceinture. J'appuie sur le bouton rouge, là, et tu vas voir le feu d'artifice ! Ils vont l'entendre jusqu'à Dijon. Le vieux va se retourner dans sa tombe.

— Pourquoi, Pierre ? s'insurge Marion, qui perd les pédales. À quoi ça sert ? Tu peux faire sauter le château si tu veux, mais pourquoi nous avec ?

— Je n'ai rien à perdre.

— Moi, si. J'ai une petite fille. Elle a besoin de moi.

Pierre Blanc s'énerve de nouveau :

— Cherchez pas à m'attendrir. Ça ne marche pas.

— Je ne suis pour rien dans toute cette histoire. Je te demande de me croire.

Il fait frais dans le souterrain. Marion a l'impression d'avoir intégré son tombeau. « Tu ne vas pas rester passive, s'insurge-t-elle. Il doit bien y avoir un moyen de sortir de là… »

Pierre Blanc l'observe, tourne autour d'elle comme un hanneton. Il fronce les sourcils.

— Vous êtes responsable de tout, au contraire. Ce vieux salaud a mis ma mère enceinte et il l'a laissée en plan, parce qu'il avait trouvé mieux ailleurs. Forcément, une bonne paysanne comme Marie, à côté d'une cocotte de Paris…

Marion a dressé l'oreille. Pierre Blanc poursuit son monologue :

— Je l'ai même détestée pour ça, ma mère : elle a vécu dans sa crotte au milieu de ses poules et de ses cochons. Elle aurait pu lui demander des comptes, se faire valoir. Tout ce qu'elle faisait, c'était passer du baume sur mes plaies, en silence. Et en pleurant… Je me souviens du jour où il est venu à Charmes avec la cocotte et… vous. Elle s'est enfermée chez nous jusqu'à ce qu'il reparte. Elle m'avait interdit de sortir, d'aller là-bas. À l'époque, je ne savais pas qu'il était mon père, j'avais seulement entendu des allusions des gosses à l'école, mais je vous ai haïe, vous et vos robes de dentelle, vos mines précieuses, sur la balançoire…

Il mime une voix de fillette, tord la bouche un peu plus encore :

— « T'approche pas de moi, tu sens mauvais… », que vous disiez. Forcément, on n'avait pas de douche, nous… « Et tous ces boutons… c'est dégoûtant… » Ça, c'était le jour où il vous avait envoyée chercher de la pommade. Il n'avait pas le courage de venir lui-même, faut croire. Ma mère a mis des semaines à s'en remettre. Je l'avais jamais vue comme ça. Je l'ai forcée à me dire la vérité. Elle a bien été obligée d'avouer.

Marion retient son souffle. Pierre Blanc se tait. Doit-elle le relancer, au risque de faire monter la pression, ou attendre la suite ? Le silence se prolonge, épais, lourd, angoissant.

— Avouer quoi ? demande-t-elle enfin.

— Hein ? sursaute le facteur, qui s'est mis à trafiquer son boîtier.

Il marmonne quelques mots, secoue l'engin. Il est question de piles. Pour pouvoir ouvrir le boîtier, il pose son fusil à ses pieds.

Marion meurt d'envie de se jeter sur lui. Il n'est pas bien costaud, mais elle sait que les apparences sont trompeuses, elle en a déjà fait les frais. Pourtant, elle ne peut pas demeurer ainsi, à attendre. Elle répète dans sa tête le seul geste qu'elle peut tenter : un coup de pied dans les parties génitales et la fuite, par le tunnel de droite. Elle se demande avec angoisse comment elle va pouvoir courir avec les mains liées dans le dos. Et que fera-t-elle si elle doit ouvrir une porte ? Et une fois dehors ?

« Te pose pas tant de questions, s'exhorte-t-elle, vas-y ! Fonce ! »

Elle fait un effort surhumain pour se concentrer sur ce qu'elle va faire tout en entretenant la conversation :

— Avouer quoi, Pierre ?

— Bordel, jure-t-il en arrachant le cache de plastique d'un geste rageur.

Il reprend le fusil, arme la pompe et braque l'engin sur Marion.

— Qu'est-ce qu'elle mijote, l'usurpatrice ?

Son regard lance des éclairs de haine. Il est furieux.

Marion n'en croit pas ses oreilles. Elle n'a pas bougé, pas montré un seul instant son intention de l'attaquer. Comme un fou, il pianote une série de chiffres sur le clavier de la télécommande. Un bip aigu. Blanc tend le poing en avant, déplie un doigt, un autre, un troisième. Il compte, ses lèvres remuent en silence. Son regard flambe. Marion est tétanisée. Elle a envie de hurler, mais tout se bloque dans sa poitrine, son cri, sa respiration.

Le souffle de l'explosion la projette au sol, tandis que le choc lui déchire les tympans.

Elle relève la tête. Pierre Blanc est assis contre le mur, la tête penchée de côté. Comme un oiseau, il guette sa réaction. Elle est anéantie.

— Impressionnant, non ? Vous voyez que je ne bluffais pas. Allez-y maintenant, essayez de vous tirer !

Il dessine un large geste circulaire. Un nuage blanc a surgi des trois galeries, envahissant la rotonde. Marion évite aussi longtemps que possible de respirer les vapeurs d'explosifs qui se mélangent aux poussières laiteuses, mais c'est plus fort qu'elle. Au bord de l'asphyxie, elle avale une goulée d'air et se met à tousser à perdre haleine. L'autre, en face, ne bronche pas. Il attend, en jouant avec les grenades suspendues à son ceinturon, que cesse la quinte qui fait jaillir des larmes des yeux de Marion.

— Les trois galeries sont bouchées, on ne peut plus passer, jubile-t-il comme s'il lui annonçait la prochaine étape d'un jeu de piste. Trois charges de trois kilos. Il y a encore plus de deux cents kilos de pâté dans le château.

Il se penche en avant, l'air désolé.

— On ne peut pas s'en sortir.

Marion reprend progressivement ses esprits et le regarde avec hargne. Il sourit vaguement.

— Qu'est-ce que vous disiez à propos de ma mère ?

Il s'exprime sur un ton badin, comme s'ils étaient dans un salon de thé ou au café Rodelot en train de boire l'apéro. Cependant, il continue à tripoter sa télécommande. Marion essaie de respirer posément, de maîtriser la terreur qui a investi la plus infime de ses cellules. Elle en a assez tout à coup de ce faux frère assassin. Elle prend une inspiration, le fixe sans aménité.

— Marie Blanc t'a raconté qu'elle avait été la maîtresse de Gus Léman, c'est ça... ?

— La fiancée.

— D'accord, la fiancée... Elle t'a raconté qu'il l'avait abandonnée quand il est parti faire la guerre en Algérie et qu'elle n'avait jamais osé lui avouer qu'elle était enceinte ?

— Il le savait, mais il a fait semblant de l'ignorer. À cause de...

— De moi ? C'est faux. Elle t'a menti...

Il cesse de manipuler la télécommande et lève les yeux sur Marion. Elle y décèle une demi-douzaine de questions, une extrême animosité aussi.

Doit-elle lui dire la vérité au risque de le rendre furieux ? Elle se redresse, s'adosse au mur pour reposer son dos qui la tire et sa cuisse qui l'élance, tiraillée par l'immobilité et la tension excessive qui a fait naître derrière ses paupières une migraine atroce.

Pierre Blanc ne dit plus rien, il retient son souffle. Marion attaque :

— Il était une fois, à Charmes, une jeune fille et un jeune homme très amoureux. Elle était pauvre. Il n'était ni beau ni riche, mais ils s'aimaient et rêvaient d'une belle vie dans un beau château. Un jour, il est allé à la guerre, de l'autre côté de la mer. Il est revenu une fois, ils ont fait l'amour ici, dans ce château, peut-être là, dans cette galerie. Il est reparti, elle s'est retrouvée enceinte. Elle lui écrivait beaucoup, mais, cette nouvelle si importante, elle voulait la lui apprendre de vive voix. Petit à petit, il n'a plus répondu à ses lettres...

— À cause de la cocotte..., murmure Pierre, ses petits yeux verts, ronds comme ceux d'un lézard, braqués sur la bouche de Marion.

— Non, pas à cause de *ma* mère... À ce moment-là, il ne la connaissait pas... D'abord, il y a eu la vie qui a chamboulé ce garçon. Gus était jeune, il n'avait encore jamais quitté sa maison. Il était quasiment marié à dix-huit ans. Et, tout à coup, il découvrait un monde tellement différent. Il faisait la guerre, sa guerre. C'étaient des temps très troublés et très durs. Il a subi et fait subir des choses dont il ne soupçonnait même pas l'existence, avant. Charmes était loin, et Claire...

— Claire ?

— C'était le nom de sa fiancée...

— Quoi ?

— Oui. Claire. Claire de Chantegrive des Aubrais.

Marion enchaîne d'une traite sur le désespoir de Claire, la honte de ses parents, la dernière lettre à Gus, sa résolution de se tuer avec l'enfant. Blanc écoute, sa bouche s'entrouvre comme celle d'un enfant à qui on raconte un conte pour l'endormir. Un peu de salive luit aux commissures de ses lèvres.

— Claire était au bout du rouleau, sur le point d'accoucher, et elle n'avait encore pas décidé du sort de l'enfant. Finalement, elle a voulu le tuer avec elle. Elle est venue ici.

— Ici ? Mais...

— Saint-Léger, c'était leur rêve d'adolescents à elle et à Gus, poursuit Marion d'une voix brève. Elle s'est couchée et s'est ouvert les veines. Marie Blanc était au courant de tout. C'est elle qui l'a trouvée dans une chambre au premier étage.

— Non, crache Pierre, c'est faux, vous mentez...

Il a le souffle court, de grosses gouttes de sueur coulent de son front dans ses yeux et jusqu'à ses joues blanches de poussière. Il s'essuie d'un revers de main. Marion voudrait pouvoir prendre ses jambes à son cou, sortir à l'air libre, respirer à pleins poumons. La pensée d'être coincée dans cette cave la révulse. Elle poursuit son histoire, dents serrées :

— Je ne mens pas, c'est elle-même qui me l'a dit. Et, si tu veux, tu peux aller lui demander, il est encore temps...

Il reprend subitement son regard chafouin et hoche la tête d'un air entendu.

— Un peu grosse, la ficelle... Continuez votre roman à trois balles...

Marion déglutit avec peine, se force à rester impassible, enchaîne :

— Quand elle est arrivée, Claire venait de mourir. Mais l'enfant vivait encore. Je ne sais pas comment elle s'y est prise, mais c'est elle qui l'a mis au monde. C'était un petit garçon.

Pierre émet une sorte de sanglot rauque.

— Marie l'a ramené chez elle. On a enterré Claire. Quatre jours après, Marie Blanc a déclaré la naissance d'un enfant qu'elle a prétendu être son fils, elle l'a prénommé Pierre. Dans le village, tout le monde s'est douté de quelque chose, mais personne n'a rien dit. Ce qui m'étonne, c'est que...

— Taisez-vous ! Vous mentez !

— C'est la vérité, réplique Marion sans hausser le ton. Et il y a une chose que tu dois savoir, s'empresse-t-elle d'ajouter avant qu'il pique une nouvelle colère. Gus n'a jamais su que Claire était enceinte. J'en ai la preuve.

Comme le nuage de poussière, le silence retombe sur la cave. Pierre Blanc tripote nerveusement la télécommande. Ses lèvres tremblent, ses yeux se voilent. Il lève sur Marion un regard anéanti.

— Pourquoi il n'a jamais voulu de moi ?

110

Capdevil roule à tombeau ouvert sur la départementale qui conduit à Saint-Léger et, cette fois, c'est Meceri qui se cramponne à la ceinture de sécurité, glacée de peur. Ils ont été ralentis par un accident à la sortie de Dijon et viennent de passer Charmes et son café, fermé pour une fois. Suzanne est avachie sur la banquette arrière de sa propre voiture, que le capitaine malmène sans vergogne, tandis que Meceri, grâce au téléphone portable de la notaire – heureusement qu'elle est là, celle-là, pour assurer la logistique –, fait le difficile apprentissage de son métier.

— Je me suis pris une engueulade par Quercy, déclare-t-elle tout à coup, comme s'il lui fallait absolument meubler le silence après avoir raccroché. Il a appris que je me trouvais à Dijon, je ne sais pas comment, et il paraît que l'IGPN me cherche et que le juge s'impatiente. Il m'a ordonné de rentrer immédiatement.

— Et alors, t'as dit quoi ?

— Oui. J'ai dit oui. Pour m'en débarrasser. Il a exigé aussi que je lui file le numéro de portable de Suzanne.

— À mon avis, commente Capdevil, en vieux cheval de retour, les deux types en Fiat bleue, c'était une idée à lui. J'ai l'impression qu'on les a largués, Marion et moi. Sans le faire exprès, note bien... Alors, comme il n'a plus de tuyaux, il stresse. Dis-lui qu'on l'emmerde...

— C'est ça...

Il reste à Meceri à appeler l'adjudant Chrétiennot, comme le lui a commandé Capdevil.

— Dis-lui qu'il se bouge les fesses…

— Ils arrivent sur place, fait Meceri, consternée, après une minute de conversation avec l'adjudant.

— Qu'ils nous attendent. Je ne veux pas qu'ils mettent la patronne en danger avec leurs gros sabots.

— Ils sont déjà dans la cour.

— Bordel, ils font chier ! hurle Capdevil. Ils se fixent, merde ! Dis-leur !

Meceri lui jette un regard noir, ouvre la bouche pour l'envoyer promener et obéit.

111

Pierre Blanc s'est laissé glisser au sol. Adossé au mur, il promène son regard sur les parois qu'il a pour le moment décidé de ne pas toucher, les yeux brillants, l'air douloureux.

Marion, à quelques mètres, se dit que sa vie est suspendue à l'humeur de ce demi-frère à moitié fou et qu'elle est en train de la jouer à la roulette russe avec un bandeau sur les yeux. Chaque minute qui passe est un bien ou un mal. Dans le silence assourdissant du souterrain en partie effondré, elle mobilise toute la ferveur dont elle est capable pour appeler Capdevil et Meceri à la rescousse. Elle doit tenir encore, gagner des minutes et espérer qu'ils vont finir par rappliquer. Qu'ils vont deviner qu'elle est là, déblayer les décombres et la tirer de ce cauchemar avant que l'autre ne la tue. Elle s'accroche désespérément à cet espoir ridicule.

— Je voulais être comme tout le monde ! s'exclame Blanc dans un sursaut. Je ne voulais pas de fric ou d'un château. Je voulais seulement avoir un père. Je voulais qu'il reconnaisse qu'il était mon père ! hurle-t-il.

— C'est quand il est revenu à Charmes que tu as voulu qu'il te reconnaisse ?

— Non, j'avais déjà essayé avant.

— Avant ?

Pierre Blanc part d'un rire amer.

— La vie est bien faite. Il y a toujours un jour où le passé vous remonte à la gueule.

Marion ne va pas le contrarier sur ce point. Sur rien, d'ailleurs, ce n'est pas le moment. Tant qu'il parle, il ne pense plus à son fusil ni à sa télécommande qui gît dans sa main ouverte.

— Un jour, quelqu'un est venu à Charmes voir ma mère. C'était un des deux gardes-chiourmes arabes... Il voulait lui demander si elle fabriquait toujours sa pommade miracle. Le baume de la mère Blanc... Je vous jure, y a de quoi rire quand on sait avec quoi c'est fait... Mais c'est efficace, ça soulage... Bref. C'était soi-disant pour son frère atteint d'une maladie de peau et qui ne supportait pas les médicaments du commerce. Ma mère a tâché de lui faire dire comment il avait eu son adresse. Il a été évasif. J'étais là, ça m'a intrigué. Quand il est parti avec son bocal, je l'ai suivi. Je suis spécialiste.

« J'ai remarqué », pense Marion.

— Il m'a amené jusqu'ici, poursuit Blanc d'un ton monocorde. J'ai espionné, j'ai repéré le vieux très vite. Un jour, je me suis lancé, j'ai sonné à la grille. J'avais mis ma tenue de facteur, c'est comme ça que j'ai pu entrer. Quand il a compris que je ne venais pas pour une question de travail, il m'a fait jeter dehors par ses hommes de main sans m'écouter. Comme un chien galeux. Pourtant, on avait la même tête et il sentait comme moi.

Marion tente de se mettre à la place de ce petit garçon devenu adulte. Elle imagine son désespoir, mais elle ne parvient pas à ressentir la moindre compassion. Elle regarde cet homme rabougri, elle se dit qu'il est son frère et elle n'éprouve rien pour lui. Rien qu'une immense colère.

— Ensuite, j'ai cherché comment le rendre docile. Et, tout d'abord, comment pénétrer ici. J'ai finalement déniché les plans de ces souterrains. J'ai usé de patience, parce que le vieux avait tout verrouillé. Mais j'ai réussi à entrer quand même. Un jour, je suis monté jusque dans le château, ils étaient tous dehors parce que, avant, j'avais foutu le feu aux écuries avec un petit truc de ma composition. J'ai vu votre photo dans le château. Je ne savais pas qui vous étiez, mais, quand vous avez débarqué à Charmes, je vous ai reconnue, j'ai compris. J'ai eu la haine, mais la haine... À un point... J'ai décidé de tout foutre en l'air, tout détruire.

— C'est là que vous avez installé les explosifs ?

— Oui.

— Pourquoi me raconter ça ? Tu sais que je suis flic...

— Et alors ? Ça change quoi ?

Il secoue les épaules. Marion le relance, avant qu'il ne réplique que, flic ou pas, elle va mourir là, avec lui :

— Mais... pourquoi ces tortures ?

— Quand il est arrivé à Charmes, c'était inespéré. Je n'en croyais pas mes yeux.

— Pourquoi il est revenu ?

— Qu'est-ce que j'en sais, moi, pourquoi ? Il avait ses raisons. Le vieux con ! Il s'est jeté dans la gueule du loup ! C'est comme s'il avait voulu me narguer !

— Il ne serait pas retourné là-bas s'il avait connu ton histoire telle que tu me l'as présentée. Tu vois que j'ai raison.

Blanc la regarde avec une lueur de pitié.

— Moi, je crois qu'il s'en foutait, martèle-t-il, tout simplement. Il s'en souvenait peut-être même pas, si ça se trouve, qu'il avait fait un gosse à Charmes...

— Mais tu étais allé lui dire...

— Que j'étais son fils, oui. Mais il m'a pas laissé le temps d'aller plus loin, il n'a pas fait le rapprochement entre le fils de Marie Blanc et un petit facteur inconnu qu'il a foutu dehors sans lui accorder un regard. Chez lui, à Charmes, j'ai découvert une photo dans son portefeuille...

— Une photo ?

— De vous. Ça m'a mis hors de moi.

Il se tait, se mord la lèvre inférieure, violemment. Il tremble, il paraît sur le point de fondre en larmes. Gagner du temps. Continuer à parler. Marion change de sujet :

— Et le notaire ? Pourquoi lui ? Il n'était pour rien...

394

— Tant pis pour sa gueule ! crie Blanc d'une voix altérée. Il m'a fichu dehors aussi. Il m'a dit que l'héritière, c'était la fille, le seul enfant de Gus. C'est comme le père Léon avec son histoire de grain de beauté. De quoi il se mêlait, hein ? C'est bien fait pour sa gueule. Je voulais trouver le testament et le brûler et après faire sauter ici et brûler le reste. Tout !

— Même moi, ma maison ? Mais je ne t'ai rien fait, moi…

Il la fixe comme si elle surgissait de l'enfer. Il a l'air halluciné d'un grand malade. Il se redresse, pareil à un coq de combat, ses cheveux filasse hérissés sur son crâne, il hurle :

— Je voulais qu'il me reconnaisse, qu'il me dise « mon fils » ! Je voulais juste qu'il me laisse l'appeler papa !… Je le déteste. Je vous déteste !

— Pierre…

— Silence à présent ! Fermez-la ! Chez nous, on meurt en silence.

112

La Ford de Suzanne s'est engagée dans l'allée de platanes. À cent mètres devant les phares, les gendarmes sont en stand-by, revêtus de gilets blancs fluorescents qui les font ressembler à des cosmonautes. Capdevil stoppe à la hauteur de l'adjudant Chrétiennot, qui a perdu le contrôle des opérations mais qui reste collé au capitaine, venu avec des troupes en renfort – une trentaine d'hommes, un petit blindé et des chiens. Tout ce monde est silencieux, enfin, à peu près. Chrétiennot montre une Peugeot grise stationnée un peu plus loin, sur la droite.

— C'est bien celle du commissaire Marion, confirme Capdevil. Pas d'autre véhicule ?

— Négatif, dit l'adjudant. Juste celui-là. On n'a rien vu bouger dans la « cabane » depuis qu'on est là. Une dizaine d'hommes sont entrés dans le parc. On attendait votre arrivée pour aviser.

— Merci, murmure Capdevil, qui contemple le château avec un mauvais pressentiment.

L'impression générale qui se dégage de la bâtisse sombre et sans vie lui souffle que Marion est en mauvaise posture et qu'il va, d'ici peu, se passer des événements graves.

Une cavalcade et l'apparition d'un groupe d'éclaireurs revenant du parc confirment ses craintes.

— On a trouvé plusieurs cadavres. Deux hommes et quatre chiens. Tués par balle.

— Quels hommes ? demande Capdevil d'une voix altérée.

— Des Arabes.

Le capitaine ouvre des yeux comme des soucoupes. Il regarde Meceri, puis Chrétiennot, et souffle :

— Ô Seigneur ! Des Arabes...

Il cherche un endroit pour s'asseoir et calmer le début de tachycardie qui l'étouffe.

— J'ai compris : Pierre Blanc est en cheville avec des terroristes, affirme-t-il, atterré. Les explosifs chez lui, les Arabes, ce château isolé, protégé comme un coffre-fort... c'est sûrement un réseau ! Marion est tombée dans un traquenard. Mais, bon

Dieu, qu'est-ce qu'elle est allée faire dans ce château ?

— Si elle y est encore…, objecte Chrétiennot. On dirait qu'il n'y a plus âme qui vive là-dedans. De toute façon, on ne peut pas intervenir de notre propre chef. J'avertis ma hiérarchie.

— Nom de Dieu ! s'exclame Capdevil.

— Quoi ?

— Les souterrains !

— Quoi, les souterrains ? Quels souterrains ?

— Le château en est truffé, c'est un gruyère là-dessous. On ne peut pas attendre, mon adjudant, il faut aller voir. Je suis sûr qu'elle est là !

113

Marion a essayé de convaincre Pierre Blanc, puis elle l'a supplié, longuement. Elle a prétendu qu'il pourrait obtenir l'indulgence s'il se rendait avant de commettre un acte irréversible, irréparable. Il a ricané que prendre perpète, à son âge, c'était espérer retrouver l'air libre à quatre-vingts balais. Elle a reparlé de Nina, sa petite fille déjà bien malmenée par la vie.

En vain. Il a recommencé à manipuler son boîtier. Avec application, la langue légèrement sortie comme un bon élève, il compose une série de chiffres.

Le bip, bref, interminable. Blanc tend le poing en avant, déplie un doigt, un autre… Son sourire est celui d'un homme perdu.

Marion ferme les yeux sur le visage étroit de Nina, sur ses yeux qui rient et ses dents mal alignées.

114

Le dispositif est en place. Les hommes sont prêts. L'adjudant Chrétiennot est inquiet. Malgré son insistance et la pression de Capdevil, le capitaine n'a pas donné son accord pour déclencher l'opération, bien qu'il soit conscient de l'urgence. Il a prévenu sa hiérarchie, qui a avisé le préfet. Ils sont tombés d'accord sur une intervention du GIGN, rodé à ces situations extrêmes. Capdevil est fou.

— Ils sont tarés, dit-il à Meceri entre ses dents. Il y en a pour des heures. Elle a le temps de crever trois fois.

— Alors, qu'est-ce qu'on fait ?

— On y va !

Au moment où ils parviennent à la grille, une formidable explosion se produit. Le château semble se soulever de terre. Des pierres, des débris brûlants s'abattent sur Capdevil et Meceri, qui se jettent au sol, l'un sur l'autre, enchevêtrés, affolés.

Les déflagrations se succèdent, les murs enflent, éclatent et s'effondrent, les cheminées font des zigzags et tombent sur les belles tuiles vernissées qui sont projetées comme de petits obus à cent mètres à la ronde. La terre fuse tout autour, le bassin est aspiré dans les airs. Sur l'aile gauche, le feu se déclare et, poussé par le vent, se met à ronfler avec rage. Les flammes montent dans le ciel comme les flèches d'une cathédrale.

— Nom de Dieu de nom de Dieu, gémit Capdevil en serrant convulsivement les mains de Meceri qui ont agrippé son cou.

Ils ne peuvent pas reculer, ils sont condamnés à ne rien perdre de la vision apocalyptique du château en train de s'écrouler et des nuages de poussière et de gravats qui gonflent dans la nuit à peine installée. Ils ont l'impression que cela ne s'arrêtera jamais. Ils ont oublié le monde qui les entoure. Ils ne savent même plus s'ils sont vivants ou déjà de l'autre côté du miroir.

Puis l'enfer cesse aussi brutalement qu'il a commencé. Meceri reprend ses esprits la première. Elle se relève et contemple l'étendue du désastre dans la lueur des flammes qui s'attaquent déjà à la partie centrale du château. Elle tape dans le dos de Capdevil, secoué de spasmes nerveux. Il tremble et hoquette, incapable de se mettre debout.

— Viens, dit-elle avec une drôle de lueur hallucinée dans ses yeux sombres, on va chercher la patronne.

Le capitaine se rend compte que Meceri est choquée, peut-être encore plus que lui.

— Putain de merde ! hurle-t-il. Métier de merde ! Vie de merde !

Il expulse sa colère comme il vomirait son dîner. À longs jets brûlants, qui font mal et qui soulagent.

— On peut pas la laisser là-dedans, dans ce… cet…, bredouille Meceri, les larmes aux yeux, défaite. Bordel ! on va la sortir…

Hagard, Capdevil détaille Naïma dont le fin visage se découpe en ombre chinoise sur les flammes. Elle a de la terre dans les cheveux, de l'herbe collée au menton.

Enfin, il ose regarder l'incendie qui ravage les décombres.

— Marion ? Si elle est là-dessous, elle est foutue.

115

— Nom de Dieu ! C'est Verdun !

Paul Quercy a perdu son teint hâlé. Ses joues sont envahies d'une barbe raide, poivre et sel, et des cernes bleu marine soulignent ses yeux. Il est arrivé il y a dix minutes et a réuni autour de lui Capdevil, Meceri, et les deux membres du GIPN qui n'en mènent pas large. À bord d'une Fiat bleue, ils avaient quitté Lyon la veille avec pour mission de protéger Marion. Ils ne peuvent pas expliquer pourquoi ni comment, mais ils l'ont perdue, à peine arrivés à Dijon. Ensuite, ils ont galéré jusqu'au milieu de la nuit pour la retrouver, jusqu'à ce que Quercy lui-même leur apprenne qu'elle était ensevelie sous les décombres d'un château. Ils n'ont pas encore capté l'étendue du désastre et ne savent que s'excuser à tout bout de champ.

Capdevil garde les yeux baissés. Il a craqué au petit matin et Meceri n'a rien pu faire. Elle commence à s'effondrer aussi, anéantie par le temps qui passe et le sentiment de son inutilité.

Quant à Suzanne, elle a été malade comme un chien. Sous la pression de l'équipe d'urgence médicale du SAMU de Dijon, elle a été conduite à l'hôpital.

Sonia Bonte est accourue dès qu'elle a eu connaissance de la catastrophe. Elle est assistée d'un jeune médecin en cours de spécialisation en médecine légale et d'un vétérinaire. Ils ont déjà travaillé sur les corps des deux hommes tués par balle, des quatre chiens et des trois chevaux morts dans l'explosion ou dans les flammes. La légiste, vêtue d'une combinaison d'intervention noire, d'un casque, d'un masque anti-fumée et d'épais gants ignifugés, s'est mêlée aux équipes de sauveteurs qui ont entrepris de déblayer et sonder les décombres. Personne ne reconnaîtrait, dans cette silhouette déterminée et grave, l'épouse sophistiquée et volontiers futile d'un chirurgien plein aux as.

Elle croise parfois un homme qui erre, hagard.

Gilles Andrieux a les traits tirés par l'angoisse et, derrière la protection du masque, les larmes qui s'échappent par instants ne sont pas dues à la seule irritation des fumées. C'est Capdevil qui l'a prévenu, car il avait besoin de renseignements médicaux, notamment du groupe sanguin de Marion, dans l'hypothèse où on la retrouverait vivante. Gilles est arrivé dans les deux heures qui ont suivi l'explosion. Il est resté pétrifié devant le spectacle et, malgré ses connaissances en matière de terrassement, il fait comme les autres : il tourne en rond. Il faudrait quelques bulldozers pour nettoyer le terrain au plus vite, mais cela signifierait alors renoncer à Marion.

Le ban et l'arrière-ban des autorités ont débarqué en cortège. Le substitut de permanence escorté des hommes du SRPJ de Dijon, l'Identité judiciaire et le laboratoire de la PTS, le directeur de cabinet du préfet flanqué du sous-préfet de l'arrondissement. Chacun y va de ses commentaires, et le croisement des instructions se fait dans le désordre. Ordres et contrordres se télescopent dans le brouhaha et l'anarchie. Quercy, agacé par cette cacophonie, a préféré se tenir en retrait.

Les fouilles ont débuté dès que le feu a été maîtrisé, vers minuit, dans des conditions effroyables. Les pompiers et les sauveteurs progressent lentement dans un chaos de pierre et de bois calciné dont des pans entiers s'effondrent dès qu'ils les touchent. Gênés par les émanations d'explosifs, de bois brûlé, du gaz domestique qui continue à s'échapper d'une grosse cuve enterrée à proximité du bâtiment principal, les chiens s'agitent et s'énervent, impuissants. Un hélicoptère survole sans relâche le site, filmant, photographiant les lieux afin d'y détecter d'improbables indices.

Il est onze heures, un orage monte dans le ciel de plus en plus noir. Le vent se lève, un vent du sud, ample et chaud qui tourbillonne sans cesse, handicapant au maximum le travail des fouilleurs de ruines.

Aucun signe de vie n'a encore été décelé sous les décombres du château.

Marion est quelque part sous cet amas. Depuis quatorze heures.

Des trombes d'eau ont commencé à s'abattre sur le château ravagé. Gilles et Sonia Bonte s'acharnent pourtant. L'hélico lutte contre le vent et des renforts sont arrivés, des troupes fraîches envoyées de Dijon pour relayer les sauveteurs épuisés. D'un commun accord, les autorités ont décidé de ne pas engager le GIGN mais ont fait appel à une équipe pyrotechnique de Paris.

Quercy ne cesse de houspiller son monde en intimant à chacun, à sa façon rugueuse qui, aujourd'hui, sent le désespoir, d'inventer une idée, une solution, un miracle.

Fouetté par l'agressivité de son directeur, Cadpevil a retrouvé un peu d'énergie. Il a entendu Gilles affirmer que les explosifs avaient vraisemblablement été disposés en position basse, au niveau des fondations, expliquant ainsi la façon dont le château s'est affaissé.

Le souvenir des souterrains lui est revenu comme une claque dans la figure. Il a fait appeler le responsable du service des archives départementales pour se faire envoyer par mail les plans et Gilles les a étudiés longuement, avec le regard aigu du constructeur et l'acharnement de celui qui veut sauver la femme de sa vie. Quercy, à l'abri de la pluie dans le command-car du capitaine de gendarmerie, se penche avec lui sur les documents. Il fronce ses sourcils broussailleux en agitant quelques pièces au fond de sa poche.

— Vous voyez quelque chose là-dedans ?

Brusquement, une agitation se développe au centre du site. Un jeune maître-chien de la protection civile a vu son animal « marquer » à l'aplomb des débris d'un escalier de marbre. Les hommes se précipitent, Gilles en tête, indifférents à la pluie. Sonia Bonte s'est approchée aussi. Quercy et les autres, mal équipés, attendent en retrait, sous une des tentes montées en catastrophe par les militaires, au plus près du « chantier ».

La charge d'adrénaline qui stimule les troupes leur ferait déplacer des montagnes. Dans un silence troublé par les chocs des pierres et quelques exclamations disparates, un trou s'élargit dans le tas de gravats.

— Y a quelqu'un là-dessous ! s'exclame le maître-chien, qui retient avec peine son animal.

Peu après, un corps apparaît. On en entrevoit le dos, une chemise déchirée remontée sur un buste bronzé, une ceinture en cuir et un gros trousseau de clés. Sonia Bonte se penche au-dessus du cratère creusé par les hommes gantés de cuir, écartant avec douceur mais fermement Gilles qui joue des coudes pour voir ce qui se passe, impassible en apparence, malgré son cœur qui bat comme un fou. Elle remarque dans le tissu le trou rond, qu'elle identifie sans équivoque comme l'orifice d'une balle entrée au niveau des côtes flottantes, au-dessus du foie, et le sang qui a imbibé la pierre sur laquelle le corps repose. Elle avance la main, touche la chair froide, tire un bras en arrière. La rigidité cadavérique a disparu, déjà. Les doigts émergent. Sonia respire un grand coup, se retourne vers Gilles qui tremble de froid ou de peur.

— C'est un homme, annonce-t-elle. Il a reçu une balle dans le dos.

— Il y a trois galeries, dit Gilles, qui veut garder l'espoir malgré le temps qui passe.

Il est persuadé que le corps retrouvé est le seul qui se trouvait en surface et sa conviction est communicative. Les sauveteurs sont unanimes sur ce point : s'il reste des gens ensevelis, c'est en profondeur.

Gilles suit du doigt une double ligne tracée en pointillé sur le plan.

— Celle-ci part de l'aile droite du château, sous les cuisines. Elle forme une courbe assez prononcée et rejoint deux autres tunnels. L'un passe sous la bâtisse, traverse la cour et sort sur la gauche, là-bas.

Il désigne les écuries dont les portes en bois ont brûlé ainsi que la toiture, mais dont les murs sont restés debout.

— Il faut chercher l'accès par là, à hauteur de la première ouverture, vers le centre du bâtiment.

Quelques hommes sont rassemblés autour de la tente, attentifs. Un signe du capitaine. Une demi-douzaine de militaires se mettent en route, s'élancent vers l'écurie.

— Je vais avec eux, dit Meceri, qui ne tient plus en place.

Gilles a déplacé les photocopies de piètre qualité pour les orienter face au château.

— Oui, c'est ça…, murmure-t-il. L'autre galerie débouche vers le sud, côté forêt. Si je calcule bien, elle court sur une bonne centaine de mètres après la construction. Elle sort à l'aplomb exact du centre du bâtiment, sous le perron, côté jardin. Ensuite, elle file droit sur cent mètres, plein sud.

Les hommes sont déjà partis à sa recherche et l'attente recommence, insoutenable.

À cause des trombes d'eau, les sauveteurs ont déserté les ruines. Gilles y jette un regard préoccupé, revient au plan.

— Les galeries se rejoignent dans une salle circulaire qui a dû être conçue du temps de l'abbaye pour servir de repli. Ces loges qu'on rencontre souvent dans ces configurations de tunnels sont supposées résister aux chocs et aux pressions externes.

— Aux explosifs aussi ? s'enquiert Capdevil, plein d'espoir.

Gilles hoche la tête.

— Non, évidemment. Mais il est possible que les travaux de restauration aient conduit les propriétaires actuels à se servir de béton armé. Il faut sonder par là.

Il pointe le doigt sur le cercle qui semble le narguer comme un œil rond à travers le trou d'une serrure.

116

Gilles s'est assis sur le piano de cuisson qui est installé, par un surprenant signe du destin, à l'air libre et bien posé sur ses pieds. Sonia Bonte erre au milieu des gravats, à côté. Elle a retiré son masque, car le vent a dissipé le plus gros des fumées. Elle a le chignon en bataille et de larges traînées sombres sur la peau. La plupart des hommes se sont repliés sous les tentes pour souffler et se nourrir.

Gilles n'a pas faim. Découragé, il n'arrive plus à réfléchir ni à penser. Il sait que la loge est quelque part là-dessous, comme il sait qu'il y a, sous les tonnes de gravats, un orifice pour l'aération. C'est mathématique. Un lieu prévu pour la survie a *forcément* un système d'aération. S'il trouve cet orifice, il trouve la loge.

Il a cherché partout. Il n'a rien trouvé.

— Capitaine ! s'écrie un homme du côté des écuries. Venez voir !

Le ban et l'arrière-ban se meuvent en direction de l'appel. Capdevil et Meceri courent, coudes au corps, devançant Quercy et Chrétiennot. Un silence pesant s'abat sur le site, troublé seulement par les croassements de quelques corbeaux impatients de s'attaquer aux reliefs de nourriture qui jonchent les décombres.

Bientôt, l'adjudant Chrétiennot réapparaît et, apercevant la légiste, se met à faire de grands gestes dans sa direction.

— Restez là, dit-elle à Gilles. Ça vaut mieux. Je vous appellerai.

Juste quand Sonia Bonte pénètre dans l'écurie où une bonne trentaine de personnes sont agglutinées, deux militaires reviennent sans se presser du fond du parc, côté sud.

— On n'a pas découvert l'entrée de la galerie, fait l'un d'eux à l'adjudant. Par contre, on a trouvé une bagnole garée sous un auvent, à l'extérieur de la clôture. Un 4 × 4 Mercedes. On l'a identifié, il appartient à un certain Arthur Clair. Adresse : ici. Ça vous dit quelque chose ?

L'adjudant écoute à peine. Il fait non de la tête et, d'un geste las, il ordonne aux hommes de retourner à leurs recherches.

— On a un nouveau cadavre, dit-il d'un ton catastrophé à Sonia Bonte, qui lui emboîte le pas rapidement.

Camouflée dans un box à chevaux inoccupé et à moitié enfouie sous des chevrons en partie calcinés, une voiture vient d'être découverte, curieusement épargnée par le feu. Dans un des box voisins, des hommes s'activent dans l'entrée de la galerie mise au jour il y a moins de cinq minutes. Leurs voix étouffées parviennent jusqu'à la légiste, qui se demande, l'espace d'un éclair, si ce nouveau corps est celui de la commissaire Marion. Un jeune gendarme en treillis remonte à l'air libre, se rétablit d'un mouvement souple sur le sol jonché de débris.

— On a fait dix mètres. On ne peut plus avancer, la galerie est effondrée. Si on veut déblayer, il va falloir étayer.

— Ça va prendre des semaines, grommelle l'adjudant. Venez, docteur, c'est par ici.

Le coffre de la voiture est grand ouvert et le cadavre est recroquevillé à l'intérieur. Sonia Bonte n'a pas besoin d'un examen approfondi pour déterminer les causes de la mort : une incision profonde de trois centimètres lui a ouvert la gorge d'une oreille à l'autre, mettant à nu une partie du larynx. Cet individu a subi ce qu'en d'autres lieux on appellerait le sourire kabyle. Il n'y a pas de sang autour de la tête, pas une goutte dans le coffre de la Golf noire. La légiste et l'adjudant Chrétiennot échangent un regard consterné en reconnaissant le commandant Martinez qui fixe de ses yeux bleus grands ouverts le toit défoncé de la grange.

Chrétiennot retire son képi et s'éponge le front.

Gilles a failli courir vingt fois jusqu'à l'écurie. Enfin, la jeune collaboratrice de Marion lui fait, de loin, de grands gestes rassurants. Ce nouveau corps n'est pas celui de sa fiancée.

« Est-ce que ce sera le prochain ? » se demande-t-il en levant les yeux vers le ciel encombré. Il lutte contre les larmes et la fatigue qui engourdit ses membres insidieusement. Il résiste de toutes ses forces au découragement et à l'envie de se coucher dans un coin pour oublier le cauchemar. Les doigts serrés à éclater autour de la lampe de poche qui ne l'a pas quitté depuis le matin, il essaie de ne pas craquer.

— Je refuse, je refuse…, dit-il entre ses dents. Je refuse de te laisser là-dessous.

D'un geste rageur, il frappe de sa Maglite les rondelles de fonte de la cuisinière. Le son métallique se répercute sur le chantier, vibre dans les profondeurs du fourneau. Gilles écoute longuement, cherchant à comprendre le cheminement des vibrations. Il recommence. Cette fois, il en est sûr, le son plonge dans le sol et s'y déploie. Sans relâche, il envoie son signal, une demi-douzaine de fois. Mais rien, aucun écho, aucune réponse. Il recommence encore, en Savoyard obstiné. Puis, soudain, il s'arrête, à bout. Il s'est trompé.

Il pose la lampe, se prend la tête entre les mains.

— C'est inutile, tout ça ne sert à rien, murmure-t-il, désespéré, elle est morte…

À cet instant, un son lointain, comme un écho tardif du coup qu'il a porté contre le piano de cuisson, retentit. Il ne saurait déterminer avec précision d'où vient ce bruit ; pourtant, il lui semble que la cuisinière a vibré sous ses fesses. Gilles est un homme rationnel, mais, là, il veut y croire.

Il reprend sa lampe, cogne plusieurs fois contre la surface lisse du piano. Puis il se penche, l'oreille collée dessus. Une, deux secondes, trois... Rien. Il recommence, tape plus fort. Deux, trois secondes, quatre, interminables, le silence terrifiant. Puis, brusquement, le même son lointain, à peine audible. Gilles bondit sur ses pieds, le cœur en folie.

— Marion, Marion, tu es là ! Je le savais...

Il explore la cuisinière, ouvre une double porte en fonte émaillée, décorée de belles gerbes d'iris mauves. Au fond d'une excavation qu'on appelait autrefois l'étuve parce qu'on pouvait y mettre des œufs à couver ou des fromages à affiner, il repère un cylindre de la taille d'un gros tuyau de poêle. Gilles le suit jusqu'à son extrémité, qui débouche à la surface du fourneau. Un tas de gravats est tombé sur une grille en laiton et l'a partiellement enfoncée. À toute vitesse, Gilles la débarrasse de ces saletés et pose la main au-dessus. Il ne perçoit rien que les bruits éloignés des hommes qui s'agitent dans le parc. Il approche son oreille de la grille, écoute à s'arracher le tympan. De sa lampe, il frappe la surface du poêle. Il frappe, frappe encore et attend.

Alors, du fond des entrailles de la terre, du bout de l'enfer, un signal lui répond, infime, comme le cri épuisé d'un être à bout de souffle.

Gilles dirige les travaux, fébrile. La galerie de l'écurie s'est avérée impraticable, tout comme celle du parc, dont l'accès a finalement été découvert, après des heures de recherches, sous le 4×4 Mercedes d'Arthur Clair...

Il faudrait des heures de terrassement et Sonia Bonte a été claire : même avec de l'air en quantité suffisante, personne ne peut survivre très longtemps dans un espace confiné.

Gilles a replongé dans les plans, délimité avec précision l'emplacement de la loge et choisi avec soin un point précis pour creuser. Il a fait réunir un matériel d'urgence et, depuis une heure, les hommes se relaient, poussés par celui qu'ils appellent « le fiancé de la commissaire » et qui les exhorte d'ordres brefs. Personne ne prononce un mot. Seuls les coups de boutoir des pics et les chocs des pierres font écho à l'angoisse qui étreint tous les spectateurs. Le travail est pénible et il faut aller vite, aussi les hommes sont-ils fréquemment relayés.

Capdevil a voulu participer, mais sa maladresse l'a vite écarté et il est allé tromper son impatience dans le command-car où Meceri s'est assise, épuisée.

— Je sais pas pourquoi, mais je sens qu'elle est morte, dit Naïma, sinistre.

Le capitaine lui lance un regard assassin.

— Ta gueule !

Les sauveteurs ont déblayé et étayé un puits vertical d'un mètre et demi de diamètre et Gilles estime qu'ils ont atteint le niveau du plancher, ce que confirme aussitôt l'apparition de fragments de terre cuite. Le forage est profond d'un mètre cinquante au moins et plus il s'enfonce dans le sol, plus l'opération devient délicate. Plus grand aussi le risque d'effondrement intempestif.

— C'est le sol de la cuisine, dit Gilles d'une voix étrangement calme. Allez, les gars, un effort, on devrait bientôt trouver un pilier de soutènement.

— Insistez ! intime Sonia Bonte en observant Quercy qui a pris le relais de Gilles pour envoyer, depuis le tuyau dans la cuisinière, des messages au fond du trou.

Paul Quercy fait un signe négatif de la tête. Depuis une demi-heure, il n'obtient plus aucune réponse en provenance du souterrain. Mortifié, il se surprend à prier en silence, maudissant ses anciens amis et lui avec. Il n'arrête pas de se dire que, bien qu'il ignore la vraie raison qui a conduit Marion dans ce trou, il est responsable de la situation. En cas de malheur, il sait qu'il ne se le pardonnera jamais. En invoquant un Dieu qu'il ne connaît plus depuis longtemps, il lui promet, en échange de la vie de sa chef de groupe, de renoncer à sa carrière au ministère. Ses ambitions lui paraissent soudain tellement futiles.

— Le pilier, je le vois ! crie l'homme qui manie à présent le pic avec délicatesse à cause des fragilités de l'édifice.

Le soutènement est en granit, sans fioritures. Gilles frappe à petits coups sur sa partie haute. Il le sonde et, apparemment, la pièce répond bien.

— Je crois qu'il a tenu, commente-t-il en attrapant le pic et en croisant les doigts pour que la loge aussi ait résisté aux explosifs. Et que Marion y soit.

Quelques minutes plus tard, le sommet du pilier est dégagé. Alors que remonte le dernier chargement de gravats, un léger affaissement se produit, libérant d'un coup un mètre cube de déchets qui tombent au fond du trou dans un bruit de chambre à air qui se vide.

— Attention ! gueule Gilles, à bout de nerfs.

— Merde ! crie un homme, tandis que Quercy se remet à taper comme un sourd sur le tuyau pour tromper l'anxiété qui fait palpiter dangereusement son vieux cœur.

Gilles a fait remonter le responsable de cette nouvelle difficulté et saute au fond de l'excavation. Sans qu'il fasse le moindre geste, le plus petit mouvement, un autre bloc se détache et dégringole en pluie dans le trou, qui s'agrandit suffisamment pour laisser sortir du sous-sol un souffle fétide, mélange de poussières, de vapeurs d'explosifs, de résidus de crémation. Odeurs humaines aussi, de sueur, de peur et, il lui semble en tout cas, de pharmacie.

— Ça y est ! On a réussi ! s'écrie Gilles, qui hésite entre l'allégresse et la panique. Passez-moi une torche !

Les hommes s'empressent. La nouvelle se répand sur le chantier comme un feu dans une forêt de résineux. Capdevil et Meceri accourent, les jambes coupées par l'appréhension. Quercy lève la tête vers le ciel, qui a cessé de pleurer.

La lampe de Gilles éclaire une excavation obscure. Il voudrait sauter au fond, sans réfléchir. Il se retient, tout est possible encore, y compris un effondrement de la voûte vraisemblablement ébranlée par les explosions et les ondes de choc. Il distingue une forme allongée au pied du pilier voisin de celui qu'il a dégagé. Il ne voit que le bas d'un pantalon gris de poussière et des chaussures qui ressemblent à des rangers. Comment Marion était-elle vêtue quand elle s'est embarquée dans cette aventure ? Portait-elle ces curieux godillots ?

— Marion ! appelle-t-il. Tu m'entends ? Edwige ?

La forme remue légèrement, et le cœur de Gilles saute dans sa poitrine. Il renouvelle son appel.

— Edwige ? Tu vas bien ? Tu es blessée ? On va te sortir de là ! Reste immobile ! Ne fais pas de mouvements brusques !

— Vous la voyez ? interroge Sonia Bonte, qui s'est approchée à deux mètres en même temps qu'un médecin du SAMU et le commandant des sapeurs-pompiers.

— Oui, je la vois ! répond Gilles. On dirait qu'elle bouge.

— Elle est vivante ! crie Sonia Bonte à la cantonade.

— Dieu du ciel ! murmure Quercy.

— Doux Jésus ! se signe Capdevil.

— Faites-nous descendre, ordonne le médecin.

Il faut encore un bon quart d'heure pour assurer sans risque la descente de deux personnes au fond du trou. Quinze minutes insupportables pour l'assistance. Mais Gilles agit avec précision et sans se laisser influencer par l'impatience des autres. Il vient de retrouver Marion, il n'est pas question qu'il la perde bêtement, par précipitation. Alors qu'il est en train d'encorder le médecin du SAMU pour qu'il la rejoigne, il lui semble voir remuer la forme allongée. Il bloque son geste et le médecin qui attend son bon vouloir le regarde, interrogateur. Puis il suit son regard. Au fond, la forme s'est déplacée. On voit à présent le haut de son buste et une partie de son visage.

Le médecin ne connaît pas la commissaire Marion, mais il est sûr d'une chose : ce qu'il voit dans la loge, c'est un homme. Un homme qui darde sur eux des yeux hagards. Un homme qui a peut-être perdu la raison, mais qui est vivant.

Tellement vivant qu'il a la force de brandir vers le ciel une main vengeresse, serrée sur un objet rond à la surface quadrillée.

117

Une heure a encore passé. Une heure terrifiante sous la pluie qui a recommencé à tomber. Les sauveteurs sont au bout du rouleau, mais rien ne pourrait les faire renoncer. L'eau rend les gravats glissants, les doigts sont raides, l'après-midi s'étire vers le crépuscule.

Pierre Blanc tient toujours la grenade, qu'il a dégoupillée en annonçant qu'elle exploserait à dix-huit heures.

— Pourquoi dix-huit heures ? s'excite Quercy, à qui personne ne peut donner la réponse. Et c'est qui, cet énergumène ?

L'adjudant Chrétiennot l'affranchit, mortifié que cette débauche de catastrophes soit le fait d'un enfant de Charmes.

— Je ne comprends pas ce qui s'est passé, se lamente-t-il une fois de plus. Il était tellement insignifiant.

Le directeur de cabinet du préfet, qui était reparti, est revenu en déclarant que, cette fois, on n'échapperait pas au GIGN.

Il est dix sept-heures quinze.

Gilles a cherché à savoir où se trouve Marion, et si elle est vivante. L'homme à la grenade a désigné le fond du trou d'un air de défi.

— Elle m'emmerdera plus, a-t-il affirmé en guise de réponse.

Gilles ne sait pas comment interpréter cette phrase sibylline. Il a peur de comprendre.

Quercy a essayé de parlementer avec « l'énergumène », relayé par le patron de la PJ de Dijon. Puis Sonia Bonte a tenté de raisonner Pierre Blanc, qui prétend avoir une jambe cassée, avec des arguments de médecin. Il a ri au nez de tous en agitant son engin de mort.

— Qu'est-ce que tu veux ? s'est énervé Gilles.

— Rien, je ne veux rien. Je vais tout faire sauter. Et moi avec. Personne ne pourra m'en empêcher.

Les sauveteurs se sont entreregardés. L'homme a-t-il conscience que *tout* a déjà sauté ?

Il reste moins de dix minutes avant l'ultimatum. Huit, très précisément. Le GIGN n'est pas encore arrivé et, quand bien même, les hommes présents se demandent ce que les super-gendarmes pourront faire de plus qu'eux. Dès que quelqu'un pointe son nez au-dessus du trou, dès qu'une menace se manifeste sous quelque forme que ce soit, Blanc tend la main et écarte deux doigts.

— Un, deux...

Personne n'attend les cinq secondes fatidiques. Blanc a encore sept minutes devant lui. Nul ne sait à quoi il veut les utiliser, sinon à accroître la tension, la rendre insupportable.

Quercy sauterait volontiers au fond de la loge pour faire la peau à ce taré qui les nargue. Gilles en meurt d'envie. Capdevil, impuissant et désœuvré, est retourné frapper de toutes ses forces sur le tuyau. Mais il n'y a aucune réponse. Au point que tous se demandent si ce n'était pas Blanc qui frappait sur la gaine d'aération, bien que son corps ait été dégagé à l'opposé. Personne n'ose formuler la question clairement, mais elle est dans tous les esprits : où est donc Marion ?

— Sa mère est morte, annonce Meceri, qui vient de rejoindre en courant le command car.

— Qui ? fait Quercy, estomaqué.

Meceri montre le trou.

— Marie Blanc. Sa mère...

118

Une batterie assourdissante menace de lui faire éclater les méninges. Elle voudrait crier « Arrêtez ! », mais sa bouche est sèche comme du carton. Elle a la nausée et froid, terriblement froid. Pourquoi a-t-elle aussi froid dans sa chambre ? Et Gilles, où est Gilles ? Elle voudrait tendre la main entre les draps et se réfugier contre lui pour avoir chaud et chasser cette envie de vomir. Elle ne peut pas bouger.

Elle perçoit sa voix :

— Il faut lui dire, peut-être que ça va le faire flancher...

Qui lui répond ? Quercy ? Mais qu'est-ce qu'il fait là ? Il est venu pour voir les cartons ! Il faut les cacher. Gilles ! Au secours ! Vite !

Aucun son ne franchit ses lèvres.

— J'ai peur que ça ne produise l'effet inverse. Et là...

— Mais, bordel, qu'est-ce qu'on attend ? Qu'il la tue ?

Pourquoi crie-t-il ? Pourquoi sont-ils en colère, tous les deux ?

Les coups ont cessé de lui ébranler la tête. À présent, quelqu'un marche au grenier. Puis c'est la voix de Sonia Bonte qu'elle distingue, plus près. Au pied du lit ? Nom d'un chien, que se passe-t-il dans cette maison ?

— Laissez-nous descendre, voyons, vous avez besoin de soins. Et dites-moi si la commissaire Marion est avec vous.

Mais oui, je suis là ! Pourquoi Sonia ne la voit-elle pas ?

— Blanc, dit la voix de Quercy, tu sais, je crois que ta mère serait très triste si elle était là en ce moment...

Blanc ? Ça me rappelle quelque chose ! Blanc... ? Impossible de se souvenir.

Elle perçoit un mouvement pas très loin d'elle. Quelqu'un rit, elle ressent ce rire comme l'expression d'un désespoir déguisé.

— Bande de fumiers ! clame une voix dont l'écho est différent des autres, plus intime. Vous voulez me faire craquer, mais je sais qu'elle est morte. Je vous ai entendus... Je vais tout faire sauter !

Le monde se remet brutalement à sa place. La chambre et le lit rassurants disparaissent, effacés. Les douleurs de son corps prennent de la consistance.

Marion ouvre les yeux.

La réalité reprend ses droits avec une brutalité inouïe. Elle aperçoit Pierre Blanc et elle comprend en un éclair ce qui se passe. La mémoire lui revient en bloc : l'explosion terrible, terrifiante, le temps qui s'immobilise, l'enfermement, la nuit. L'attente. Puis la perception de présences, les coups en haut. Elle a répondu en frappant avec les menottes sur un objet métallique coincé sous son corps. Blanc lui a crié d'arrêter. Dans le noir, elle ne le voyait pas, mais elle l'a senti approcher. Il a frappé au jugé. Un coup s'est abattu sur sa tempe. Plus de son, plus d'image. Noir.

Sa conscience de la situation est d'une acuité étonnante. À croire que son évanouissement a lavé son cerveau de la fatigue, du stress et de la peur. Elle saisit clairement le projet de Blanc : finir ce qu'il a commencé. Se foutre en l'air et elle avec, dans un dernier feu d'artifice, une ultime action d'éclat pour lui, l'homme transparent, incolore.

Elle ne distingue pas ses mains, elle devine seulement qu'il a l'intention d'utiliser les grenades accrochées à sa ceinture.

Elle reconnaît au-dessus de sa tête toutes les voix connues qui parlent d'elle comme si elle était morte ou presque. Gilles, Quercy, Capdevil, Meceri, Sonia Bonte. Elle a envie de crier qu'elle est vivante, même pas blessée gravement. Quelque chose d'impérieux la retient.

Elle perçoit leur angoisse et leur panique qui grimpent en flèche lorsque Blanc profère de sa voix provocante, déjantée :

— Plus que cinq minutes !

Un sentiment de révolte absolue fait reculer la nausée et remonter la température dans son corps. Pierre Blanc lui tourne le dos, trop occupé à surveiller ce qui se passe en haut. Étant donné sa position, elle n'aperçoit pas la surface, mais elle sent l'air frais qui entre par le trou et, de l'humidité ambiante, elle déduit qu'il pleut. Elle se demande, un bref moment, pourquoi personne ne descend dans ce tombeau pour la délivrer. Sans s'expliquer l'inertie générale, elle a l'intuition qu'il y a une raison à celle-ci.

Doucement, en évitant tout geste brusque qui pourrait attirer l'attention de son geôlier, elle remue les jambes. De ce côté-là, tout va bien. En revanche, ses mains sont toujours attachées dans son dos et elle a beau faire, essayer de les rétrécir, les tourner dans tous les sens pour modifier la position des os, tirer sur ses poignets, toutes ses tentatives restent vaines. Les menottes administratives ont d'habitude mauvaise réputation. Pourtant, ce soir, c'est avéré, elles sont plus solides qu'on ne le dit.

Ses contorsions déclenchent un cliquetis ténu, et Marion se souvient de l'objet qui est resté coincé sous ses fesses. Elle se tortille et ses mains entrent en contact avec un cylindre de métal, lisse et froid. Elle fait glisser ses doigts, touche une pièce de forme différente, arrondie, faite de métal mais aussi de bois. Des éléments qu'elle reconnaîtrait entre mille.

L'objet coincé sous son corps, c'est le fusil à pompe de Pierre Blanc.

119

Gilles est revenu se pencher au-dessus du trou. Il tente une ultime négociation. Il annonce qu'il va sauter dans la loge, qu'il n'en a rien à foutre de la grenade, que, si Marion meurt, il peut mourir aussi. Pierre Blanc, la tête levée vers lui, répond à chaque provocation. Il ne se rend pas compte de ce qui se passe dans son dos. Gilles ne peut pas savoir non plus, mais sa colère spontanée qui mobilise l'attention de Blanc aide Marion.

Lentement elle se déplace, s'assied en s'adossant au mur pour y trouver un appui. En se contorsionnant, elle parvient à attraper le canon du fusil entre ses mains menottées et, centimètre par centimètre, à remonter jusqu'au contact du pontet et de la queue de détente. Elle attire l'arme contre sa hanche et l'y appuie. Son bras blessé est à son étirement maximum, l'élancement est insupportable. La tranche coupante des menottes lui déchire les poignets.

Les dents serrées pour oublier la douleur, elle ferme la main sur le fusil, relève le canon.

— Deux minutes, jubile Pierre Blanc.

Gilles perd patience. Il crie des injures et des imprécations dont Marion ne sait pas si elles s'adressent au facteur ou à l'impuissance des gens autour de lui. Quercy s'en mêle. Des pas précipités résonnent au-dessus de la loge.

Pierre Blanc n'a pas une seule fois tourné la tête vers Marion.

Elle pose son doigt sur la détente en priant le ciel pour que le fusil ne bascule pas inopinément. Le reste relève d'un pari fou. Elle a gardé le souvenir précis de Blanc armant la pompe du fusil dans la galerie avant la première explosion. Elle espère de toutes ses forces qu'il n'a pas remis le fusil en position de sécurité.

Elle va tirer au jugé, dans le dos de son adversaire. Elle joue à pile ou face.

— Trente secondes ! hurle Blanc.

— Tu ne le feras pas, répond Quercy sur le même ton. On va te buter, Blanc. Rends-toi. Arrête ton cirque !

Marion entend, en haut, parler du GIGN qui est à cinq minutes de l'objectif.

Elle assure le fusil contre sa hanche, fournit un effort diabolique pour amener la première phalange de son index en contact avec la détente. La douleur est telle qu'elle en voit trente-six chandelles.

Elle tire un coup sec sur le morceau de métal. Elle vise le dos de Blanc et, en même temps que le fusil crache la mort, elle voit la main de l'homme qui s'élève au-dessus de sa tête. Elle a la vision fulgurante de la grenade dans sa main et de la position caractéristique de ses doigts sur la goupille. Elle a envie de hurler « Noooon », mais aucun son ne sort de sa gorge. Elle voudrait rembobiner le film, revenir au point de départ, laisser faire les autres. Tout ce qu'elle obtient, c'est une image de Nina tenant Choupette dans ses bras.

120

La détonation les fige tous comme dans une scène de cinéma. Arrêt sur image. Quelques dixièmes de seconde d'éternité.

Gilles, le plus près de l'orifice, réagit le premier. Il voit Blanc projeté en avant, tandis qu'une gerbe rouge explose devant lui. Quelques gouttes de liquide tiède giclent à l'air libre. L'homme a sur le visage une expression de brutale surprise avant de s'effondrer.

Dans une vision de cauchemar, Gilles, rejoint par Quercy, Capdevil et les autres, ne voit plus que le bras du facteur dont les doigts s'ouvrent quand sa main heurte le sol de la loge. Les spectateurs, muets d'horreur, regardent la grenade rouler.

Alors, sans réfléchir, Gilles saute dans le trou.

121

— Il y a eu une déflagration. Le type a valdingué en avant, son sang a été projeté à un mètre au-dessus de lui dans une sorte de geyser écarlate. Sur le coup, j'ai pensé qu'il avait lâché la grenade sans que je m'en aperçoive et qu'il venait de sauter avec. Je vous jure que ça va très vite, c'est un cauchemar.

Elle perçoit la voix de Gilles dans une sorte de brume cotonneuse. Sur un ton très décontracté, il relate l'histoire insensée dans laquelle elle l'a entraîné. Elle sort lentement du sommeil et n'a pas encore osé faire l'inventaire de ses membres et de ses os. Elle n'a pas la moindre idée de l'endroit où elle se trouve et ne peut même pas ouvrir les yeux.

— Pourtant, objecte une voix connue, ça n'est pas tout à fait la même chose, un coup de fusil et l'explosion d'une grenade.

— Moi, je fais pas la différence, remarque Capdevil. En revanche, si tu me présentes un Dürer et un Picasso, je me tromperai pas…

— Ah ça ! moi non plus, quand même…, dit Meceri.

— Mais on s'en fout, de ces mecs-là. C'est quoi, des joueurs de foot ? Allez, raconte Gilles ! T'as pensé qu'il avait lâché le truc, la… comment déjà ?…

Ça, c'est la voix de Nina. Mais que se passe-t-il ? Qu'est-ce qu'ils font là, tous ?

— … La grenade. C'est comme une petite bombe. Quand ça éclate, ça fait très mal. J'ai vu le gars basculer et son bras s'est détendu. Sa main a cogné le sol et là… mes aïeux ! j'ai vu la grenade sauter en l'air et retomber. Elle a commencé à rouler et, malgré moi, je me suis mis à compter. C'est dingue ! Le fou n'avait pas arrêté de faire ça pendant une heure : lâcher la goupille et compter.

— Pourquoi ? demande Nina.

— Une fois qu'on a relâché la goupille, ça explose cinq secondes plus tard.

— C'était pour nous mettre la pression, fait Capdevil. Il jouait avec nos nerfs. Surtout qu'on ne savait même pas où était ta mère, ni même si elle était…

— Oh, Capdevil, s'il te plaît…

424

C'est Talon ! Celui qui vient d'empêcher cet étourdi de Capdevil de dire à Nina qu'à un moment tout le monde avait cru Marion morte, c'est le lieutenant Talon ! Nom d'un chien ! Mais comment est-ce possible ? Et si elle était morte finalement, et eux aussi ?

— Non, pas Nina…, gémit-elle, la tête encore embrouillée par les calmants.

— Qu'est-ce que tu dis ? se méprend Nina en s'adressant à Meceri

— Moi ? Rien ! répond la jeune fille. J'ai rien dit du tout.

— Si, t'as dit : « Non, pas Nina… »

Marion a l'intuition de quelques paires d'yeux qui se tournent vers elle. Elle sait bien qu'elle est vivante. Elle ne devine pas où elle est, mais elle s'y sent en sécurité, avec son petit monde autour d'elle. Elle s'oblige à respirer régulièrement, à ne pas bouger les paupières. Rester dans la jubilation, l'ivresse d'être en vie et pas au fond d'un trou. Encore un peu.

— En un éclair, poursuit Gilles, indifférent aux interruptions incessantes, j'ai compris et je ne sais pas pourquoi, je n'ai pas réfléchi, j'ai sauté.

— Vous auriez pu vous casser une jambe ou… pire, fait Capdevil, toujours optimiste.

— Je te signale, le rabroue Meceri, que, dans ce cas, il ne serait pas là pour nous le raconter.

Gilles renchérit :

— Je serais parti en fumée avec l'autre taré… De toute façon, je n'ai pensé à rien. Rien qu'à Marion.

« Mon amour…, dit-elle dans sa tête. Les autres m'auraient laissée crever… Ça va se payer ! »

— Je ne sais pas comment j'ai fait, mais je me suis retrouvé avec la grenade dans la main. Je ne suis pas très habile avec ces engins et mes souvenirs de l'armée sont quand même très vieux. J'ai perdu encore deux secondes à localiser la goupille et à mettre le doigt dessus. Il était moins une, je crois...

— C'est le cas de le dire, acquiesce Talon.

— Tu as sauvé maman, alors ?

Nina s'est exprimée d'une toute petite voix, un peu mouillée. Marion devine qu'elle s'est jetée au cou de Gilles. Des bruits de baisers lui parviennent.

— C'est normal, tu sais, Nina, je l'aime, ta maman !

— Nous aussi, nous vous remercions, monsieur Andrieux, dit Meceri. C'est un bon patron, Marion.

— Une femme de cœur... un peu têtue parfois...

— Exigeante, chiante, même, par moments...

À ce stade, Marion juge qu'il est temps qu'elle intervienne. Elle ouvre les yeux sur la chambre d'hôpital. Le calendrier électronique accroché au mur lui indique qu'elle a perdu le contact pendant quinze heures et que le personnel de l'hôpital a sans doute mis la dose pour la faire dormir. Dans les heures qui ont suivi son évacuation de la loge de Saint-Léger, elle était tellement sur les nerfs qu'elle n'arrivait pas à s'assoupir sans sursauter. Quand l'infirmière de nuit, après avoir refait les pansements de Marion, après une série de radios, un premier entretien avec un psy, un repas léger, avait constaté qu'elle avait déballé le contenu de son placard et entrepris la lecture d'une lettre en plusieurs feuillets, elle avait employé les grands moyens.

La lettre de Gus est toujours sous son oreiller, elle en connaît la teneur, elle peut en toucher le papier fin et élégant. Elle ne sait pas ce qu'elle va en faire : la relire ou la détruire.

Ma chère fille,
J'imagine ta surprise. Je devine ta colère. Si j'ai tenu à cette façon de faire, quelque peu grandiloquente je te l'accorde, c'est uniquement pour te protéger, te mettre à l'abri des questions indiscrètes et des suspicions.

Tout le monde a voulu la protéger, décidément.

Mais un seul a osé plonger sur une grenade pour lui sauver la vie.

Elle le voit, assis au pied du lit, en train de faire l'éloge de son mauvais caractère sur un ton qui ressemble un peu à une oraison funèbre. Les autres sont autour de lui. Nina boit ses paroles. Marion perçoit leur émotion.

— Salut tout le monde ! dit-elle en se redressant.

122

Cette fois, c'est Marion qui est au chevet de Talon. Il est encore pâle et amaigri, mais il est assis dans son lit, libre de toute entrave. La veille, c'est dans un fauteuil roulant qu'il avait été conduit auprès d'elle. Il voulait être là, à son réveil, avec les autres. Quelques minutes déraisonnables auxquelles il tenait par-dessus tout, pour lui montrer qu'il était bien vivant et heureux qu'elle le soit aussi.

— L'opération n'a été qu'une formalité, dit-il. Ça n'a pas duré plus d'une demi-heure, car la balle avait encore reculé d'un demi-centimètre.

— C'est génial. Aucune séquelle en vue ?

— A priori, non. Un peu de temps pour remettre la bête d'aplomb... Je suis content pour Naïma.

La balle extraite de son dos a été aussitôt saisie et comparée à celles qu'aurait pu tirer l'arme de la jeune lieutenant. La réponse est tombée très vite : rien à voir. Meceri s'est précipitée à l'hôpital pour annoncer la bonne nouvelle à Marion et à Talon, avec lequel elle s'est découvert de vraies affinités.

— Attention où vous mettez les pieds, l'a prévenue Marion. Talon...

— Je sais qu'il est homosexuel, a rétorqué Meceri, déjà braquée. Je l'aime bien, je veux être son amie. Il a une sensibilité que les autres n'ont pas. Les hétéros sont des gros bœufs.

Marion a dû la rappeler à l'ordre.

— Oui, dit-elle à Talon, moi aussi, je suis contente qu'elle soit sortie de ce mauvais pas. Je n'ai jamais douté d'elle, vous savez. Ni de vous. Vous sortez quand ?

— J'ai tout le temps. Ma carrière est foutue, compromise en tout cas...

Il n'y a pas d'amertume dans sa voix, seulement un fatalisme assez inhabituel chez lui.

— Pourquoi dites-vous ça ?

— Les suites judiciaires et administratives de ce que tout le monde appelle ma bavure... J'ai lu la presse, et Quercy est venu ce matin me notifier ma suspension.

— Celui-là ! Quel faux jeton !

Talon hausse les épaules avec un sourire désabusé.

— Il est dans son rôle.

— Oui, mais moi, je ne suis pas d'accord. Il manque d'objectivité. Aussi bien vis-à-vis de vous que de Meceri.

— Je sais pourquoi...

Marion est assise dans un fauteuil au pied du lit. Elle s'est habillée avec des vêtements neufs, un pantalon de lin blanc et un pull en soie rose que Gilles lui a achetés ce matin en même temps que des escarpins Saint Laurent. « Tu vas enrichir le Sentier lyonnais à force de renouveler ta garde-robe », s'est-il moqué. Ce sont des fringues de luxe qu'il est allé choisir dans une boutique de la presqu'île. Elle les a mis cet après-midi pour lui faire plaisir, mais, bizarrement, elle ne s'y sent pas à l'aise. Elle préfère son vieux jean délavé et ses Paraboot à ces chaussures à talons, pourtant modestes, sur lesquelles elle tangue dangereusement.

— Ah bon ? dit-elle en avançant le buste avec une grimace à cause des cicatrices et des hématomes qui forment sur son corps une étrange carte colorée.

— Ils sont parents... Enfin, par alliance. Prunier est le mari de sa nièce.

— Ah, c'est pour ça ! s'exclame Marion. Je savais qu'il y avait un truc... Quand même, ça me dépasse, ces relations. Famille ou pas...

— Pour vous, c'est comme ça, mais, pour les pieds-noirs, la famille c'est plus fort que tout.

Félix, c'était mon frère, celui que je n'avais pas eu... Et, pour lui, la famille n'était pas un vain mot. Même quand il s'est épris d'Agnès et qu'elle a accepté ses attentions, je n'ai pas pu lui en vouloir. Il avait fait pour moi, à Alger, ce qu'aucun membre de ma famille n'aurait fait. Pour les Méditerranéens comme lui, la famille est une notion extensive : quand ils vous adoptent, c'est à la vie à la mort...

Talon la voit se lever brusquement.

— Vous partez déjà ?

— Je ne peux pas rester là à ne rien faire, à attendre je ne sais quoi. Je déteste l'hôpital, la maladie. Je m'en vais. Quand Gilles viendra, dites-lui que je passerai à son hôtel ce soir.

— Je peux savoir ce que vous avez encore en tête ?

— Il faut que je passe au service.

123

Elle a appelé Capdevil, c'est Meceri qui est venue la chercher. La jeune fille est détendue, mais pas encore tout à fait dans son assiette. L'accalmie a été de courte durée et les ennuis qu'elle avait oubliés, le temps de partager ceux de Marion, lui sont revenus en boomerang tout au long de la journée. Elle a une façon de conduire nettement plus soft que Capdevil, mais c'est sur un ton amer qu'elle raconte la reconstitution à laquelle on l'a contrainte.

— Pourquoi est-ce qu'ils se sentent obligés d'en rajouter ? se révolte-t-elle. J'avais l'impression d'être une dangereuse criminelle. Ils auraient pu me torturer qu'ils l'auraient fait avec joie. Je suis sûre qu'ils sont racistes…

Ali et Hassan sont des hommes sûrs. Ils ont été suspectés d'activités subversives au sein du FLN, je les ai arrêtés, « interrogés », puis ils sont restés avec nous, comme beaucoup d'entre eux. Ils étaient interprètes, cuisiniers… Ils sont devenus des compagnons. À la fin de la guerre, quand Félix est rentré en métropole, il s'est arrangé pour les faire venir tous les deux. La seule chose que je te demande, vraiment, solennellement, c'est de ne pas les laisser tomber. Ils ne sont plus de nulle part, ni arabes, ni blancs, ni algériens, ni français.

La voix de Meceri, lointaine :

— Vous m'écoutez, patron ?

Marion tressaille.

— Bien sûr ! Qu'est-ce qu'il ressort de cette reconstitution ?

— Rien, sinon que, m'ayant replacée dans la position exacte de cette soirée, les collègues de la balistique ont révisé leurs conclusions sur la trajectoire des différents projectiles tirés.

— Bien ? Je veux dire dans un sens qui vous est favorable ?

— Oui, enfin, si on veut. La balle qui a effleuré le front de Talon n'est pas sortie de mon calibre. Ils ont fini par la découvrir dans le dossier d'un fauteuil. Il y avait un écart de trente degrés avec leur évaluation initiale.

— C'est plutôt bon pour vous, ça.

— Sauf que la suspicion s'est déplacée. Ils en sont à envisager que j'aie pu avoir une autre arme dans les mains. C'est… consternant.

Marion réfléchit à toute vitesse. Un scénario vient de lui passer par la tête. Elle se retourne vers Naïma dont le profil délicat se découpe sur les immeubles qui défilent derrière la vitre.

— Est-ce que vous avez vu où se tenait Prunier quand la fusillade a éclaté ?

— Mais… près de la porte des chiottes. Pourquoi ?

— Vous êtes sûre ?

— Oui… Enfin, non…

Marion se replace dans l'axe de la route, fixe sans le voir le derrière d'un bus qui exhibe la photo d'un célèbre top model. Et si Prunier, plein comme une barrique, avait quitté son poste ? S'il s'était avancé sans que ni Talon ni Meceri s'en rendent compte ?

— C'est Prunier qui avait un autre calibre, murmure Marion.

— Si vous aviez quelque chose à mettre en lieu sûr, Capdevil, où le cacheriez-vous ?

Un éclat que le capitaine connaît bien pétille dans les yeux noirs de Marion. Il a refusé d'aller la chercher parce qu'il désapprouve la façon qu'elle a de prendre par-dessus la jambe les prescriptions des médecins et parce qu'il sait que ce retour prématuré signifie pour lui de nouveaux ennuis. Et il a fait le plein au cours des derniers jours, il n'en veut plus. Il lui lance un regard en dessous.

— Vous vous moquez de moi ?

Quelques minutes leur ont suffi pour ouvrir les tiroirs du bureau et le casier personnel de Prunier.

432

Capdevil était hostile à cette idée, hors des règles de la procédure. Mais Marion sait se montrer convaincante. Cependant, cette fois, elle l'a entraîné dans l'irrégularité pour rien. Les tiroirs et le casier sont vides.

— C'est impossible, fulmine Marion. Je suis sûre, pourtant...

— Vous vous êtes trompée, c'est tout. Je ne vois pas Prunier planquer un truc aussi explosif ici...

— Vous le faites bien, vous.

— Vous aussi !

— Raison de plus.

Ils baissent les yeux sur leurs chaussures pour se concentrer. On entendrait une mouche voler. Capdevil reprend pied le premier :

— Vous savez quoi ? Moi, si je voulais planquer une arme pas claire, vous savez où je la mettrais ?

Des dizaines d'armes de poing, de fusils, des canons longs, des canons courts, des petits et des gros calibres. L'armurerie de la PJ est un de ces lieux hors du temps où sont entreposées les armes qui servent au quotidien, celles qui sortent occasionnellement, celles qu'on a oubliées ou qui attendent une réparation, un réglage, un nettoyage ou une pièce de rechange. Il y a aussi les prises de guerre, comme partout.

— C'est quoi, l'arme qu'on cherche ? demande Capdevil.

— Un Beretta...

124

Paul Quercy a desserré sa cravate et défait le bouton de son col de chemise. Il règne une chaleur d'étuve dans son bureau dont il maintient la fenêtre fermée.

Marion a frappé et est entrée sans y être invitée. Elle le surprend ainsi, dans sa tenue décontractée, mais le visage grave et soucieux, des monceaux de papiers empilés devant lui. Il appuie ses avant-bras sur la pile et la suit du regard tandis qu'elle avance vers son bureau. Sans un mot, elle dépose devant lui une arme automatique enfermée dans un sachet translucide.

— Qu'est-ce que c'est ?

— À votre avis ?

— Où avez-vous trouvé ça ?

— Quelle importance ? C'est le calibre que Prunier avait entre les mains au Chien qui fume. Une arme « X » qu'il a dû piquer à un voyou. C'est avec ça qu'il a flingué Talon. Il n'allait pas s'en vanter. Et voyez-vous... patron... j'ai toujours douté qu'il ait été assez clair pour avoir eu le réflexe de nettoyer son arme de service après une fusillade avec mort d'homme...

Quercy a l'air soudain très las.

— Qu'est-ce que vous comptez faire ?

— Et vous... patron... ?

Marion prononce ce titre avec une insupportable ironie. Il se lève, fourre les mains au fond de ses poches, s'arrête, la dévisage, retire ses mains, croise les bras. Il va jusqu'à la fenêtre, contemple la ville à ses pieds.

— Je voulais vous dire que je suis navré de ce qui vous est arrivé. J'ai fait le nécessaire pour que vous soyez relogée dans les jours qui viennent. Ma secrétaire vous donnera une liste d'appartements à visiter. Et... je suis heureux que ça se soit terminé comme ça s'est terminé. Voilà.

Marion sent la colère monter.

— C'est tout ce que vous avez à me dire ?

Il se tait, braqué sur un point lointain. Ces quelques jours semblent l'avoir vieilli.

— Vous en savez autant que moi, plus même, si j'en juge par votre façon de m'appeler « patron ». Allez-y, videz votre sac...

La guerre nous a tous transformés. Moi comme les autres. Je n'en fais pas une excuse absolutoire. J'ai oublié ma vie d'antan, j'ai épousé une cause qui n'était pas la mienne, mais je n'ai pas agi par idéal. Mon moteur a été l'amour d'une femme, la passion pour un homme. Le reste était sans importance. Félix a cru jusqu'au bout que l'Algérie, son pays natal, resterait son pays, qu'il pourrait y retourner et vivre comme avant. Les braquages, c'était pour l'aider à ne pas sombrer, pour lui donner l'illusion qu'il y avait encore quelque chose à faire. Moi, ça ne me coûtait rien, j'avais des hommes, des armes, je m'amusais. J'arrosais ceux qui nous protégeaient. Dunois, qui avait besoin de fric pour financer son parti et ses campagnes. Berthe, qui magouillait sur tous les fronts, payait des barbouzes, formait des mercenaires pour Dieu sait quels tripatouillages en Afrique ou ailleurs, à cause de la décolonisation inexorable qui révulsait les partisans de l'impérialisme totalitaire et immuable... Félix, lui, n'était pas

435

un pourri. Il se battait pour des chimères, mais il était sincère. Son chef, Quercy, fermait les yeux en échange des tuyaux que je récoltais ici et là et que Félix lui refilait. Tout le monde était content...

Marion n'a pas la réponse aux questions qu'elle s'est posées sur le passé de Quercy. Elle le regarde bien en face.

— Dites-moi comment mon père est mort. Vraiment.

— Il y avait des armes partout, dit Quercy après un temps. Tous les flics, ou une grande majorité d'entre eux, qui étaient rentrés d'Algérie étaient vérolés jusqu'à l'âme. Ils voulaient leur revanche, au moins casser de l'Arabe pour se défouler. Y avait pas un flic qui n'avait pas une Sten dans son tiroir. Prises de guerre, on disait, prises au FLN ou à l'OAS, c'était pareil.

— Ça ne justifie pas tout. Si je parle, vos amis vont sauter et vous avec.

Quercy devrait se fâcher, se défendre, l'affronter. Il se contente de hausser les épaules et d'aller à pas lents puiser un petit cigare dans la boîte posée sur son bureau. Il l'allume en prenant son temps, puis, en secouant l'allumette, relève les yeux sur elle.

— Fais ce que tu veux.

Marion a beaucoup réfléchi sur son lit d'hôpital. Elle n'a pas décidé de ce qu'elle va faire de la lettre de Gus. Jouer les chevaliers blancs, déclencher un scandale, une affaire. Après si longtemps, qui s'intéressera encore aux exploits criminels de voyous morts et de quelques hauts fonctionnaires proches de la retraite ?

Le scandale n'est pas dans sa nature. Pour autant, elle ne supporte pas que justice ne soit pas faite. Plus encore, ce qu'elle n'imagine pas, c'est de ne pas connaître la vérité.

Je sais ce que ces gens pourront te dire. Quercy va affirmer que le dernier braquage, celui de la Saint-Sylvestre, a été l'occasion pour moi de me débarrasser de Félix et de filer avec le butin. Je veux rétablir la vérité, même si tu dois garder cela pour toi et ne jamais t'en servir. Je devais partir par les cuisines et le jardin après qu'un de nos hommes avait coupé le courant. Félix assurait ma fuite en retardant l'intervention. Quand la lumière s'est éteinte, j'ai filé vers le fond de la salle de bal. Je me suis retrouvé nez à nez avec un cagoulé. Ça ne pouvait pas être un de mes gars, je les connaissais tous intimement. L'homme m'a arraché le sac des mains. À ce moment-là, j'ai vu Félix qui s'avançait pour voir ce qui se passait. Il m'a engueulé parce que je traînais. Je me suis agrippé au cagoulé, j'ai essayé de récupérer le sac. Il y a eu une bousculade, la fusillade a éclaté. Je n'ai pas attendu la suite, je suis parti. Les mains vides. Le lendemain, j'ai appris la mort de Félix. Je ne sais pas qui l'a tué, mais je suis sûr d'une chose : ce n'est pas moi. Je n'ai pas tiré un seul coup de feu.

Ce qu'elle veut, c'est l'entendre de la bouche de Quercy, son père spirituel. Elle revient à la charge, alors qu'il semble vouloir, par son silence, mettre un terme à l'entretien.

— Je connais le contexte de l'époque, dit-elle. Je m'en fous. Je veux savoir qui a fait tuer l'officier de police Félix Marion. Mon père.

— C'est Léman. On ne va pas revenir là-dessus.

— C'est faux. Gus a été dépossédé du butin sur place par des inconnus. Ce sont eux qui ont tué Félix.

Quercy secoue sa cendre au-dessus de la poubelle et, toujours aussi calme :

— Léman a acheté son château et l'a fait aménager avec le fric qu'il a retiré de ce braquage et qu'il a fait laver. En Suisse ou ailleurs.

— Faux. Gus s'est réfugié en Espagne où subsistaient des réseaux de soutien à l'OAS. De là, il est parti en Amérique centrale et il a fait fortune dans le négoce. Je ne dis pas que ce négoce ait été nickel, j'en ignore tout, mais c'est ainsi. Il est revenu en France sous une fausse identité il y a vingt ans, a acquis le château de Saint-Léger et l'a fait restaurer. Le fric, c'était *son* fric.

Tu n'as à rougir de rien. Tout ce que je te laisse est propre. Les bijoux dans le coffre sont ceux que j'offrais à ta mère, que je lui envoyais avec un peu d'argent pour toi, tes études. Je devine que tu ne me croiras pas et je redoute plus que tout au monde que tu ne refuses ce que j'ai réuni à ton intention pour que tu aies une vie douce avec ta fille, mais, je te le jure, tout ce qui te revient a été gagné honnêtement.

— J'ai des preuves.

— Des preuves ! Mais c'est formidable ! Utilise-les au lieu de me faire la morale.

Il la contemple. Les mains crispées sur le rebord du bureau, le visage encore tuméfié, elle est splendide dans son pull rose. Il s'approche d'elle.

— Tes preuves, tu veux que je te dise ? Ce sont les affirmations de Gus Léman. Elles valent les miennes, non ? Réfléchis bien. Il y a des choses qu'on ne sait jamais vraiment. Il faut faire avec.

— Pas moi, je ne peux pas. Il faut que je sache.

Il prend position à côté d'elle, s'appuie comme elle sur le rebord du bureau.

— Écoute, Marion. Il n'y a pas une vérité, il y en a plusieurs. Elles sont mouvantes, elles changent. Regarde la ville, là.

Elle suit son doigt qui pointe la colline de Fourvière.

— Tu vois une image qui, dans une heure, aura changé. Si tu te déplaces, elle va aussi se modifier. La vérité, c'est pareil...

— Non, monsieur, je ne...

— Laisse-moi terminer ! J'ai reconnu mes torts dans cette affaire et je désapprouve ce que certains ont fait, par bêtise ou par peur. À cause d'eux, un officier de gendarmerie est mort et, ça, c'est impardonnable. Ils vont se retirer des affaires publiques, ils n'ont pas le choix. Et moi, je vais prendre ma retraite à la fin de l'année. Le reste est de la responsabilité de ce dingue qui est mort dans les caves du château de Saint-Léger. Qu'est-ce que tu veux de plus ?

Marion se dirige vers la fenêtre, qu'elle ouvre en grand. Elle respire l'air qui s'engouffre et écoute la ville qui gronde. Elle observe longuement la colline, se déplace, recule, penche la tête.

— Je regrette, dit-elle sans se retourner, je vois la basilique de Fourvière et rien d'autre, même si je me déplace, si je penche la tête ou si je fais les pieds au mur. Pour moi, il ne peut y avoir qu'une vérité et je la chercherai sans relâche.

Elle recule lentement, fait face à Quercy, plonge son regard dans le sien. Il craint fugacement qu'elle ne relance la discussion. Il le sait, elle va le faire. Il la connaît, elle va le harceler jusqu'à l'usure. Il se prépare à reprendre les armes, harassé.

Elle le défie avec son air farouche, longuement. Puis elle pointe le doigt sur le Beretta.

— Je ne vous demande qu'une chose, patron. Je veux que vous mettiez un terme à l'affaire du Chien qui fume au mieux des intérêts de Talon et de Meceri. N'oubliez pas qu'eux aussi font partie de votre famille.

125

— Maman ! s'exclame Nina. Quand est-ce qu'on va aller acheter les meubles ? Et Choupette, si on la mettait sur le balcon, dans une grande cage avec de l'herbe ?

Elles se tiennent par la main au milieu du salon de leur nouvel appartement, un grand duplex sur les bords de Saône, à deux cents mètres de l'école et à une portée de sabots d'un club hippique. Deux portes-fenêtres s'ouvrent sur une terrasse avec vue. Gilles a proposé d'en financer l'agencement, mais Marion a refusé. Ils ont eu à ce sujet une discussion qui a duré plusieurs jours. L'enjeu était ce mariage auquel Marion avait dit oui, un soir, il y a longtemps – une éternité. Gilles a compris que cette union officielle ne se fera pas et que, sans doute, la liste de tout ce qu'elle lui doit déjà, au lieu de les rapprocher, l'a éloignée de lui.

— Il faudra attendre un peu. Il faut de l'argent, Nina, beaucoup d'argent.

Nina ne sait rien de la fortune qui aurait pu être celle de Marion, des bijoux enterrés avec le coffre, de la magnifique demeure détruite. Elle ne saura rien des hommes et des trois chevaux morts à cause de la cupidité, de la bêtise et, surtout, du manque d'amour qui conduit les enfants abandonnés à la folie.

Marion a fait jurer à Gilles et à Capdevil de ne jamais révéler à quiconque les secrets de sa naissance. Sonia Bonte et Suzanne sont liées par le secret professionnel, et elle veut croire que cela possède encore un sens. Elle est une fois pour toutes la fille de Félix Marion, mort en service commandé, comme elle l'a déjà raconté une bonne vingtaine de fois à Nina, fascinée par la proximité de leurs deux histoires. Son père travaillait dans l'équipe de Marion. Lui aussi est mort en service commandé.

De la brève richesse de Marion, il ne reste que quelques plaies encore mal cicatrisées.

— Quand est-ce qu'il revient, Gilles ? demande Nina en se dirigeant vers la terrasse.

Sa voix résonne dans la pièce vide, et Marion, les poings sur les hanches, est abasourdie par cette question.

— Mais je croyais que tu ne voulais pas de lui...

— J'ai jamais dit ça. Et il t'a sauvé la vie, quand même, et à moi aussi. Et depuis que j'ai failli mourir, il est plus cool.

— Oui, se moque Marion, j'ai remarqué. Et il est plus rigolo que Choupette pour jouer.

— C'est clair ! Il est génial ! Tu sais où il est allé ?

Marion hésite. Elle le sait d'autant mieux que c'est elle qui lui a demandé de se rendre à Saint-Léger prêter main-forte à la PJ de Dijon et au laboratoire de police scientifique. Avec une arrière-pensée.

— Non, ment-elle. Mais il va revenir bientôt.

Elle suit sa fille sur la terrasse. Le duplex est situé au dernier étage d'un immeuble et la ville ronfle doucement à leurs pieds, de l'autre côté de la Saône. Nina babille, essaie de repérer les rues. À l'instant où elle découvre au loin la place des Terreaux, la sonnette de la porte d'entrée retentit.

Elles sursautent toutes les deux, pas encore habituées à ce carillon grave.

— Qui ça peut être ? s'inquiète Nina. On n'attend personne !

Sur le seuil, Gilles s'appuie au chambranle de la porte. Il porte un jean et de grosses chaussures de marche. Il a l'air épuisé. Il est seul, sans bagages, mais tient à la main un paquet rectangulaire emballé dans du papier marron. Il se penche pour embrasser Marion, qui le laisse faire non sans se rebiffer intérieurement contre la règle qu'elle a fixée : elle ne veut plus aucun cadeau de lui. Surtout pas de ces cadeaux-surprises dont elle ne maîtrise rien.

— Je peux entrer ? demande-t-il.

— Je peux savoir ce que tu manigances ? s'alarme Marion, soupçonneuse.

Gilles cherche des yeux un siège pour s'asseoir. Il tourne un moment sur lui-même et finit par s'adosser au mur sans lâcher son paquet.

— Si on allait acheter un canapé demain ? suggère-t-il.

Marion lui jette un regard contrarié.

— Je t'ai déjà dit non. Et puis, demain, je ne suis pas là…

— T'es où ? demande Nina, dont le visage s'est rembruni.

— À Dijon.

— Encore !

— Je vais à un enterrement, murmure Marion. Enfin, deux…

Gilles la regarde et elle acquiesce d'un bref hochement de tête à sa question muette.

— Gus à onze heures et, l'après-midi, le notaire.

Nina, qui s'est remise à sautiller de long en large, s'interrompt.

— Quel notaire ?

— Quelqu'un que tu ne connais pas. Le père d'une amie d'école.

Marion vient rejoindre Gilles, lui prend la main et l'entraîne sur la terrasse :

— Alors ? s'enquiert-elle à voix basse.

— J'ai passé deux jours là-bas, à diriger les fouilles sous la houlette de tes collègues de Dijon… C'est éreintant. Surtout les ruines calcinées.

— Quelles ruines ? interroge Nina, qui s'est avancée sans que les adultes la remarquent.

— Un chantier où je travaille, se hâte de répondre Gilles. J'ai demandé à mes gars de venir. On a fait le plus gros, mais il y a encore plusieurs jours de boulot.

Il parle à voix basse et Nina tend le cou pour entendre. Marion le presse d'en venir au fait d'un regard impérieux.

— On n'a rien trouvé. Ni coffre, ni photos, ni papiers. Les documents et les photos ont dû brûler, car le bureau était situé dans la zone où l'incendie a été le plus violent. Le coffre, c'est un mystère…

— Qu'est-ce que tu veux dire ?

— Je ne sais pas. Mais je suis sûr d'une chose, il n'est pas là où tu me l'as indiqué. Quelqu'un l'a peut-être embarqué…

— La zone était gardée, objecte Marion. Et, même s'il ne pèse que cinquante kilos, on n'emporte pas un coffre-fort comme ça…

— Je n'ai pas de réponse. C'est dommage pour toi.

— Écoute, Gilles, j'ai dit que je ne voulais pas de cet héritage… Si tout ce… toute cette histoire n'était pas arrivée, j'aurais renoncé à ces biens. Je veux seulement que personne ne sache…

Gilles hausse les épaules.

— Cette propriété t'appartient légalement, que tu le veuilles ou non. Les actes ont été enregistrés et tu ne peux pas faire comme si rien n'était arrivé.

— Mais de quoi vous parlez, à la fin ? s'énerve Nina.

— Je te raconterai, dit Marion, promis. Va me chercher un verre d'eau, s'il te plaît, Nina.

— C'est ça, oui, s'insurge la petite. Comme ça, vous pourrez échanger vos petits secrets ! C'est pas juste !

— Nina, gronde Gilles affectueusement, obéis à ta mère, sois… cool !

La fillette s'éloigne en ronchonnant et repousse la porte-fenêtre sans douceur. Marion s'en aperçoit à peine.

— Par moments, je me demande si je n'ai pas rêvé, dit-elle d'une voix lointaine. Si tout n'est pas sorti de mon imagination.

Gilles passe son bras autour des épaules de Marion, qui se dégage d'un mouvement nerveux. Il lui tend le paquet rectangulaire.

— Tiens, c'est tout ce que j'ai récupéré !

Le regard de Marion va de Gilles à ce présent mystérieux qu'elle retourne entre ses doigts sans oser l'ouvrir. Finalement, elle se décide et déchire d'un coup d'ongle le ruban adhésif qui le maintient fermé.

La maison de nos rêves, les vélos contre le mur…

— Tu l'as trouvé où ?

— La Golf de Martinez était intacte. Le tableau était caché sous le siège avant.

— Oh ! c'est super ! s'exclame Nina, qui revient les mains vides. Je croyais qu'il avait brûlé avec notre maison ! On va le mettre là, entre les deux fenêtres, d'accord, maman ?

— Si tu veux, murmure Marion.

Nina s'empare du tableau, contemple le château, retourne le cadre, interroge sa mère du regard.

— Tu sais où il est ce château, en vrai ?

Marion fixe au loin les manœuvres d'une péniche sur la Saône, croise ses bras nus sur son chemisier, frissonne.

— C'est une peinture, Nina. Il n'existe pas.

Marion enfile une veste. Les soirées commencent à fraîchir, et le restaurant où Gilles les emmène dispose d'une des plus belles terrasses de la ville. Il a invité aussi Talon, qui se remet lentement de sa blessure, Capdevil et Meceri. « Ainsi, a-t-il dit à Marion, tu auras tout ton petit monde autour de toi. » Il espère en faire partie, mais il n'a pas trouvé de réponse dans ses yeux noirs.

Elle dévale les escaliers, serrée de près par Nina. En bas, elles s'arrêtent, hors d'haleine, et lèvent ensemble la tête vers Gilles qui descend pesamment la dernière volée de marches.

Il les regarde avec tendresse. Il prend la main de Marion et baise le bout de ses ongles courts. Doucement, elle la retire et la pose sur l'épaule de Nina.

11056

Composition
FACOMPO

Achevé d'imprimer en Slovaquie
par NOVOPRINT SLK
le 5 octobre 2015

Dépôt légal octobre 2015
EAN 9782290083147
L21EPNN000323N001

ÉDITIONS J'AI LU
87, quai Panhard-et-Levassor, 75013 Paris

Diffusion France et étranger : Flammarion